伯里曼® 人体结构绘画教学

最新版

〔美〕乔治·伯里曼 著
晓鸥 辛昕 小野 译

广西美术出版社

图书在版编目（CIP）数据

伯里曼人体结构绘画教学（最新版）/（美）伯里曼
著；晓鸥, 辛昕, 小野译. — 南宁：广西美术出版社，
2016.5（2021.3重印）
书名原文：BRIDGMAN'S COMPLETE GUIDE TO
DRAWING FROM LIFE
ISBN 978-7-5494-1572-4

Ⅰ. ①伯… Ⅱ. ①伯… ②晓… ③辛… ④小… Ⅲ.
①人体结构－素描技法 Ⅳ. ①J214

中国版本图书馆CIP数据核字(2016)第097627号

伯里曼人体结构绘画教学（最新版）
BOLIMAN RENTI JIEGOU HUIHUA JIAOXUE（ZUI XIN BAN）
原 作 名：Bridgman's Complete Guide to Drawing from Life

著　　者 /〔美〕乔治·伯里曼

译　　者 / 晓 鸥　辛 昕　小 野

策　　划 / 覃西娅

责任编辑 / 覃西娅　黄冬梅

封面设计 / 萧　萧

版式设计 / 黄　一

出 版 人 / 陈　明

校　　对 / 肖丽新

审　　读 / 林柳源

监　　制 / 王翠琴　莫明杰

发　　行 / 广西美术出版社

地　　址 / 广西南宁市望园路9号（邮编530023）

网　　址 / www.gxfinearts.com

市场部电话 /（0771）5701357

制　　版 / 广西雅昌彩色印刷有限公司

印　　刷 / 深圳市新联美术印刷有限公司

开　　本 / 889 mm×1194 mm　1/16　23印张

版　　次 / 2016年5月第1版

印　　次 / 2021年3月第4次印刷

书　　号 / ISBN 978-7-5494-1572-4

定　　价 / 108.00元

代　序

　　乔治·伯里曼是我们早在20世纪六七十年代就已熟知并受尊敬的美国艺术家，那时国内曾有出版社出版了伯里曼的节选本，虽然开本只有小小的三十二开本，在书店里不经意是找不到它的，然而伯里曼此书的出版当时在美术界却引起了不小的震动，画家以能得到此书为一乐事，可见其珍贵。今天，广西美术出版社修订再版这部综合了伯里曼六部知名著作的图册，相信能够持续地满足画家、艺术爱好者对伯里曼作品的喜爱。

　　伯里曼以全新的视角、独特的感受和表达方式，诠释了绘画人体的美妙和展现了人体在空间运动中的美感，让人眼前一亮、为之振奋！虽此书也兼艺用解剖学的功用，但通篇讲造型艺术的真谛（解剖只是认识人体的手段或方法）。伯里曼以生动富有感染力的图画展示了人体在运动中的变化，把复杂的人体造型，简约化理解为基本立方体的组合，用写实和立体造型方法表现空间中三维变化的形体。

　　人体解剖学知识对画家和雕塑家来说都是必须研究和掌握的基本功，应尽量多地了解人体内部结构，包括骨骼和肌肉的造型特征与功能，以及运动变化对人体外部造型的影响。然而过去我们所见的艺用解剖学图册，大多侧重在理性地讲述人体内部结构、骨骼造型特征、肌肉起止点和作用及对外部造型影响等等，其图例大多缺乏生动性，往往不能切中要害，使得美术院校的学生在上解剖课程时，常觉枯燥单调，学习热情受到抑制。

素描被认为是一切造型艺术的基础，用以训练对人与事物的观察分析和表现能力。素描是一门科学也是一门独立的艺术形式。在人类历史长河中人们对自身一直不断地研究、探求其本质，进而去表现自身的人体美。素描艺术进行时也正是艺术家思维过程和表达美的过程。我们掌握了人体解剖知识和人体结构的基本造型规律、运动规律，掌握了造型技巧，就可以自由地表现，塑造出各种人物的姿态。

　　我们除了要了解人体解剖中的局部特征，更要把握理解人体大的造型特征，大的转动变化，这些都需要通过素描人体的长期实践加以解决。

　　伯里曼是一位了不起的艺术家，他把解剖学、人体结构和人体艺术以生动而极富个性的表现加以结合，用全新的语言讲述了人体在空间中的三维立体造型。他把科学法则、规律与丰富的艺术语言相结合，由浅入深、生动具体、讲得透彻、一目了然，既表现了人体的真实感，又充满了空间立体和运动的美感。

　　伯里曼亦是一位声誉极高的教育家，他在纽约艺术学生联盟教授解剖学长达45年。他那充满美学理想及完美地结合了古代艺术大师的艺术成就，对我们人类自身这一奇妙存在给予了详尽的解读与赞美。

　　将人体生理的复杂性与其展现的永恒艺术魅力联系在一起，展示了人的生命的蓬勃活力，正是伯里曼著作的精彩华章。

　　此次广西美术出版社经过修订、增补，推出了最新版伯里曼这部著作，将有更多人受益，也必将进一步推动我国美术界和美术教育界学术水平的提升，是十分正确的举措。

中央美术学院教授

目　录

怎样画人体轮廓　2

人体比例　7

测量　10

　测量　12

　活动的块　13

揳入、穿过和固定　15

平衡　23

　平衡　25

韵律　27

　韵律　31

旋转和扭动　32

光与影　38

　光与影　43

组块的分布　44

　组块的分布　45

制作人体模型　47

制模　54

人体头部　59

　头骨　60

　凹凸起伏的头骨　64

　头部的步骤画法　66

　头部的透视画法　68

　头部各组块分布　73

　头部的构造　76

　头部的平面　78

　头部轮廓　85

　　视平线以上　86

　　视平线以下　88

　头部的轮廓　90

　头部的圆形　92

头部的圆形和方形　94

立方体结构　96

椭圆形结构　99

头部的光与影　100

比较分割　106

儿童的头部　108

面部肌肉　109

表情　110

五官　113

　下颌　113

　下颌的运动　114

　眼睛　116

　耳朵　120

　耳朵的类型　122

　鼻子　123

　鼻子的类型　126

　嘴　130

　嘴的类型　133

颈部　135

　颈部的正面　136

　颈部的背面　137

　颈部肌肉的作用　139

　颈部的肌肉　140

　颈部的运动　142

躯干（I）　148

　前视图　148

　躯干的组块　150

　躯干的平面前视图　153

　躯干的肌肉　154

　躯干的结构　155

躯干胸廓 156

躯干轮廓 157

胸腔 162

躯干（Ⅱ） 163

后视图 163

躯干的组块 164

躯干和臀部的机理 169

肩胛带 170

三角肌 172

肩胛骨 173

肩胛骨的机理 174

胳臂 180

胳臂的各向视图 188

三头肌和二头肌 196

胳臂的机理 197

前臂 198

前臂的各向视图 200

肩部和胳臂的组块 204

胳臂对前臂的楔分 206

旋前肌和旋后肌 209

肘部 211

肘部的各个方向视图 212

侧视图 215

腋窝 218

手 220

手的表现 224

手腕和手 229

手和胳臂的机理 232

手的解剖 234

手的肌肉（Ⅰ） 236

手的肌肉（Ⅱ） 240

手的构造 248

手掌的拇指侧 252

手的小指侧 258

拇指 262

拇指的解剖 265

马鞍状关节 266

拇指的块面 267

手指 270

手指的解剖 272

拳头 282

与手相接的指关节 287

婴儿的手 292

骨盆 294

骨盆 296

髋部 298

髋部肌肉 299

下肢 300

大腿和小腿 301

膝部 316

足部 324

运动 325

外展和内收 326

足部的骨骼和肌肉 330

脚趾 332

着装 334

时尚 336

构成 338

着装形体 340

皱褶 344

皱褶的种类 344

兜布型皱褶 347

折线型皱褶 348

管型（带型）皱褶 352

半搭扣型皱褶 353

螺旋型皱褶 356

垂落型或飞舞型皱褶 358

呆滞型皱褶 360

体积 362

韵律 362

　　本书的人体是以块面形式进行讲解描述的，通过这种方法，人体弯曲、旋转、扭动靠韵律使形体富有动感。从"怎样画人体轮廓"到"光和影的平衡"，不同的阶段依次按顺序排列，目的是使晦涩的学术研究和结构分析清晰易懂。希望本书图文中传达出的信息能够启发读者进行独立深入的思考。

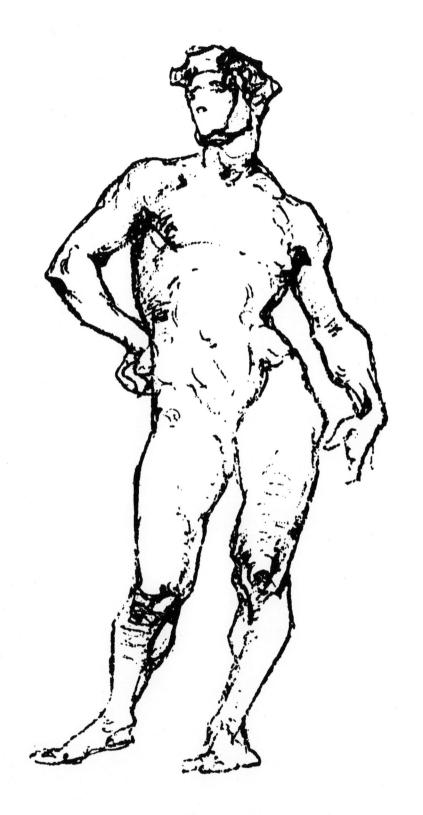

怎样画人体轮廓

　　你在下笔之前，必须知道要画什么，头脑中必须明确所要画的人体的动作。从不同角度研究模特，感觉一下这个运动或静止神态其内在的本质。构思才是作画的第一步。所谓意在笔先，即是如此。

先考虑画面的平衡和安排，在纸上确定所要描绘人体的位置。画出两个标记表示所画人体的长度。

用短直线画出小方块表示头部的轮廓。脖颈改变方向处需仔细处理，从喉结到锁骨之间的凹陷处画出一条线表示中心位置。

从脖颈锁骨之间的凹陷处画出一条斜线表示肩部的运动方向，不要忘了中心记号，它应该位于锁骨之间。

从身体承重的一侧开始，从最外侧的一点上，勾出髋部和大腿的轮廓线，表示出身体的大致动势方向。

接着，对照头部的宽度，画出身体相对静止的另一侧形体的轮廓。

然后，再回到动态的一侧，画出腿的一条线。现在，人体的重心已经确定。

在人体中间偏上的位置，继续画静态一侧的线条至膝盖。

在膝的外侧，画出腿的另外一条线条。

再从头部开始，把头部看成一个立方体，有前面、侧面、后面、底面，同眼睛平行，用透视法进行描绘。

画出脖颈的轮廓，从脖颈锁骨之间的凹陷处向下到胸部中心画一条线。

在这条线的右边，即腹部与胸部结合处，另外画出一条线，然后根据人体姿态，以线条表现或扭曲、或倾斜、或直挺的厚实的胸廓。

现在画出支撑身体大部分重量的大腿和小腿，即圆形的大腿，方形的膝盖，三角形的小腿和方形的脚踝。然后画出双臂。

　　这些简单的线条，勾勒出了人体的轮廓，表示出了人体的大致比例以及人体动态侧面和静态侧面的平衡、和谐及韵律。

　　记住，头部、胸部和骨盆是人体三大组块。它们本身是固定不变的。我们把它们看成块状物体，有四个面。这样，它们相互间的位置关系可以保持对称与平衡。但是，如果使这些块面向后向前弯曲或是旋转扭动，那么人体将会因为块面位置的移动和变化而形成动态。

　　无论这三个组块可以形成什么样的姿态，无论其身体的一侧可以表现出多么剧烈的动态，身体的另一侧都会体现出静态的、柔和的线条特性，这种微妙的、捉摸不定的、栩栩如生的和谐特性贯穿整体，这就是人体的韵律。

人体比例

人体比例

  一切人体比例尺寸的测量都是把人体分割成若干个固定的比例尺寸的部分。测量的观念多种多样：理性的、感性的，它们之间各不相同。

  如果使用特定的比例，即使这些比例反映的是理想的通常的人体比例，也将会导致绘画作品缺乏个性。此外，套用这些所谓的艺术标准，人体必定处于视平线上，且显得僵直。即使是头部或身体做最小的弯曲动作，虽然实际的比例没有改变，但视觉上的比例将发生变化。

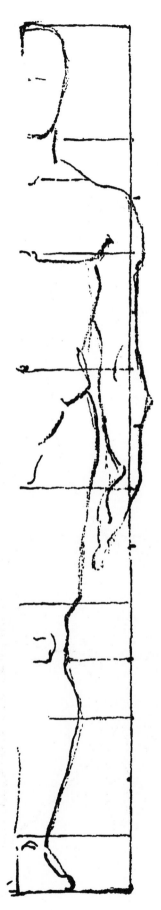

从解剖学的角度来看，将头骨视为一个计量单位。若从视平线进行测量，上肢骨——就是肱骨，约1.5个头骨长。前臂大拇指一侧的桡骨约1个头骨长。前臂骨尺骨或小指一侧，从肘到手腕约30 cm。大腿骨也称股骨，约2个头骨长。小腿骨也称胫骨，约1.5个头骨长。

图例表示出三种不同的测量方法，一是保罗·里查尔博士的测量法，二是威廉·里摩尔博士的测量法，另一个是米开朗基罗测量法。

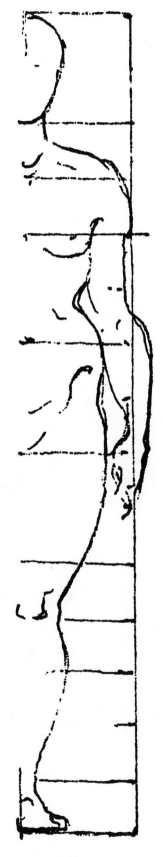

男性　　　保罗·里查尔博士测量法为7.5个头骨长　　　女性

米开朗基罗测量法为8个头骨长

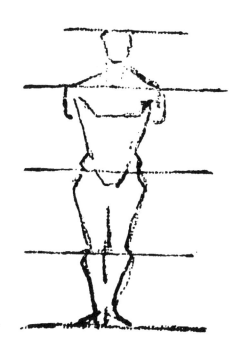

威廉·里摩尔博士测量法

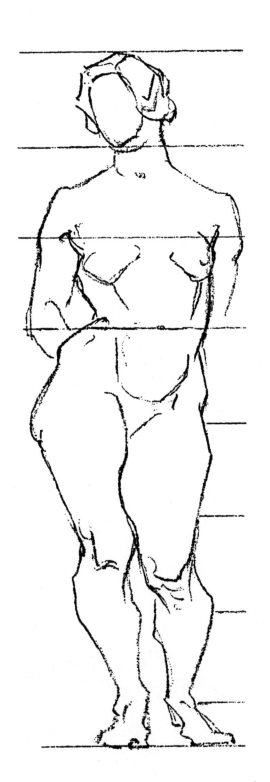
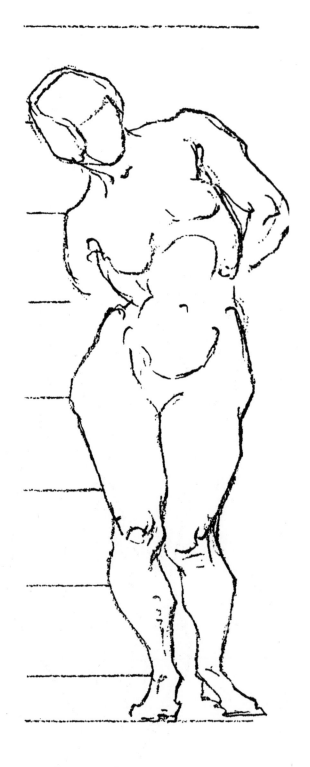

测　量

　　首先，需要用眼睛测量，并仔细观察模特，比较人体几个组块之间的尺寸比例，然后用手进行测量。测量时，用大拇指和其他手指握住炭笔或铅笔，以食指和炭笔笔尖分别标出你所测量对象的上下两个端点。将手臂伸直，头部倾斜，眼睛尽可能靠近抬起的肩膀。

　　如果测量模特，从食指到炭笔或铅笔笔尖的距离大概为2.5 cm，那么在你的画中，所画出的长度可能是

5 cm，或者更多。也就是说，所有的测量都是相对的。如果说头部的长度是整个身体的七分之一，而你在炭笔或铅笔上记录下来的是"2.54 cm"的话，显然不论你的画面是多大尺寸（通常，这个尺寸你已经预先确定了，你的画可能是一幅缩微画或壁画），你都应在画面上按比例标出七个"2.54 cm"的长度。手臂依靠轴与肩胛骨相连接；眼睛位于手臂之上并更靠前，轴线和半径完全不同；手臂和脖子长度不同。而且，测量物体时，有的人很自然地闭上左眼、有的人闭上右眼，也有的人两只眼睛都睁开。所以，情况各异，没有什么固定的测量方法，用一只眼还是两只眼全看个人习惯。但是不管习惯如何，你的眼睛必须尽可能地靠近肩膀，手臂尽可能伸直。

　　对象上没有标记可以证实你的测量是否准确。此外，模特位置可能远远高于你的视平线，这样人体比例会发生很大改变。只有模特位置平行于你的视平线上时，才能用铅笔进行垂直测量。高于视平线或者低于视平线，物体和执笔手臂之间就会有一个角度。准确地确定这个角度需要一些练习。要准确地确定这一角度，先找一面墙或者垂直的杆子，上面竖直标出七八个标记，每个标记之间相隔2.54 cm左右。坐在几米外的远处，伸直手臂，眼睛靠近肩膀，用炭笔或铅笔准确地画出每两个标记间隔。反复进行这种练习，你能够手执炭笔，在不同的距离非常准确地判断角度。这种测量角度的方法也适用于测量人体。

测 量

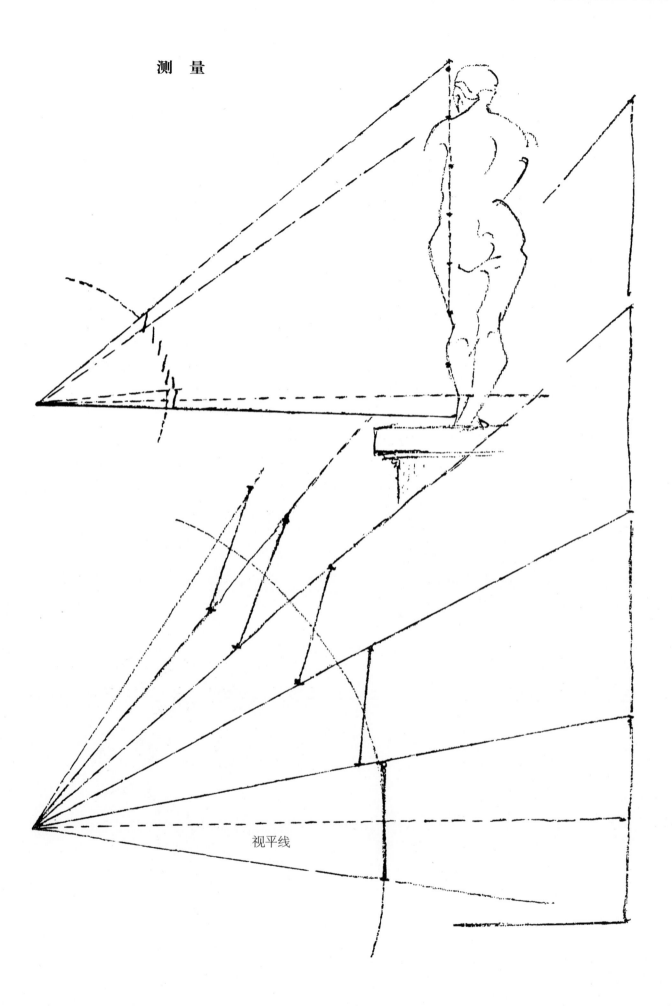

视平线

活动的块

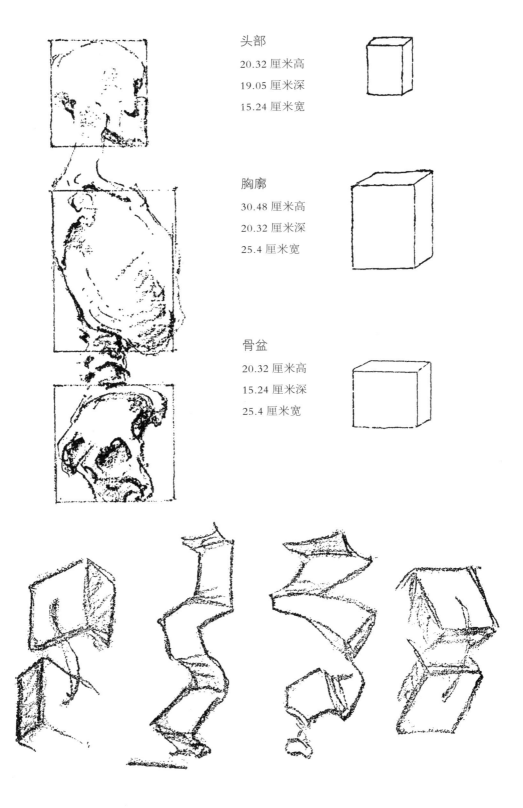

头部

20.32 厘米高

19.05 厘米深

15.24 厘米宽

胸廓

30.48 厘米高

20.32 厘米深

25.4 厘米宽

骨盆

20.32 厘米高

15.24 厘米深

25.4 厘米宽

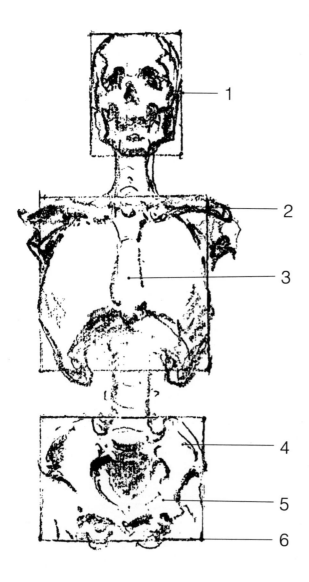

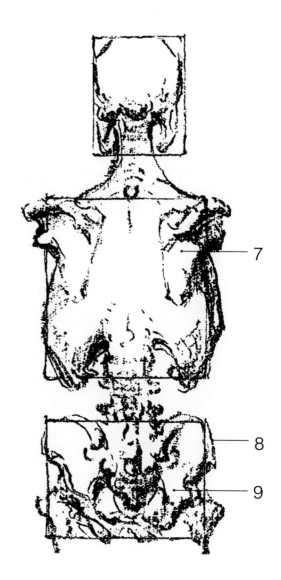

1. 头骨
2. 锁骨
3. 胸骨
4. 髂骨
5. 耻骨
6. 坐骨

7. 肩胛骨
8. 髂骨顶部
9. 骶骨

揳入、穿过和固定

靠榫眼和凸榫，上肢和下肢连接在胸腔和盆骨上，称为球窝连接；肘部和膝盖是靠铰链关节分别连接的。周围的肌肉通过改变位置、形状和大小，在关节结构允许的情况下通过各种方式移动关节。

当身体做出动作时，各部分本能地调整姿态协调动作。肌肉通过收缩使身体各部分扭转弯曲。这时，肌肉本身拉长、缩短、膨胀，形成更小的楔块或者与更大的、更为结实的组块一起，形成各种不同的形状。肌肉的这种收缩膨胀的特性使各个肌肉块的形状相互交织、叠合、伸展成为一个整体。这些形状相互交错，从视觉上给人以揳入或者相锁的感觉。就像布料褶皱一样，褶皱改变，外形也随之改变。

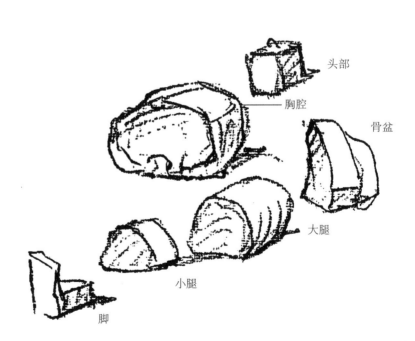

头部

胸腔

骨盆

大腿

小腿

脚

对象轮廓上画出的每个块面或是线条，都要对照
具体实物，这个块面或线条就是这个实物的轮廓。同
样，轮廓中各种块面或线条相互交错、叠合，表示具
体实物之间的相互揳入、榫眼相接和连锁。

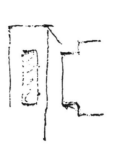

画人体轮廓时可以不用考虑它是由什么样的块面组成。另外，对象厚度以及各人体组块中小块面之间的交错、叠合是用来表示具体东西的体积和厚实感。

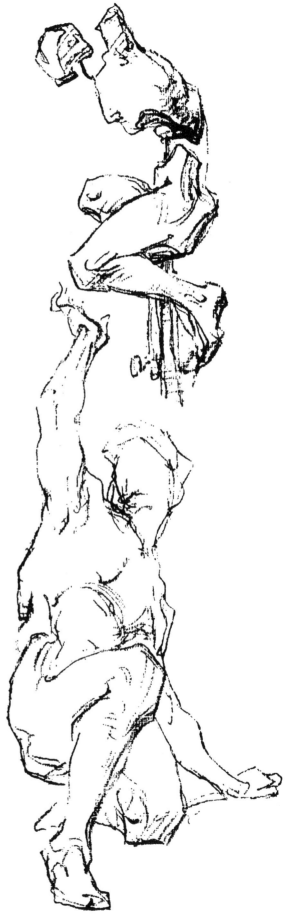

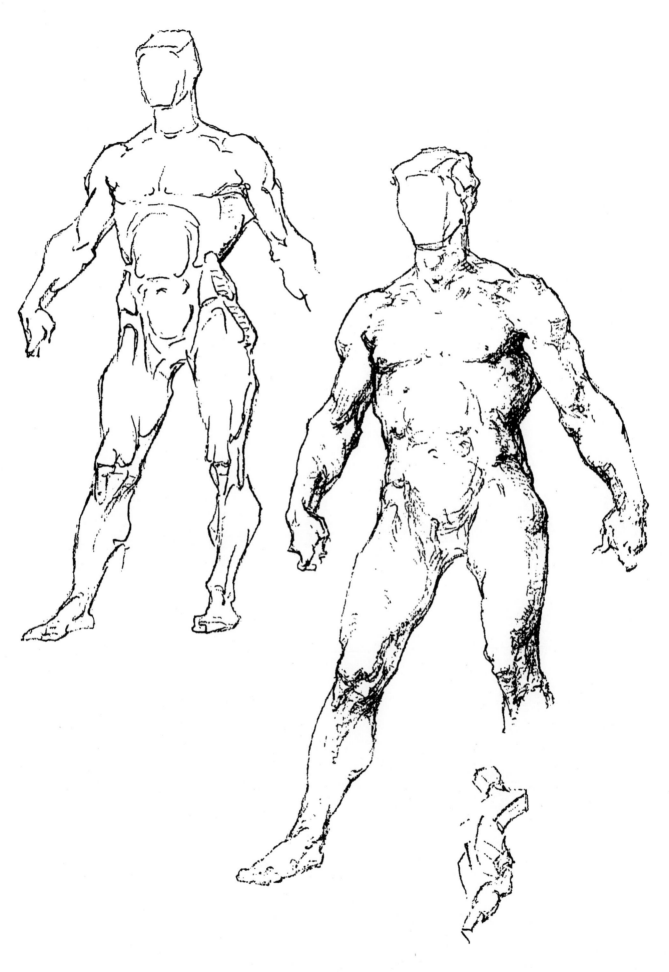

平　衡

　　如果将几个物体摞起来，在不同的角度上它们处于平衡状态，那么它们共有一个重心。对于一幅画面，不论中心线在哪儿，各种力相互作用一定要使画面有稳定感、平衡感。无论姿态如何，这一点都是很重要的。一个站立的人体不论他是向前、向后还是向侧面，他的姿态体现在画面上都是稳定的。重心从脖颈处的胸口落在承重的那只脚上，或同时承重在两只脚之间。

　　从某种意义上讲，垂直悬挂的钟表如同静态站立着的人体。他和这个钟表一样，是静止不动的。当钟摆成弧形左右摆动时，它的重心总是固定不变。钟摆从重心处呈弧形，摆至两侧的极限位置，其远离重心的程度，正相当于人体远离平衡的程度。这个位置体现了最大的运动角度，画中此点为人体运动最大角度。即使在运动角度达到最大时，动态中也必须有一种稳定感，就像钟摆一样，人体可以重新回到稳定的重心上来。这种平衡感在绘画中表现出来的是动作的连贯性和韵律感。

平　衡

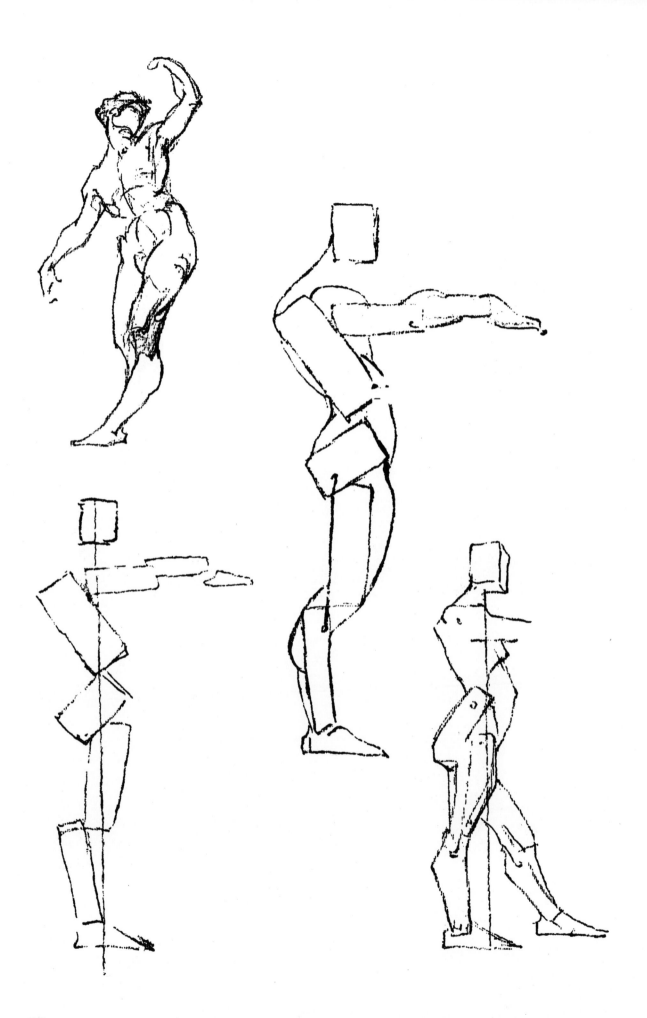

韵　律

　　我们意识到韵律的存在并不是从哪个时期或者哪些艺术家、艺术群体开始的。我们知道在1349年，一群佛罗伦萨画派的艺术家组成了一个艺术团体，研究色彩的变化、画面的构成等，其中包括对运动进行科学化的研究。但是韵律并不是发明出来的。韵律就是宇宙中有规律的运动，这个世界开始时它就存在。大海、潮汐、恒星和行星、树木和花草、云朵和飞絮，它们的运动都是有韵律的。韵律是所有动植物生命的一部分。用重读和非重读音节表达说出的话语、说话中的停顿都有其韵律的变化。诗歌和音乐都是艺术载体，是用适当并富有韵律的声音、美好的思想、想象或情感来表现的。没有韵律就没有诗歌和音乐。在绘画中，图画的轮廓、色彩、光和影都是富有韵律的。

慢动作画面使我们能够从新的角度欣赏所有能够看见的运动。在撑竿跳、障碍赛这样的画面中，我们可以用眼睛观察每块肌肉的运动，观察人体或马匹在整个动作中的和谐关系。

　　描绘人体时，要表达出它的韵律，同时，我们需要保持人体各组块之间的平衡。相对静态的、动作幅度较小的一侧应配合动作幅度较大的、力度较大的一侧，头脑中始终注意整个画面内在细微处的对称。

韵　律

旋转和扭动

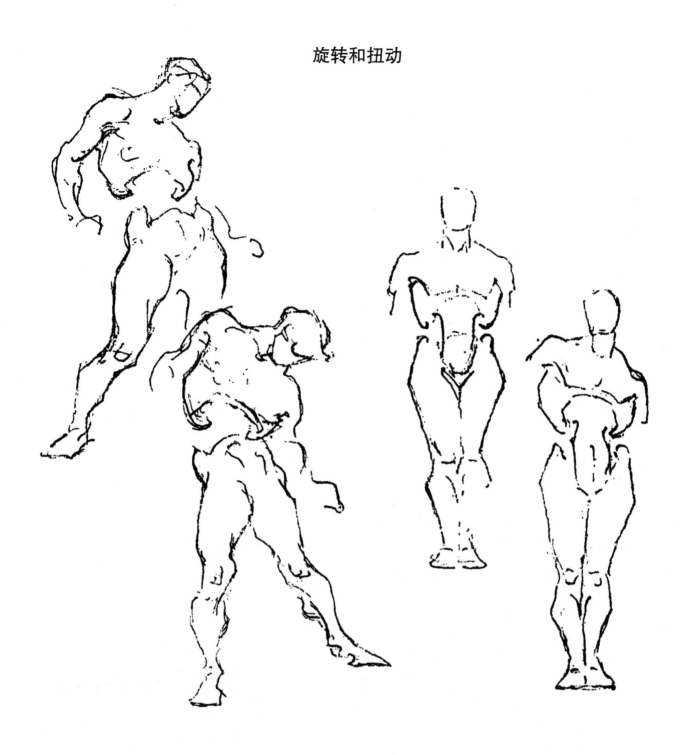

　　人体由头部、胸部和盆骨这些组块组成。每个组块都有它的高度、宽度和厚度。把身体这几部分看作组块，它们固定在脊柱上，平衡、倾斜、扭转，摆出不同的动作。当组块扭曲旋转时，它们之间的空间变长、变短或成螺旋状。

　　我们可以把这些运动和各块之间的空间比作正在拉奏的手风琴。当人体一侧产生棱角分明、刚劲有力的动态时，就像用力合上手风琴的琴叶一样，用力把形体的两侧往中间挤压，结果，产生了动态相对剧烈的一侧，而相反一方的褶皱会变得稀松，动作会显得柔和，幅度平缓。

　　人体各组块靠肌肉、腱和韧带运动。肌肉是成对的，彼此之间向相反的方向拉伸。就像两个人使用

横锯一样，当拉伸的肌肉紧绷着时，没拉伸的肌肉是松弛的。当两块或更多的组块，譬如胸部和盆骨，被紧紧地拉拢到一起，这一侧的肌肉就会绷紧，形成动势较强的一侧。而另一侧肌肉相对舒展，人体组块处于相对静态之中。角度和曲线的密切关系在任何时候都是需要考虑的。成对肌肉之间的从属和主被动关联在每个生命体身上都是存在的。这种关系使身体的扭转弯曲产生出协调的运动，表现出形体细微的连贯性。不断变化和难以捉摸的特性恰恰就是动态的本质所在。

光与影

　　画好外轮廓后，加上明暗，能够使对象富有体积感，体现出它的宽度和厚度。头脑中先有这样一个概念，立体人型的四个侧面是由几个大组块组成的面。避免多余的明暗色调，否则会影响头脑中再现实物的能力。比如实物侧面是什么样，在画中就应该得以体现；实物正面是什么样，也应表现出来，这就是再现实物的能力。

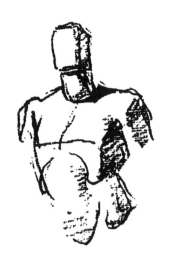

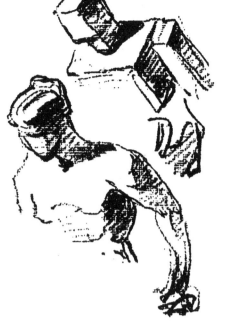

相同强度的色调或相同大小的色块不应该在一起，
对于这样相同色调的安排应该灵活并且错开。

色调之间应该有明显的区别。色调越少越好，避免
多余的明暗色调。如果只需要三个色调，就不要用四
个。头脑中要明白，组块简单，上色调就要概括，这一
点很重要，因为图画毕竟不是明暗效果。

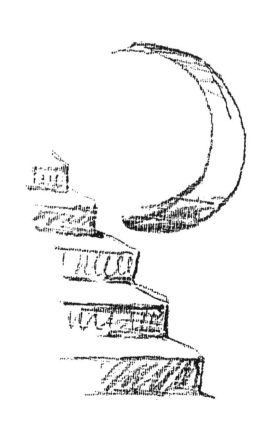

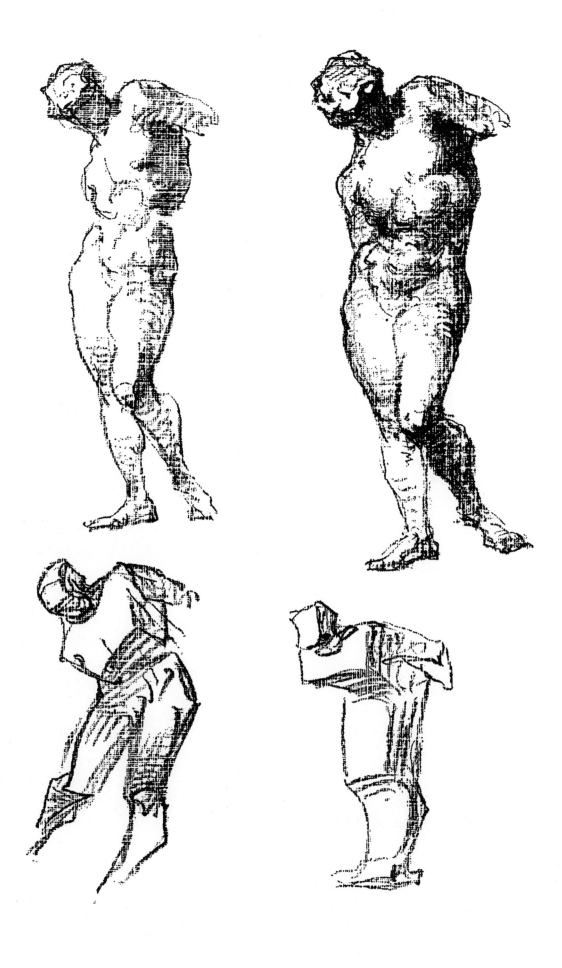

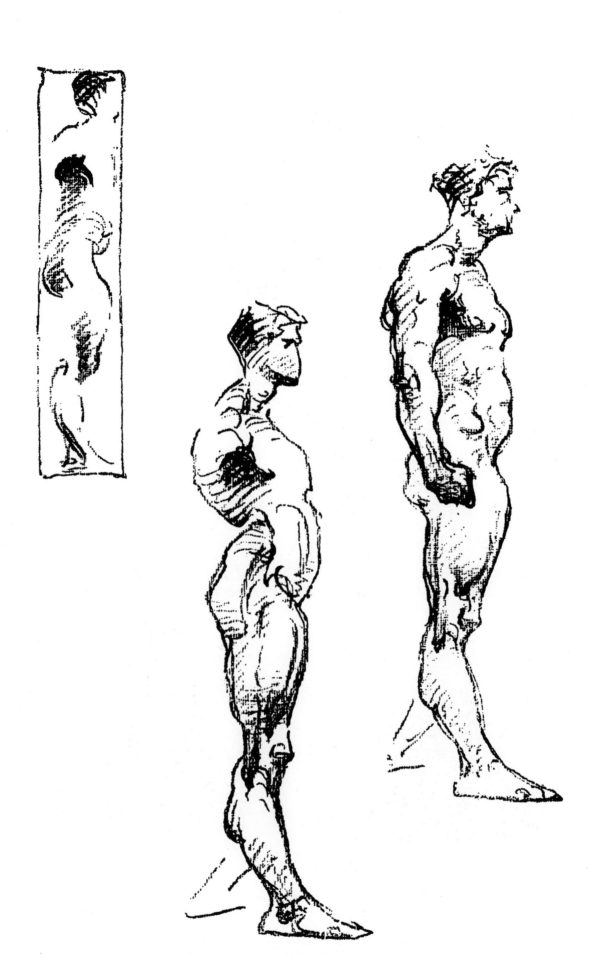

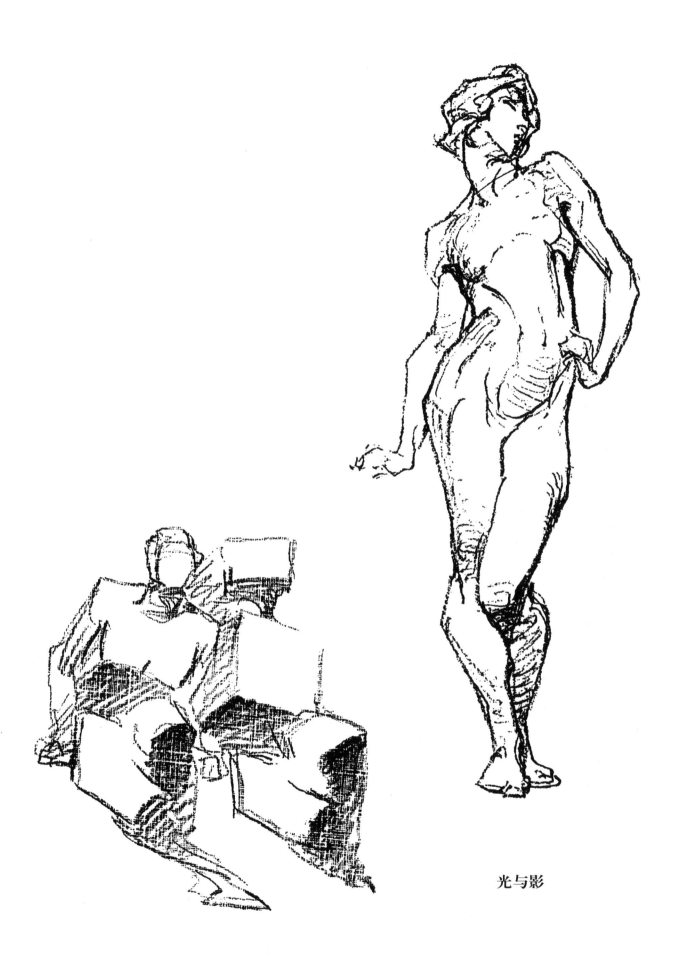

光与影

组块的分布

需要承认我们不能记住很多复杂的图形，所以绘画人体之前最好先考虑所要画的人体主要由哪些形状组成，用下面这个方法，简单且容易记住。

从人体的正面来设想各个形块之间的揳入和交叉：呈方块形的脚踝和呈三角形的小腿相连接，然后小腿又连接到呈方形的膝盖上，膝盖又连接到圆形的大腿上，大腿又和髋部组块相接，在髋部的两侧，三角形的楔子伸入胸廓。胸廓是椭圆形的，肩部的胸廓近似方形。在这个方形上面接入圆立柱形的脖颈，头部位于脖颈上。与脖颈的形状相比，头部是方形的。

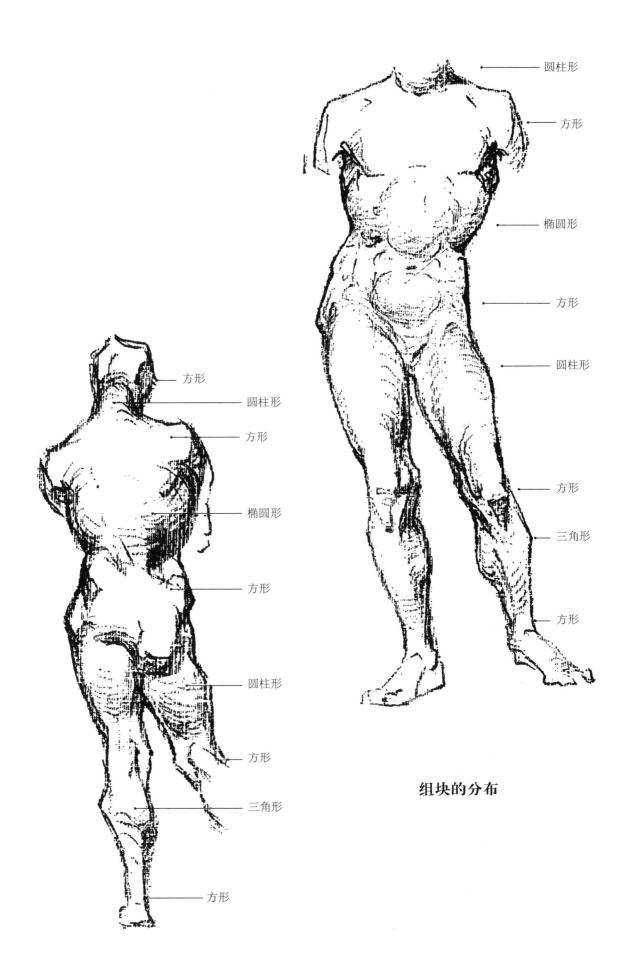

圆柱形

方形

椭圆形

方形

圆柱形

方形

三角形

方形

方形

圆柱形

方形

椭圆形

方形

圆柱形

方形

三角形

方形

组块的分布

45

从人体的背面来设想各个形块之间的揳入和交叉：头部是方形的，位于圆柱形的脖颈上，肩部的胸廓呈方形，向上揳入颈部，胸廓下部呈三角形，揳入髋部。方形的髋部位于圆柱形的大腿之上。膝盖是方形的，腿肚子呈三角形，脚踝是方形的。

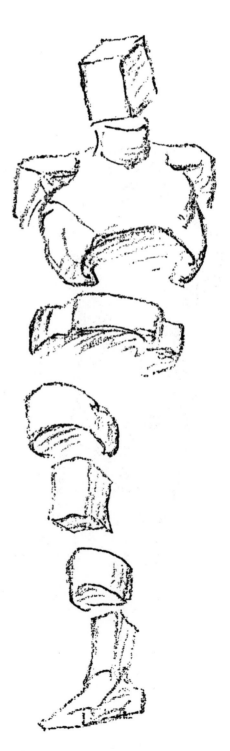

制作人体模型

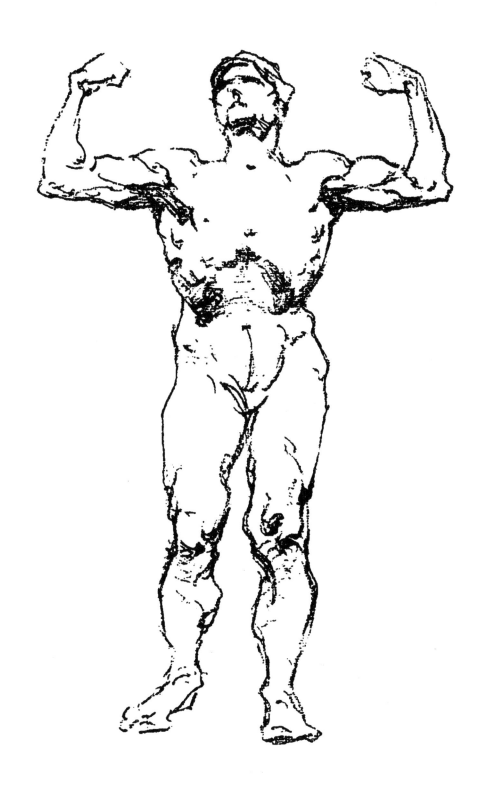

　　用一块板条、几厘米铜线或可弯曲的金属线可做出一个合乎人体比例的人体模型。切割板条，取三小块用来表示身体的三个组块：头部、胸部和髋部。根据人体骨骼，这三块的比例大约为——头部：1 ft×0.625 ft；躯干：1.5 ft×1.25 ft；髋部：1 ft×1.25 ft。（1 ft＝30.48 cm）

在每个块面的中心位置，垂直挖两个平行的孔，孔距很小。用一股可弯曲的金属线穿过这些孔，将各组块连接在一起，每两块之间留出1.27 cm的空间，然后把线系在一起。

用金属线简单地表示脊椎。脊椎是由一连串坚固灵活的关节和圆片形的骨头组成，之间有起减震作用的软骨。脊椎有24片骨头组成，每片弯曲一点，身体就可以灵活运动。当然头部相对胸部、胸部相对髋部的旋转扭动是靠它们之间所留出的空间实现的。脊椎是身体不同部分结合在一起的地方。

头部和胸部组块之间留出的那部分金属线表示脖颈，位于脖颈上的头部能够向前、向后、向上和向下弯曲扭转。头部位于脊椎骨最上方，通过铰链关节与脊椎结合。通过这一关节，头部可以在肌肉和韧带承受范围内向前向后运动。铰链关节下方凸出部分进入脊椎骨上方的窝孔内，形成了一个类似轴的结构，脊椎骨支撑的头部便可以转动。

因此，我们点头时，使用铰链关节；转动头部就借助脊椎和头部形成的这个轴。

下方两个组块之间的金属线代表连接上方胸廓和下方骨盆的那部分脊椎。这部分叫腰部，榫接在盆骨之上，呈半圆形，前面凹进去。依靠这部分脊椎，髋部和躯干之间的腰部可以做扭转运动。沿着脊椎向上，脊椎已成为胸廓的一部分，肋骨也加入其中。

　　头部、胸部和盆骨由三个大块表示，它们本身是固定不动的。考虑这三个块之间的关系，先忘掉所有连接部分，除了表示脊椎的细金属线。

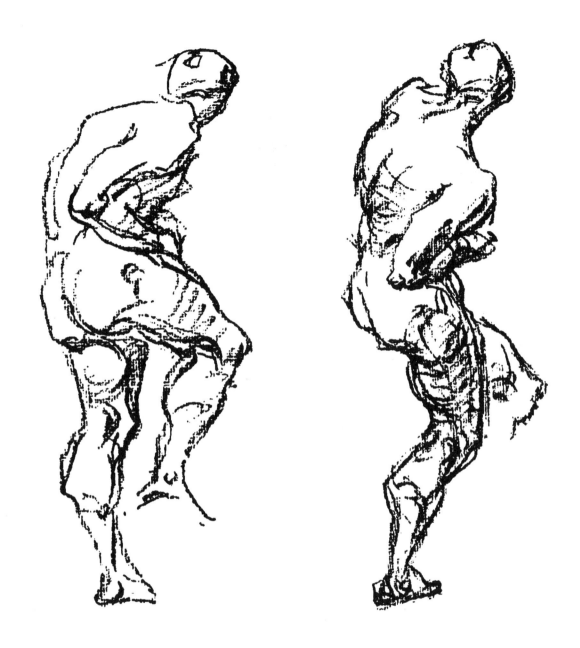

　　从立正着的小锡兵（西方的一种游戏人物）身上，可以看到多个组块之间的对称平衡，这些
组块是一个叠一个，直接重叠起来的。但是当身体处于运动中时，这种平衡是根本不存在的；当
身体处于平躺状态时，对称与平衡也很少存在。这些组块彼此之间的关系受三种运动平面的限
制。这三种平面是：身体前后弯曲的切面，旋转扭动时的水平面和左右倾斜时的横面。通常这三
种运动都是存在的，这些动作同板材和金属线制成的人体模型的三个组块的旋转扭动动作相似。

　　脊椎骨活动的局限性限制着人体三个组块的运动。因此，动作只有在脊椎和肌肉承受范围内
才能够实现。

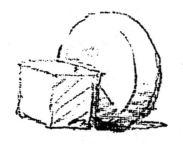

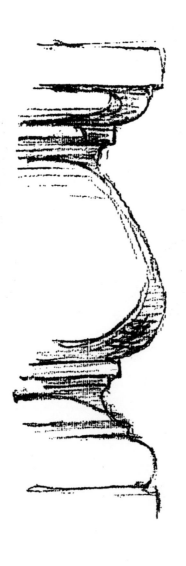

制　模

　　建筑学上的模型制品由不同圆形物和凹形物、平面和曲平面组合而成，通过光与影的变化带来各种不同的装饰效果。

　　人体无论是直立还是弯曲，都是由几个简单的大的组块组成，轮廓上同建筑学的圈线、S形曲线和蜗牛形柱墩的模型不无相似之处。看人体的背部，从头部到脖颈这一部分的线条是凹进去的，然后到肩膀处线条又向外凸出来，胸腔到盆骨有两条线，在腿股开始的地方突然收住，往下到膝盖的线条略微起伏，到膝盖后部的面平缓，小腿到脚后跟线条又有凹进去，这就是整个这一系列线条的波动和图形的变化。人体前面的线条、平面凹凸起伏变化和背部相似。

　　光影的分布使这些形体得以体现。

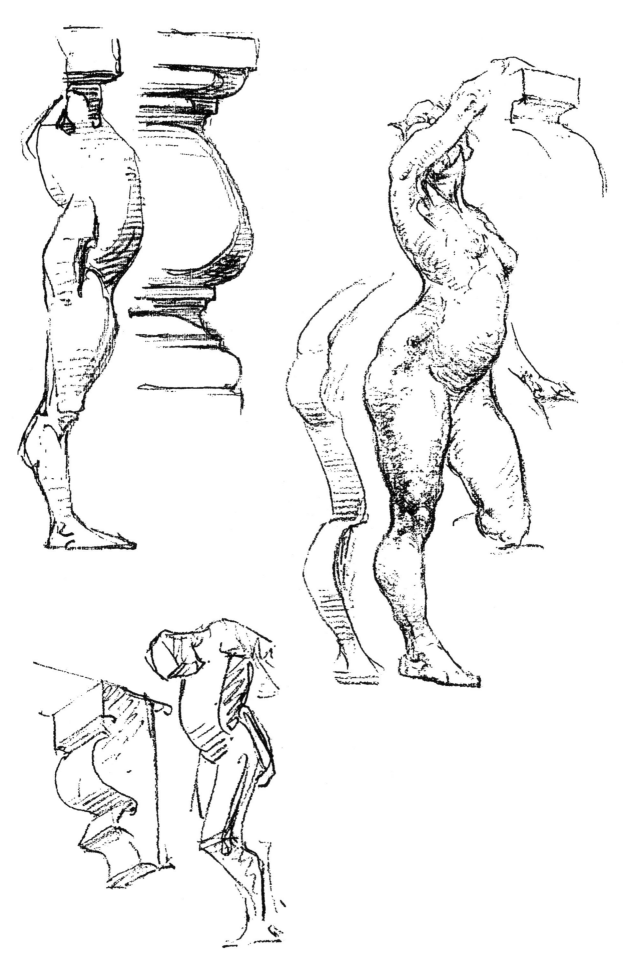

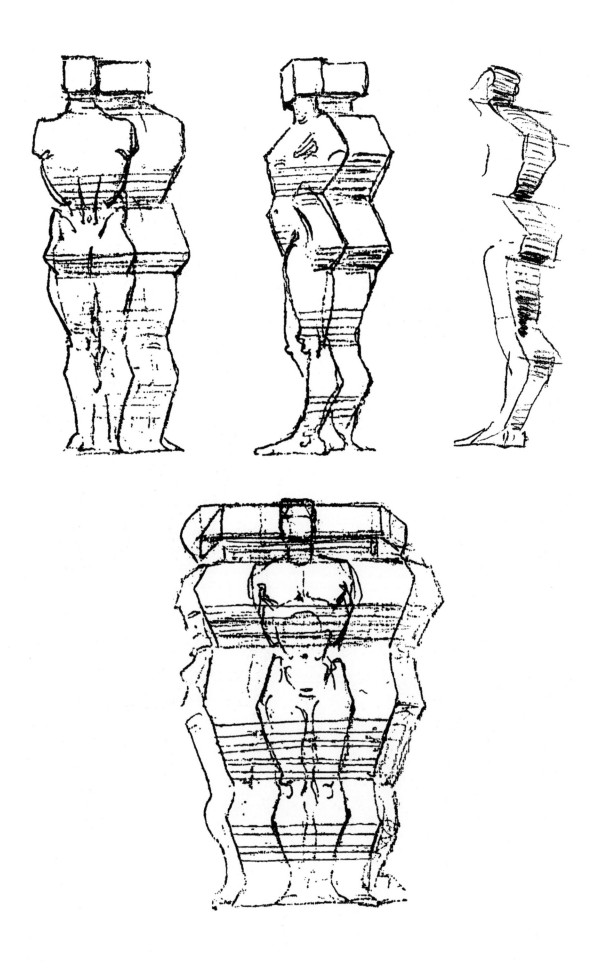

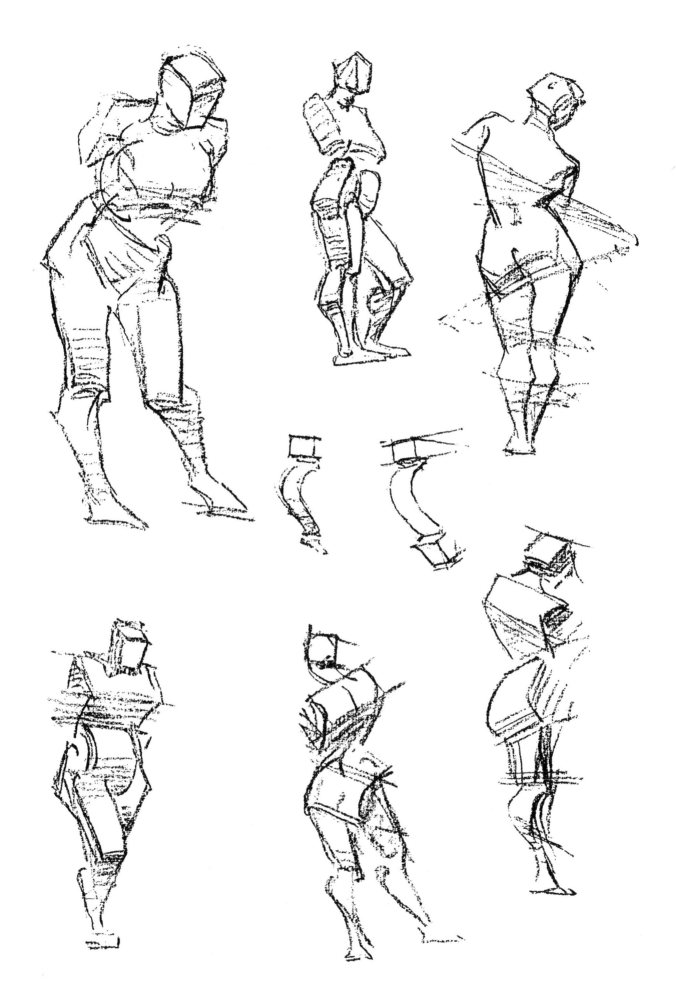

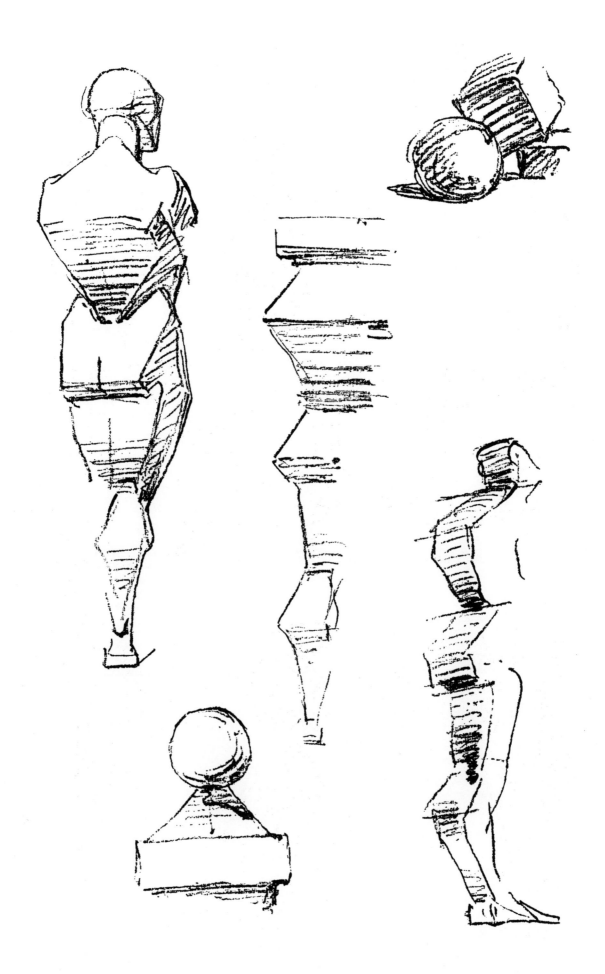

58

人体头部

头部的研究应始于抽象的研究。也就是说，我们应该先忽略具有个性特征的头部，而把所有的头部看成是由同样的块面组成，所有头部的尺寸都是一样的。我们用建筑学的眼光来设计、构建和权衡每个头部，每一个头部的结构都是典型的。

首先，在头脑中把头部看成一个立方体而不是椭圆或鹅蛋的形状，这样我们的计算就能够变得简单明确。

头部立方体约15.24 cm宽，20.32 cm高和从前到后19.05 cm厚。这些测量值是通过测量头骨立方体的六个面而得：前面、后面、两个侧面或称两颊、顶面、底面或称底边。部分底面被脖颈挡住，但是从下巴的下面能看到，再从背面看它就是头骨的底边。因此，立方体的底面约19.05 cm长、15.24 cm宽，在这个"平面图"上就像在正方形上，可以构建任何图形。

这个立方体可以成角度倾斜，也可以按透视比例缩小摆放。

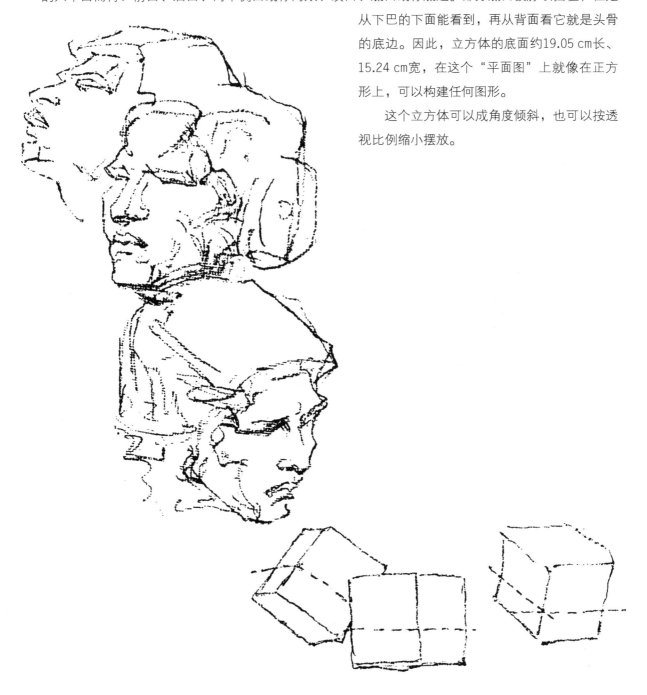

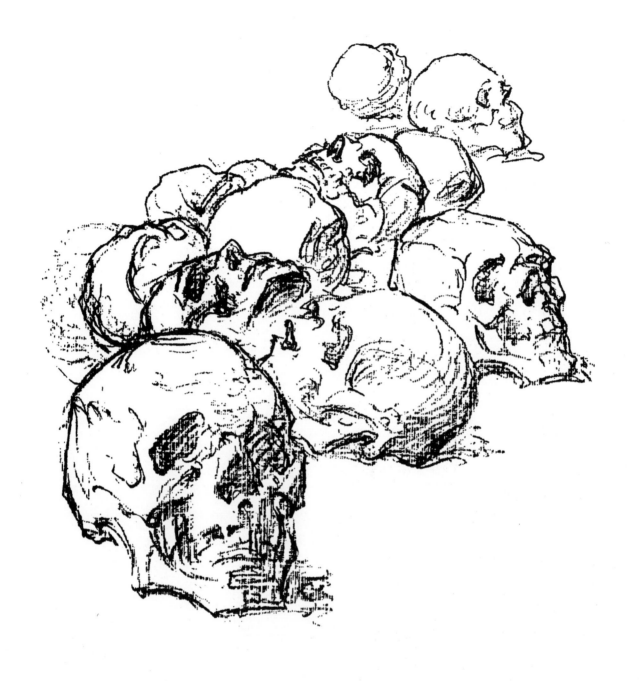

头 骨

头骨像一个立方体有六个面：顶面、底面、两个侧面或称两颊、前面和后面。头部的骨架，除说话时下颌需要动，其他部分是固定的。

头部有22块骨头。头盖骨有8块，面部有14块。头盖骨的前面是额骨或称前额，前额从鼻子根部延伸到头顶和两侧的颞骨。两块颧骨或称颊骨，每块颧骨结合另外四块骨就形成颧骨弓的一部分，颧骨弓是从颊骨展开到耳朵。颧骨（或称颊骨）和前额在上方形成一个向外凸出的角度，在下方又和上颌骨相连。两块上颌骨组成上颌固定住上排牙齿，并和上方的颧骨和眼窝相连。鼻骨形成鼻梁。

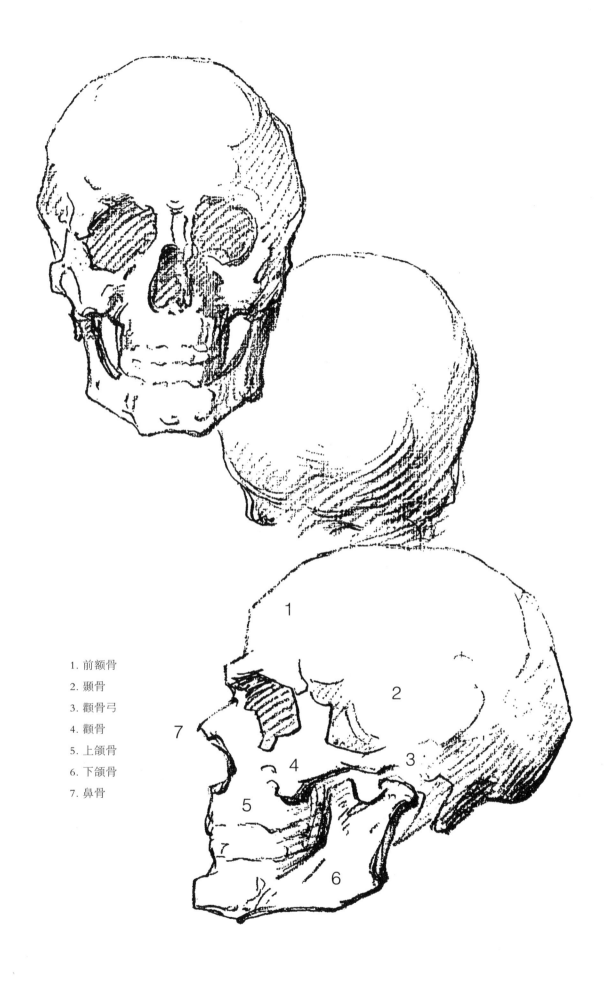

1. 前额骨
2. 颞骨
3. 颧骨弓
4. 颧骨
5. 上颌骨
6. 下颌骨
7. 鼻骨

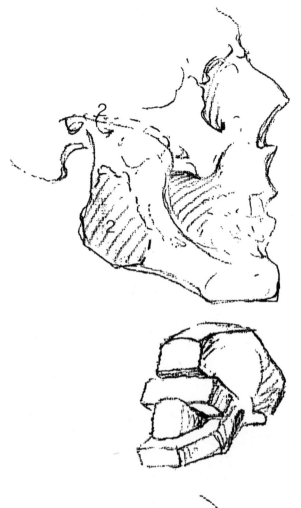

下颌骨是面部下面的边界，形状像马蹄铁，末端向上延伸到耳朵的颞骨部分与之相连。下颌的工作原理是当嘴张合时，所形成的铰链结构使下颌上下移动，也可以前后左右移动。所以咀嚼食物并不是用咬肌简单地上下左右咬磨，而是靠臼齿或磨齿来咀嚼。咬肌从颧骨弓伸展处下面伸出直到下颌的下方边缘和爬坡角。咀嚼时就是用咬肌这块肌肉将下颌抬起。从颊骨到下颌形成角的这一平面是面部侧面，它是由咬肌填满的。

1. 颞肌
2. 咬肌

1. 颞肌
2. 咬肌
3. 颊肌
4. 颧肌
5. 上唇方肌

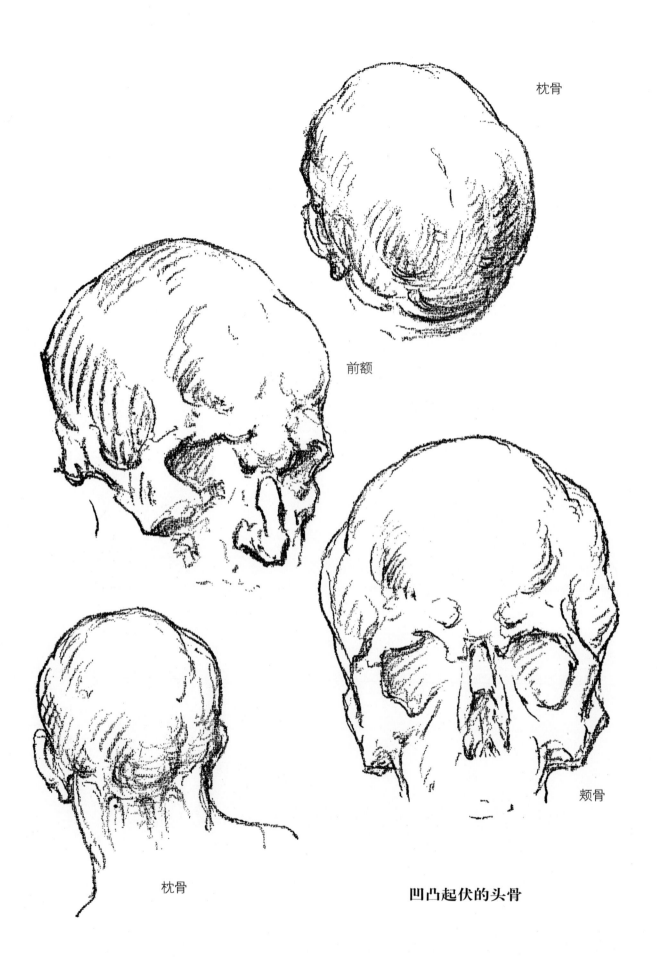

枕骨

前额

枕骨

颊骨

凹凸起伏的头骨

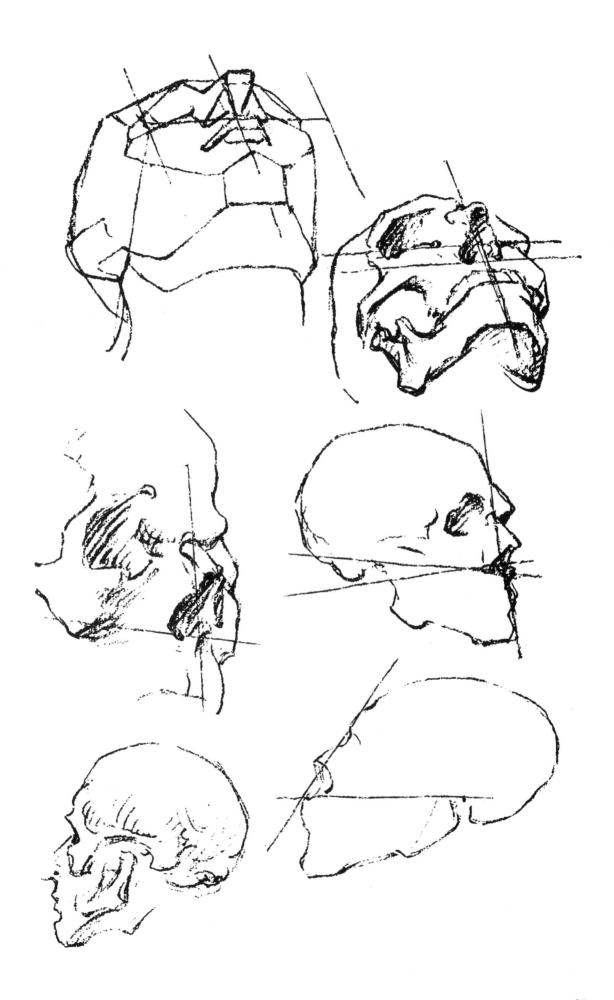

头部的步骤画法

首先用直线画出头部的轮廓。

从脖颈的中心处开始画出脖颈的轮廓，即从喉结上方到脖颈下方的凹陷处——锁骨的连接处。注意比较脖颈与头部之间的宽度、长度。

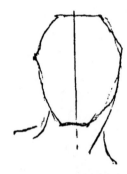

画一条纵向直线向上穿过脸部、两只眼睛中间的鼻根部和正对上唇中间的鼻底部。

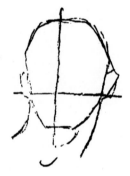

从耳根处再画出一条直线，和刚才所画那条线垂直。

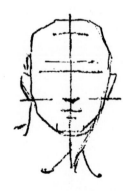

在纵向穿过面部中心的这条线上，画出眼睛、嘴和下颌的位置。这些线同两耳之间的那条线平行，同纵向穿过面部中心的线交叉垂直。

用直线画出前额的边界、顶面、侧面和眼窝的上边界。然后从每侧颊骨最宽处到相应一侧下巴最高最宽处，画出一条线。

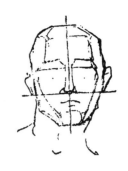

如果你要画的头部处于视平线上，那么纵线和横线需要在鼻底处交叉垂直；如果两只耳朵都能看见，那么从耳朵横穿头部的这条线会碰到两只耳朵底部。

把头部看成一个立方体，耳朵位于头部颊骨两侧，它们之间的连线与其说像是环绕头部的曲线，不如说酷似穿过头部的直线。

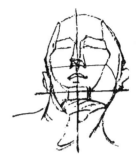

如果头部位于水平线之上或者向后倾斜，鼻底就会位于两耳之间连线的上方。如果头部位于水平线之下或者向前倾斜，鼻底就会位于两耳之间连线的下方。两种情况下，头部上方或下方都会相应地缩小。头部低于或高于视平线距离越大，两耳之间线段同鼻底之间的距离也就会越大。

现在，你已经画好了面部轮廓，就是立方体的前面，接下来可以进一步画出细节了。

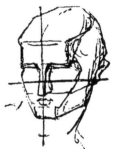

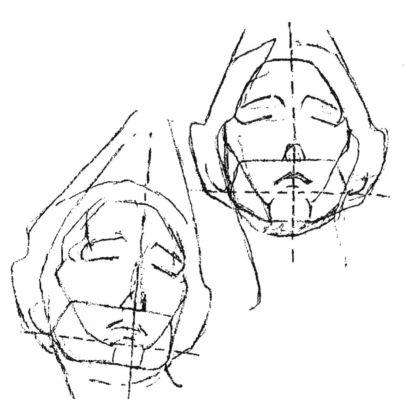

头部的透视画法

透视画法是指物体和平面在外观上因距离产生的效果。有平行透视、成角透视和倾斜透视。

不向后延长的平行线不会集中。向后延长的线条，不管是位于视平线上还是视平线下，朝着视平线方向会聚于一点，这一点叫视点，平行透视中也叫灭点。平行透视中，所有比例分割和定位都是在你所面对的平面制定的。所以，当我们画一个立方体或是头部时，先画最靠前的那一面。

当物体左右方向转动时，线条不会会聚视中心，视中心并不是灭点，物体就处于所说的成角透视中。

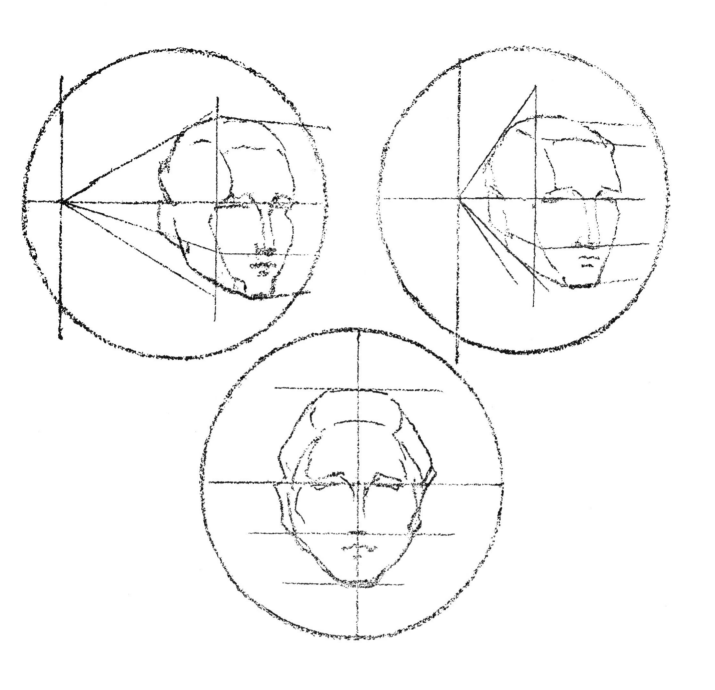

　　一个物体，比如说一个立方体，倾斜或是水平转动时，物体就处于所说的倾斜透视中。

　　举例说明：画个圈，穿过圆心水平画一条线，然后再垂直画一条线。两条线相交处画出视点。在圆心直接画出头部，面部中心是鼻子根部，眼睛的下边界位于穿过中心的水平线上，这条水平线又称眼界，位于眼睛高度的视平线上。下眼睑、五官与水平线平行。如果头部位置不变，从侧面观察，头部的侧面在视力范围之内，保持距离不变。虽然头部和五官的相关位置也会因透视而变化，但不是成比例的变化。

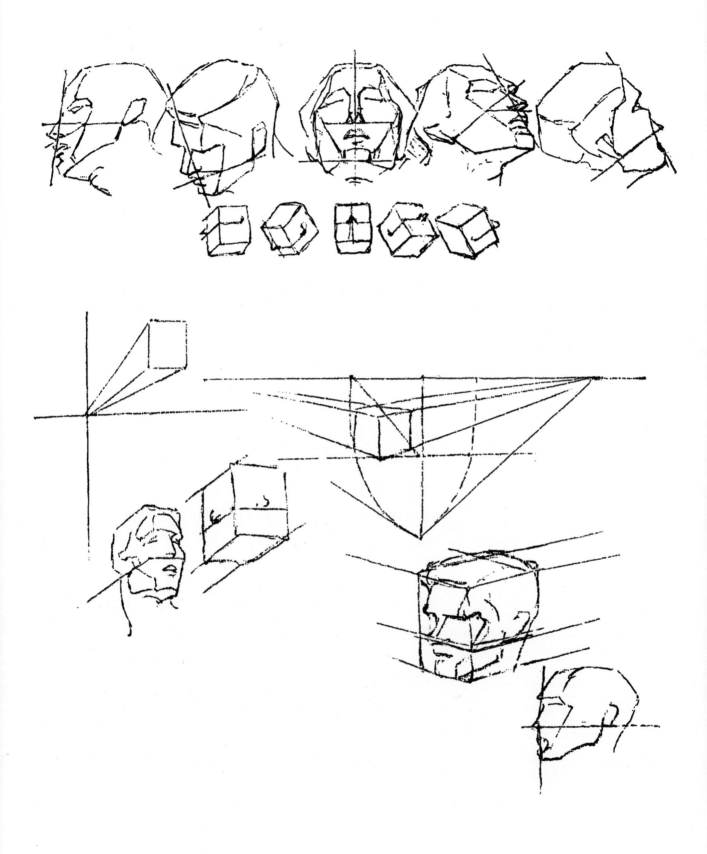

在近处从斜下方或斜上方直接看头部，视点会变化。原来与水平线平行的线条不再与之平行，但是这些线条的延长线会在水平线某点聚合，这点就是灭点。

如果头部不位于视平线上，画时注意必须符合透视法。如果头部位于观察者的视线之上，很明显，你是向上看的。不仅头部需要符合透视法，面部的五官——眼睛、鼻子、嘴和耳朵（舌除外）都需要符合透视法。就像船体上的藤壶（一种附在船底上的动物），船体上浮，它也跟着上浮；头部的五官也是，头部在上方，五官也呈现位于上方的特点，反之亦然。首先，五官必须随头部组块方位变化而变化，五官具体什么样是第二步才考虑的。

透视画法必须有某个具体的形状或组块。用几条平行线——两条垂直线和两条水平线从正前方画一个立方体或头部的轮廓。这些线条不向后延长，因此头部的这些线条是平行的。但是如果这些线条位于你的下方、上方或其他角度，那么线条的延长线会聚在一起，由此产生近大远小的视觉效果。

规则如下：

首先，延长线不论位于眼睛上方还是下方，都会趋向视平线。其次，平行的延长线会在视平线上会聚，会聚点称为灭点。

近大远小，这是透视的第一条法则——透视学由此开始。

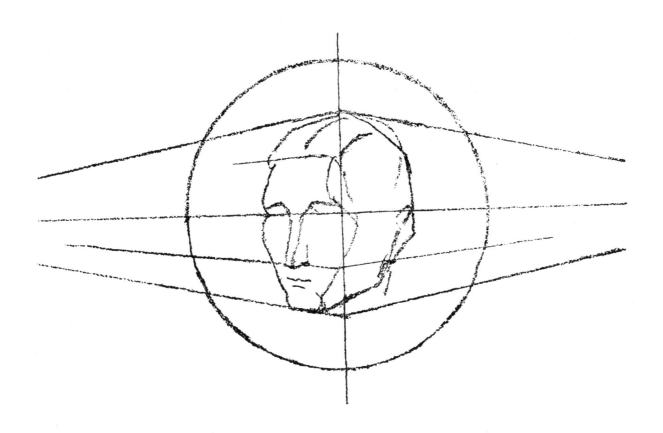

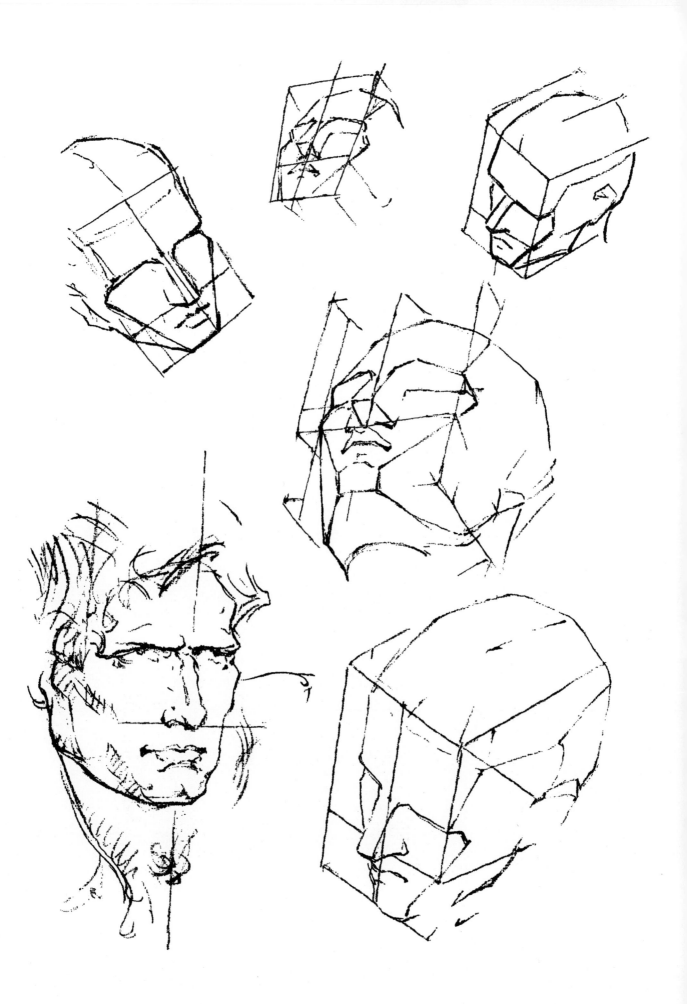

头部各组块分布

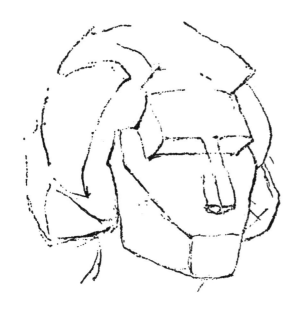

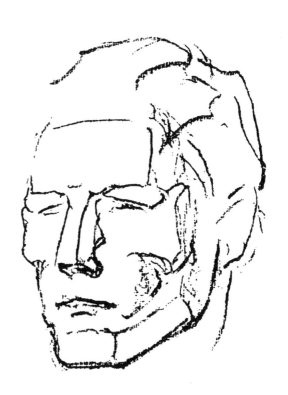

面部是由四个不同的组块构成：

1. 前额：方形，顶部进入头盖骨。

2. 面颊部：扁平。

3. 形成嘴和鼻的直立方柱形状。

4. 下颌：三角形。

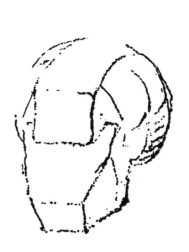

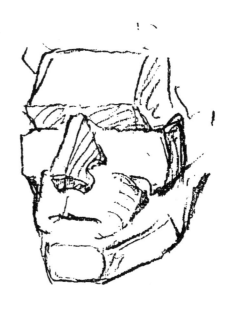

　　从前额到下颌，面部不是扁平，不是完全凸出或凹陷，线条不是只向外或向内弯曲，面部的线条和形状是不断变化的。从这方面看，面部的轮廓像是建筑模型。

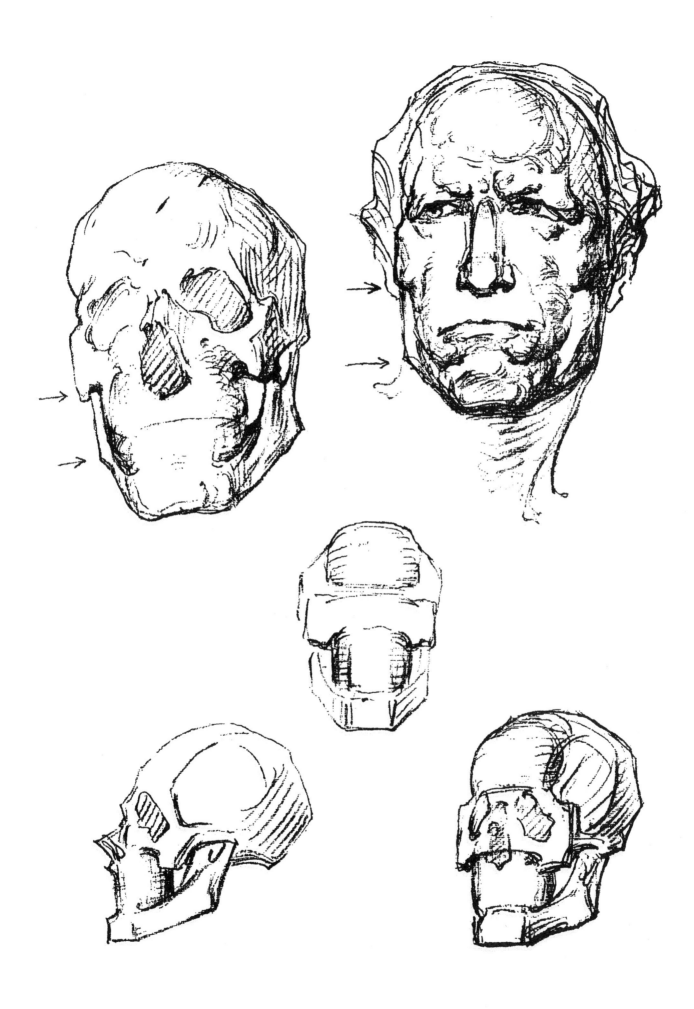

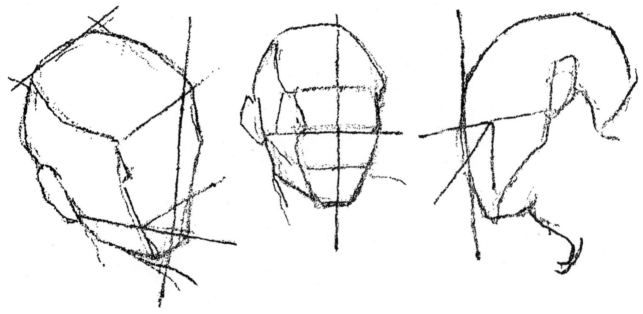

头部的构造

首先画出头部的轮廓，然后仔细观察后依次画出四条线。第一条线穿过整个面部，经过鼻底和鼻根。第二条线穿过耳底和第一条线垂直，不用考虑这条线穿过面部哪个部位。第三条线从颧骨最宽处到下颌外边界。第四条线穿过鼻子底部，和其他两条线或三条线相交。不论是从上还是从下看头部，五官都位于这四条线上。

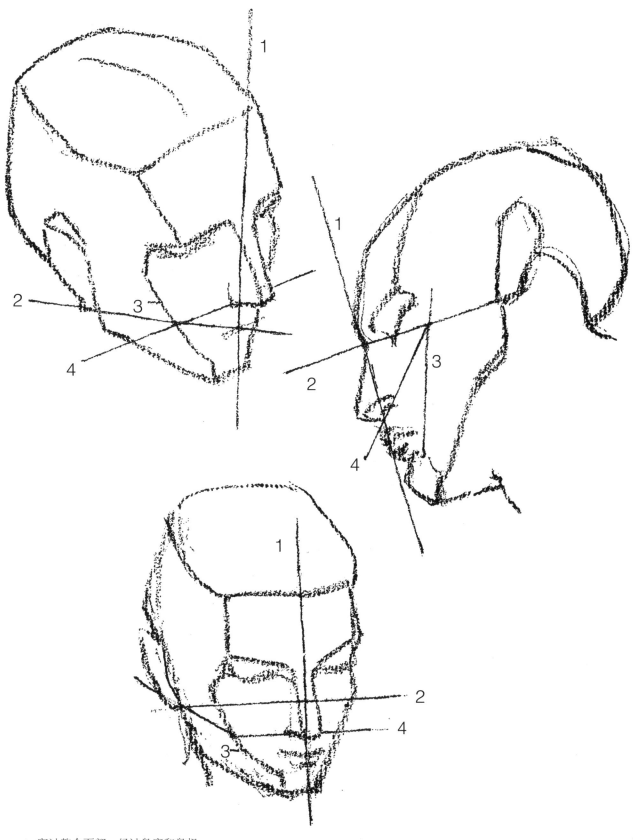

1. 穿过整个面部，经过鼻底和鼻根。

2. 穿过耳底和第一条线垂直。

3. 从颧骨最宽处到下颌外边界。

4. 穿过鼻子底部，和其他两条线或三条线相交。

头部的平面

考虑头部各块的分布，首先需要考虑头部各组块，然后是平面。平面是指每个组块的前面、顶面和侧面。画出各种平面、各种形状就能够使面部富有质感和结构对称。各平面之间的比例和前后倾斜、凸出凹陷的程度就是不同头部之间的区别所在。

一般说来，头部不能太圆也不能太方。不同的头部形状没有明显的差异。

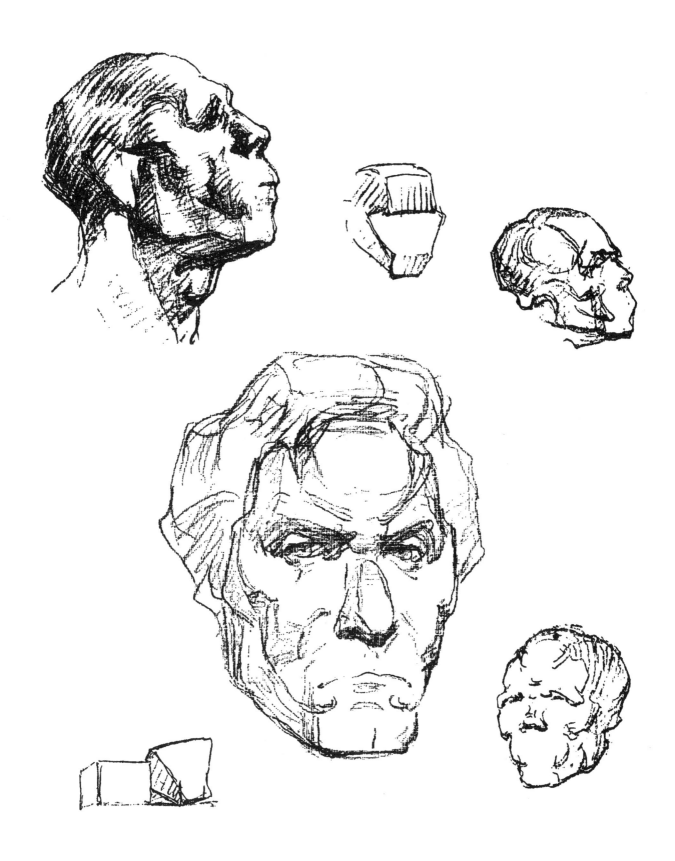

　　作画时，不能只是简单看看，必须注意仔细观察。因为除了表面上的东西，画出来的画面的区别不在于你看到的而在于你感觉到的。

　　面部的前部就是前平面，耳朵所在的侧面是另一个平面。给眼镜架装上可折合的铰链，正是为了吻合面部前面和侧面的转折关系。

　　方形或三角形的前额有前面、两个侧面这三个平面。

从颧骨向下至下颌外侧，面部的线条在这里有转折。鼻子两侧形成各自的三角形平面，鼻底——从鼻尖到鼻翼——形成又一个三角形平面。下巴呈圆形或方形，其平面朝后向两侧倾斜。

前面、上方前额各个侧面、下方颧骨和下颌都是由边界线分开的。从耳朵到颧骨有一条脊形凸起，把两个或更多平面分开，有的向上展开与前额相接，有的平面向下与下颚相连。

考虑头部各块的分布，首先需要考虑头部各组块，其次是平面，最后考虑头部的圆形部分。头盖骨有四个圆形部分：一个是前额，头部两个侧面耳朵上方各有一个，面部前面从鼻子到下颌有一个。在每侧前额上部各有圆形的凸起叫前凸，两侧的凸起合并成一体指的就是前凸。

前额平面向上向后伸展倾斜形成头盖骨，平面两侧突然收住形成两个颞骨的平面。

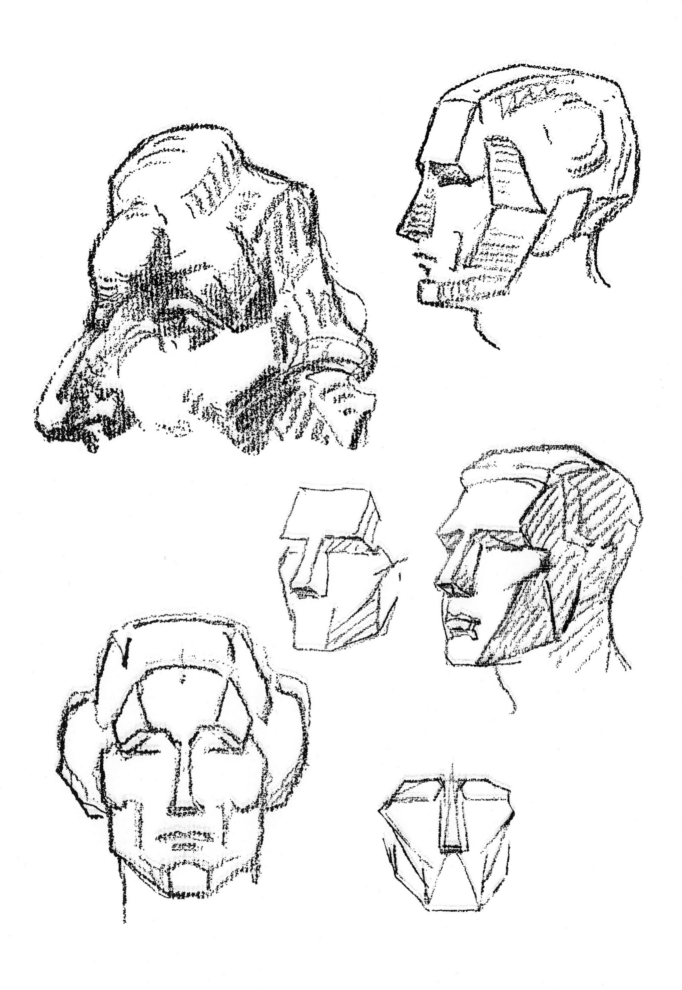

面部平面由鼻子分成两部分，每部分又被从颧骨外侧到上唇中心的线条分成两个小平面。外侧的平面形成下颌平面，从颧骨外边界到下颌角处画一条线，这条表示嚼肌边缘的线条又将下颌平面分成两部分，一个平面伸向颧骨，另一平面伸向耳朵。

各组块和平面相对于头部制模的关系，就像建筑学相对于房屋的关系。比例不同，各成一体，必须采用严格的标准，认真来比较。

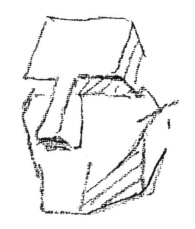

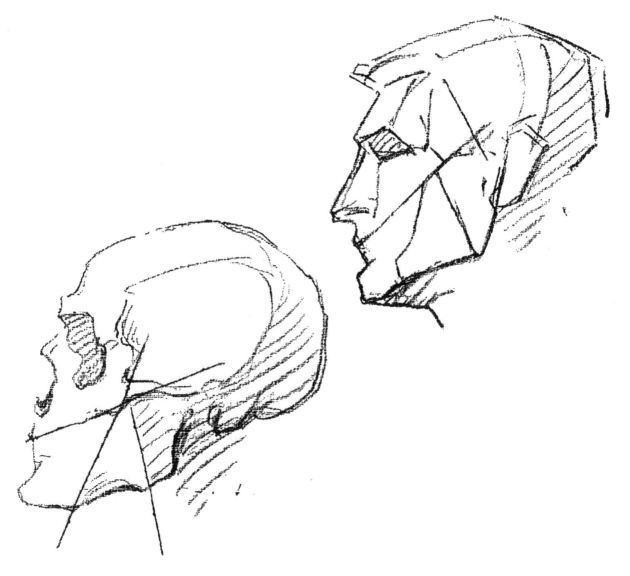

84

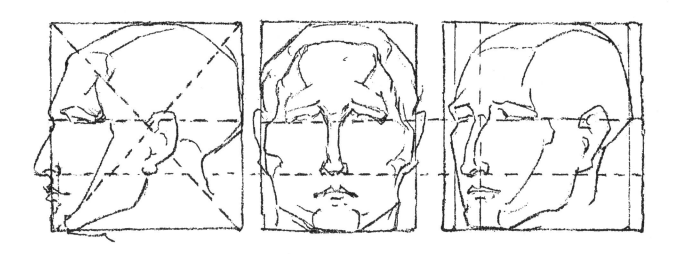

头部轮廓

　　头部组块的轮廓是相同的：头盖骨、面骨和下颌。

　　颞骨的前边线是长曲线，同头盖骨的曲线几乎平行。

　　颧骨顶部线条向后延长，成脊状（颧骨或称轭）朝向耳朵，它也是颧骨的根部，缓缓在前面倾斜下来。

　　从颧骨处，颞骨和眼眶之间画出较小的脊形凸起线条，表示眼眶的后面和颧骨长线条的前部分。

　　如果将头部侧面的比例分割为20.32 cm：20.32 cm，那么从正前方或从正后方看，相对比例就应该是15.24 cm：20.32 cm。从四分之三的视角看，则比例分割介于两值之间。

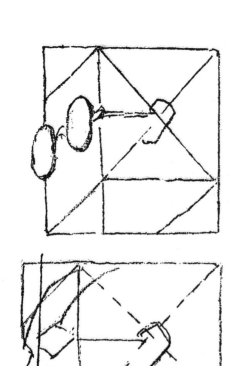

视平线以上

如果一个立方体向上倾斜，观察者从下方向上看，那么这个立方体位于水平线之上或是视平线之上。如果立方体一侧看到的比另一侧多，根据透视法，较宽的一侧比相对窄的一侧显得小。立方体哪一侧最窄，它的角度幅度就最大，距灭点就最近。

如果一个物体位于视平线之上，透视线条向视平线延伸，灭点根据物体所成角度远近不同。物体越近，灭点越近。

如果要画一个头像，先确定头部位于视平线上方还是下方。手拿一支铅笔或一把直尺，伸直手臂，从面部耳根处瞄准。如果鼻底位于尺子下方，那么你是从下向上看头部，因此头部位于视平线之上或是向后倾斜。如果头部的轮廓取四分之三视角或前视角从下往上看，两耳之间的直线就位于鼻子下方。

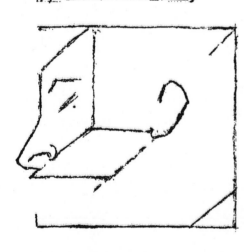

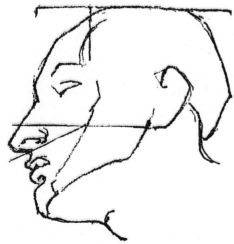

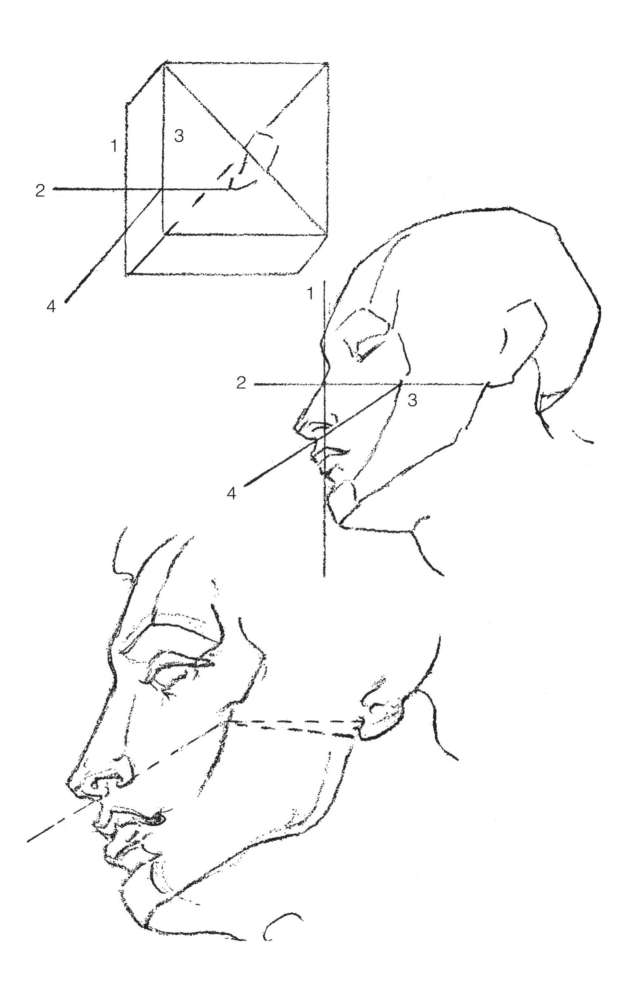

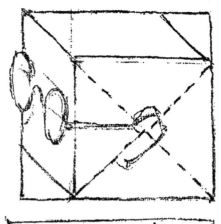

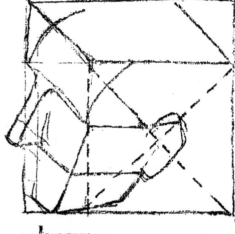

视平线以下

从上往下看物体，你能看到或多或少物体的顶面。如果所看的物体是头部，你能看到头部的顶面。你高出头部越多，看到的顶面就越多；高出得越少，看到的顶部就越少。

头顶位于视平线下方，距视平线最近。头部在视平线上的轮廓图中，一个成人头部的中心稍低于两耳之上的眼镜腿构成的曲线。这条线延长，将经过眼睛，头部被分成两部分。耳底和鼻底位于同一水平线。两耳构成的环绕头部的曲线同眼镜构成的曲线平行。

如果物体位于视平线下方，你是从上往下看，那么你能够看到头顶部分。这样的话，头部、头顶、底部和两侧都有向视平线靠近的趋势。

从前额下眼角处颧骨开始，画一条曲线到下颚最宽处，表示出一个向下倾斜的平面。这条曲线就是面部两大平面（正面和侧面）的转折处。在这也是眼镜和镜腿转折的地方，也是两耳之间线条经过的地方。

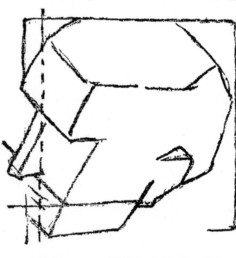

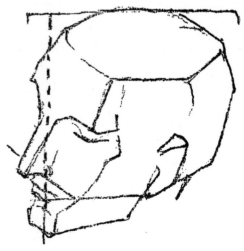

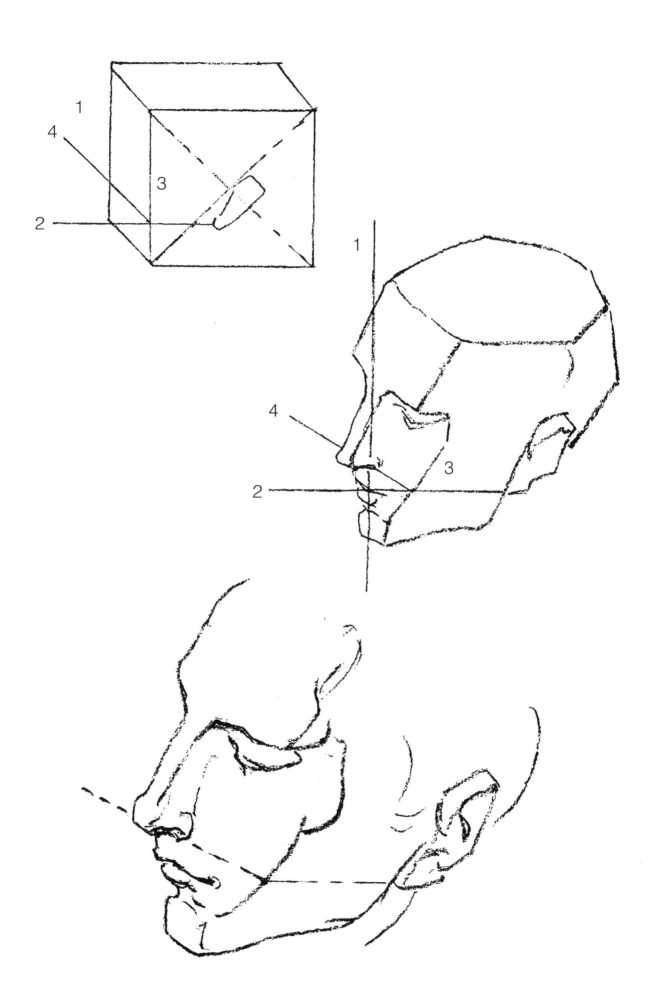

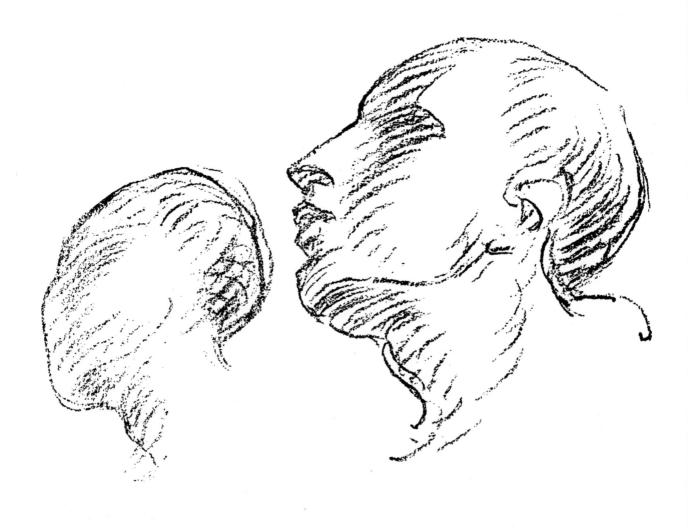

头部的圆形

两耳之间连线上方，头部两侧的头盖骨是圆形的。它的一部分是腔骨，在头部侧面，最宽并且最凸出的部分有厚厚的弹性减震机制。

头盖骨下边是圆柱体形状的面部。因为有正面和呈向后收趋势的两个侧面，圆柱体面部的上方与下方能够协调。上面部分就是上颌骨，形状不规则，从眼窝底部到嘴呈向下趋势。下面部分就是下颌骨，同嘴部曲线一致，是三角形的下颌骨的一部分。

鼻子位于圆柱体的中心。鼻子下方是嘴唇，与所在的那部分圆柱体轮廓相吻合。嘴唇包住牙齿，与牙齿的形状相吻合。

实际上，各个平面呈不同角度相互连接就组成了头部的形状。虽然没有精确的比例划分，但是不论使用透视画法还是从哪个角度观察，我们一定要使各个侧面相互平衡协调。

93

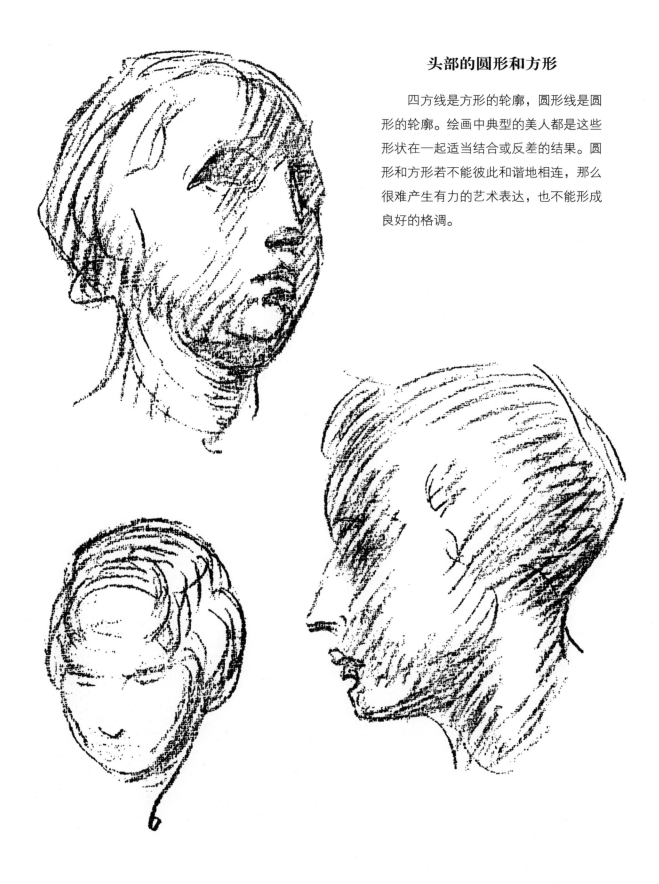

头部的圆形和方形

　　四方线是方形的轮廓，圆形线是圆形的轮廓。绘画中典型的美人都是这些形状在一起适当结合或反差的结果。圆形和方形若不能彼此和谐地相连，那么很难产生有力的艺术表达，也不能形成良好的格调。

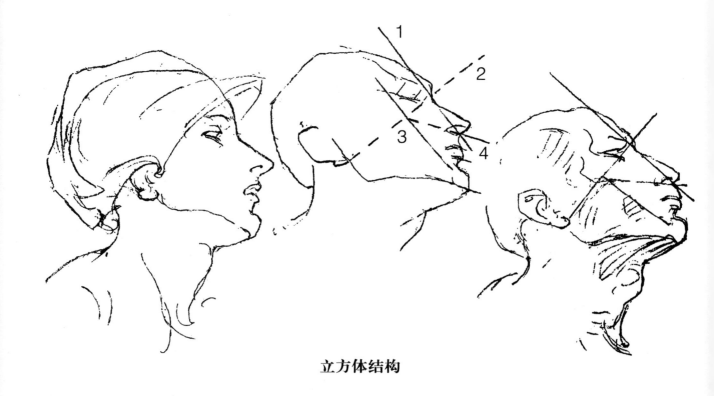

立方体结构

　　在立方体上构建头部，需要有组块的意识，以比例分割和对照为根据。眼睛知道如何给点定位。垂直线将头部分割成两部分。这两个部分相同、相对、相互和谐，两侧完全一样。经过下眼皮画一条水平线，将头部分成两部分。下方部分的中间位置就是鼻子底部。嘴位于下巴上方，即下巴和鼻底距离三分之二处。在立方体上构建头部，头部是具有体积感和坚实感的，这使头部容易用透视画法表达出来。

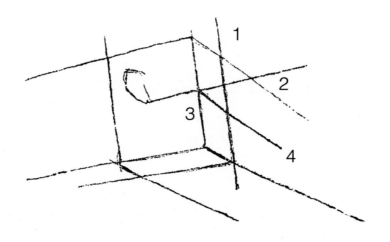

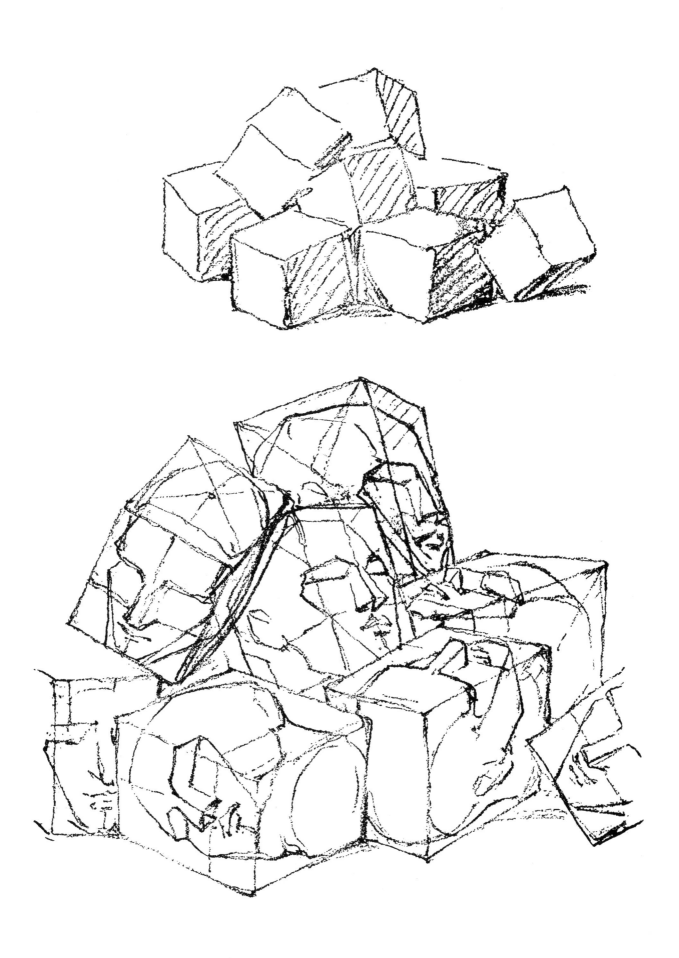

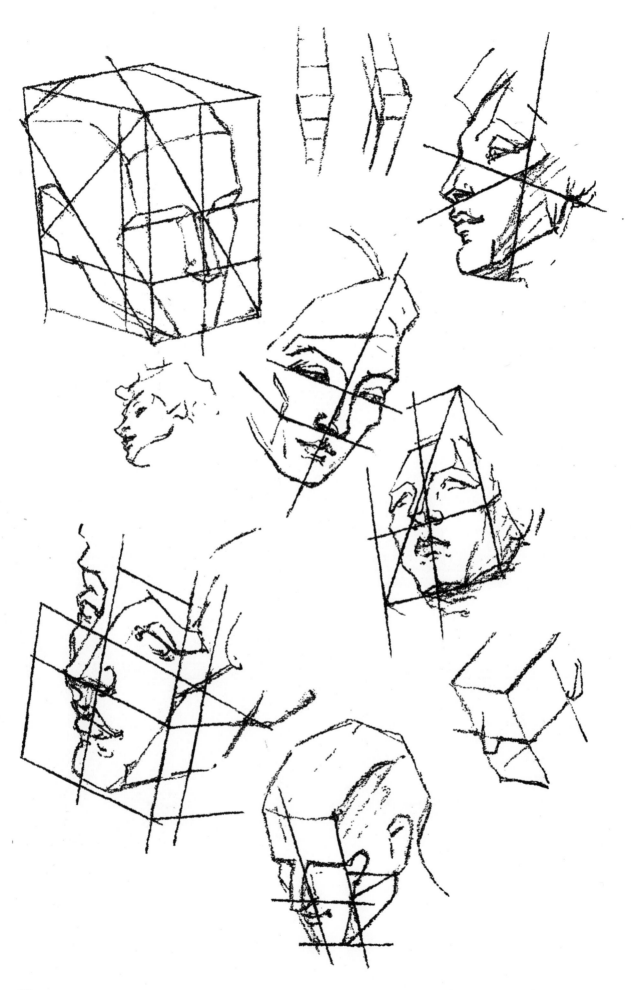

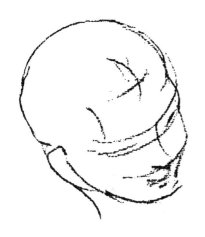
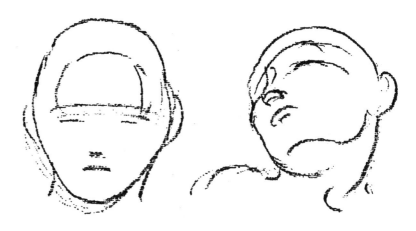

椭圆形结构

在椭圆形上构建头部，首先应想到这像是一个鸡蛋形。主线从头顶到下颌经过五官。头部分成三个部分，成人的头盖骨和前额占头顶部的一半。下半部分可再次划分，中间位置是鼻子底部。嘴位于下巴和鼻底之间距离三分之二处。当头部倾斜或转动时，面部主轴随着这个椭圆形变动，比例分割同以前一样。

在椭圆形上构建头部，眼睛和耳朵看作是中线。中线之上是头的顶部，下方是脸部。

垂直于刚才所画的中线，再画一条线，这是面部上又一条中线。在这条线上，划分五官的相对位置。头部通过脖子做出各种动作摆出姿态。当头部前后或向两侧倾斜时，头部和脖子的运动和韵律都是相互关联的。

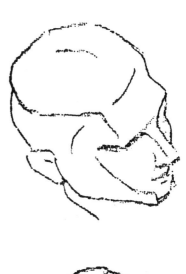

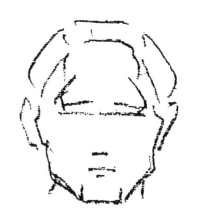

头部的光与影

　　光投射到物体上会有光和影，会产生亮面、暗面和投影。从明亮部分过渡到半明亮部分，过渡到中间色调，再过渡到暗调。投影是某个物体的影子投射到另一物体上，产生出的相似的形状。

　　绘画中常说，光与影的变化是有限的、可分类的，称之为色调变化。亮调、中间色调和暗调，用这三个色调可以表达所有光影变化。色调的明暗过渡，渐次变化以及相互调和，能够产生其他不同的色调变化，不过这种变化更细微，更难定义。

　　有很多种方法、笔法和手段处理光影。一种是没有轮廓，只用明暗来构建形状，物体的边都是用光影突出来。另一种方法就是先画出物体的轮廓，再用光影表现出物体的质感，就是说物体轮廓已经表示出物体的厚度和体积，只要用一定的暗调就可以表示出物体的质感。

　　色调变化是相对的，它依赖于物体周围的环境。

先用平面表现出头部组块。当头
部转动时，平面分割没有改变。

无论如何转动，头部组块不变。
平面有前面、顶面和侧面。

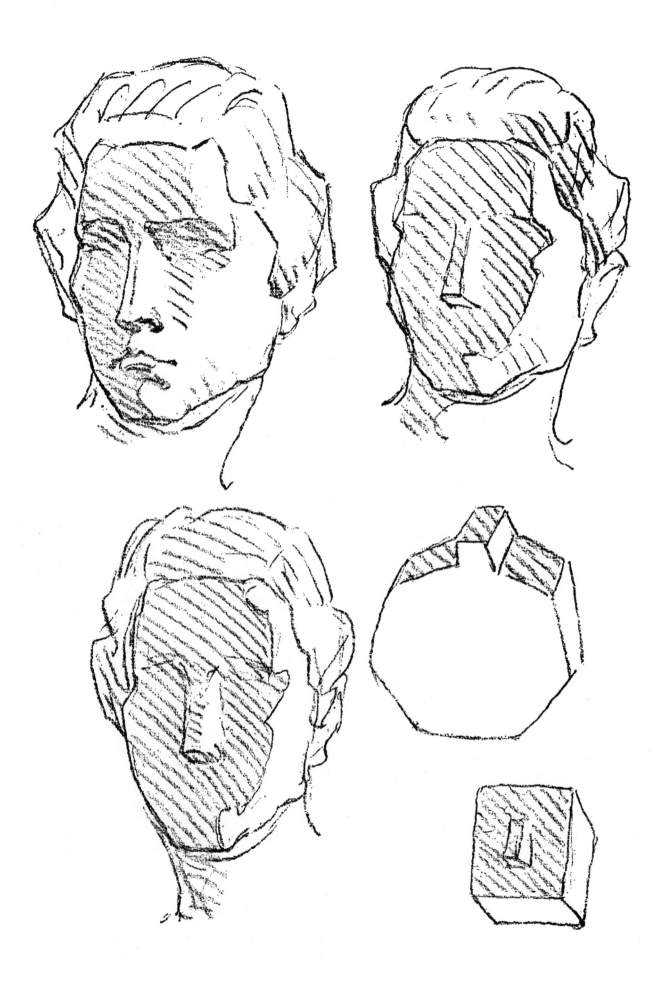

先有立体概念。

亮面和暗面有明显的区分。

相同大小或相同亮度的色调不要相邻。

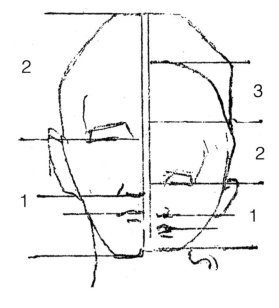

比较分割

对于成人来说，从头部最上边到最下边，眼睛大概位于中间位置。幼儿的头部和面部可分为三部分，眼睛位于中垂线从上量三分之二处。所有头部的鼻子底部位于眼睛和下颌之间距离三分之二处。成人和幼儿年龄不同，两者之间有一定差异存在。

成人和幼儿年龄不同，头部的形状也有显著的区别。成人的前额形状向后收，颧骨更为凸出，下颌骨更有棱角，整个头部实际上更方一些。幼儿的头部更像是一个拉长的椭圆形，前额丰满，下后方向眉毛处收。下颌骨和面部其他骨没有长开，脖子比头部显小。

青年人的面部比婴儿的长些，没有那么圆。眉毛以上的头部没有随着面部下方增长而按比例增长。

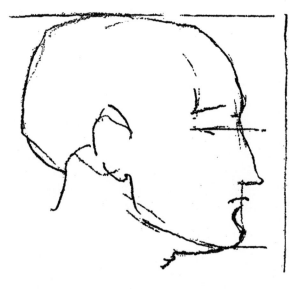

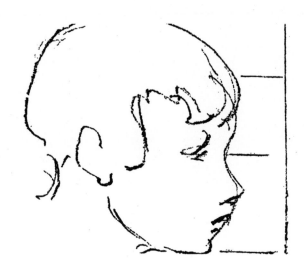

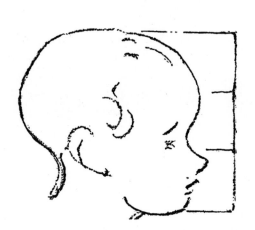

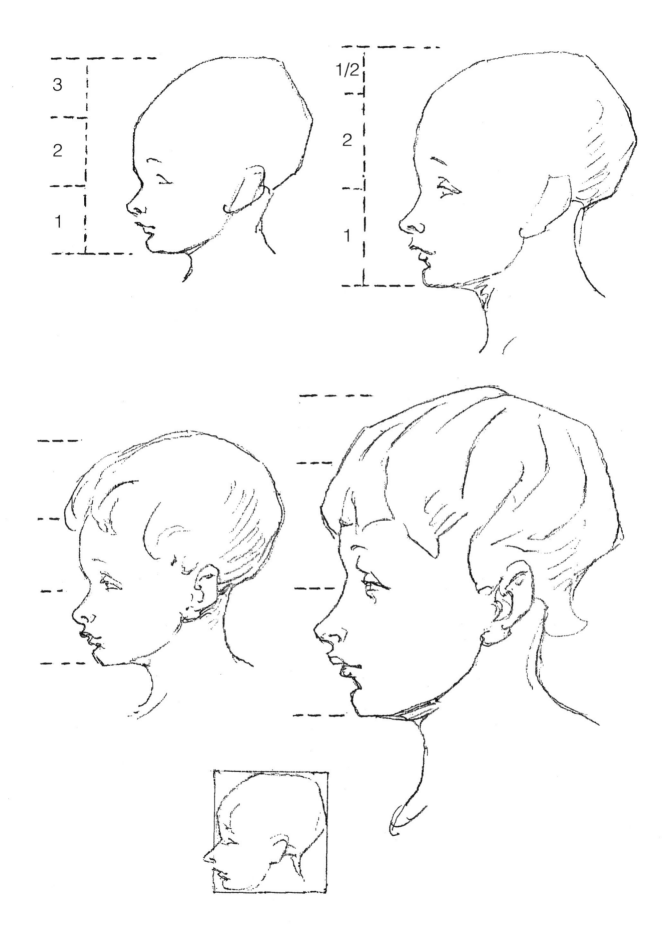

儿童的头部

儿童的头盖骨形状上和成人的头盖骨不同，前者只是用来保护头部，头部的形状像是一个拉长的椭圆形。从前额到头部背面的长度最大，两耳之上的距离最宽。前额丰满而且非常凸出，眉毛处收住变平。面骨和下颌骨没有长开。与头部大小相比，脖子显得细而短小。头部最宽处凸出部分比成人的低，保护颞颥区域和耳朵。前额和头背面（枕部）特有的凸出部分也是起保护作用的。

儿童的头盖骨薄而有弹性，能够缓解致命的重击。肩膀窄小，双臂无力，所以凸出的前额有必要从正面保护面部，其他方向的凸出部分则从两侧和后面保护头部。

从婴幼儿到青春期，面部的上方和下方会有很多变化。面部上方脸会变长，鼻子、颧骨更加凸出；牙齿的变化使脸的下半部分变宽、变厚；下颌骨变得更有棱角；咬肌和方形的下颌更加明显。

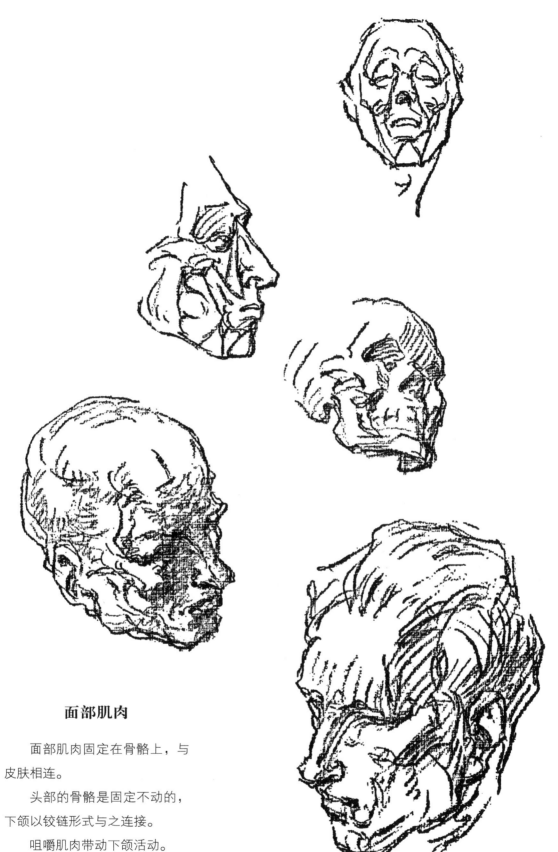

面部肌肉

面部肌肉固定在骨骼上，与
皮肤相连。

头部的骨骼是固定不动的，
下颌以铰链形式与之连接。

咀嚼肌肉带动下颌活动。

表　情

　　人的面部有各种各样的表情，就像声音有很多音调一样，能够感觉到并且不断变化。表情不总是因为某些肌肉收缩而产生的，而更多地是因为肌肉之间的联合运动和反向运动的放松而产生的。同一组动作，比如说微笑和大笑，这两个表情只是程度不同的相同动作。

　　眼睛、嘴部周围的肌肉是环形肌肉。这些肌肉功能主要是闭眼和合嘴。环形肌肉围绕眼眶，附在眼眶内角上。外眶肌肉同面部边缘肌肉交织在一起。另外一块环形肌肉是嘴部周围的肌肉。外层肌肉和周围的面部肌肉交织在一起，内层肌肉作用于嘴唇。

　　眼睛和嘴周围的肌肉有两种明显不同的肌肉相互作用，一些肌肉起制约的作用，一些起反制约的作用。嘴向两侧拉伸时，颧肌和上唇方肌颧骨头被抬升至下眼皮，做出微笑的表情。通过肌肉运动，突然一声大笑不仅使面部产生变化，身体也会有反应，当做呼吸动作时，胸部和膈膜就会振动。

　　嘴唇、嘴角向下，牙齿露出来，眉毛皱着，这就是绝望、恐惧、生气和愤怒的表情。人的面部各肌肉结合起来能形成很多表情。

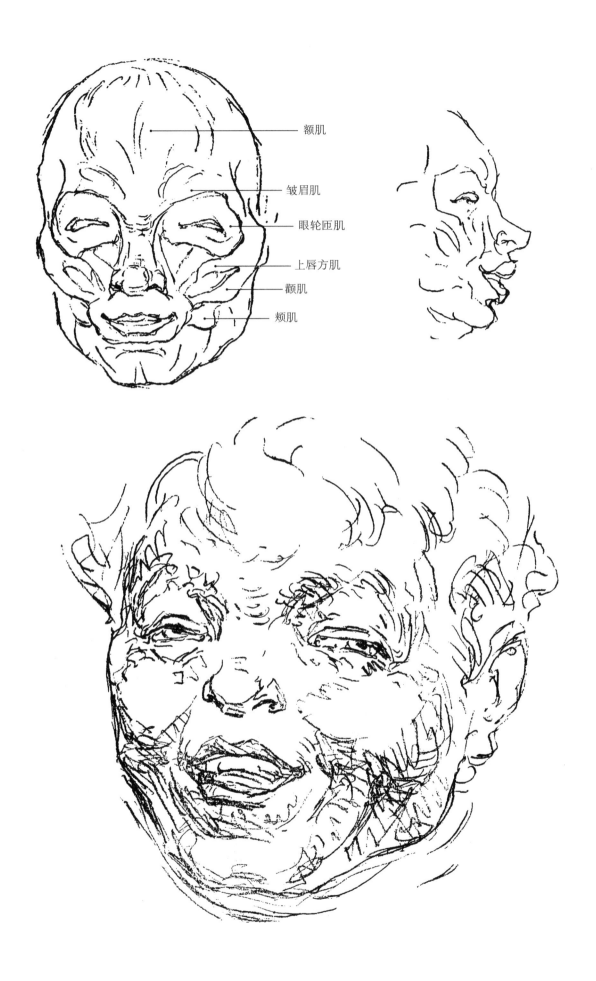

额肌

皱眉肌

眼轮匝肌

上唇方肌

颧肌

颊肌

111

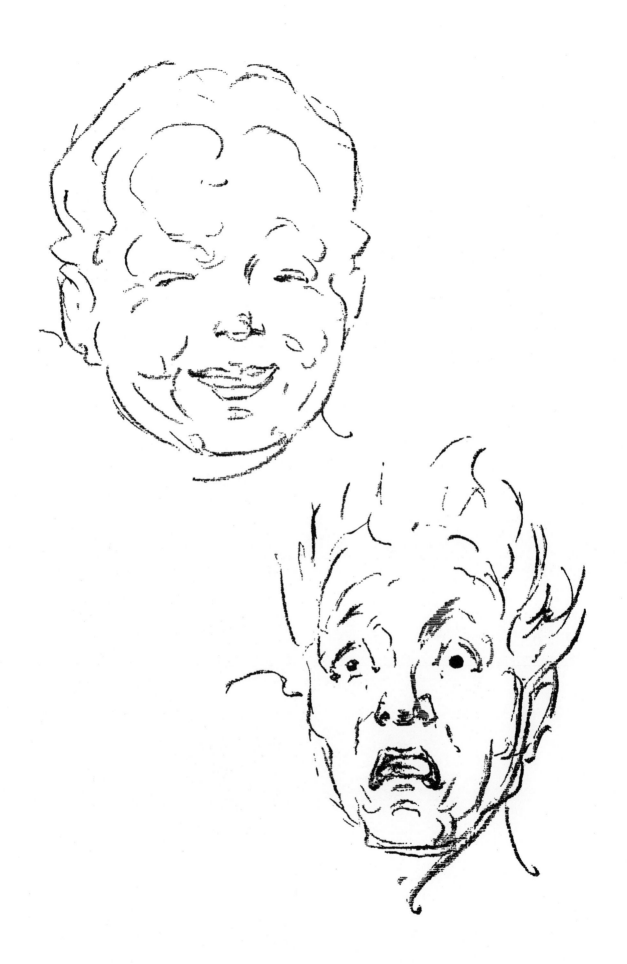

112

五 官

下 颌

下颌裂缝下方，下巴凸出来。画两条线表示出其底部宽度，两条线延长，在鼻中隔（上唇中间）处相交形成三角形向下揳入下唇底部。下颌每侧各有一个平面，延伸到耳根下颌角。

下颌有多种形状：高的、低的、尖的、圆的、平的，有沟的、有酒窝的，长下巴、双下巴等。

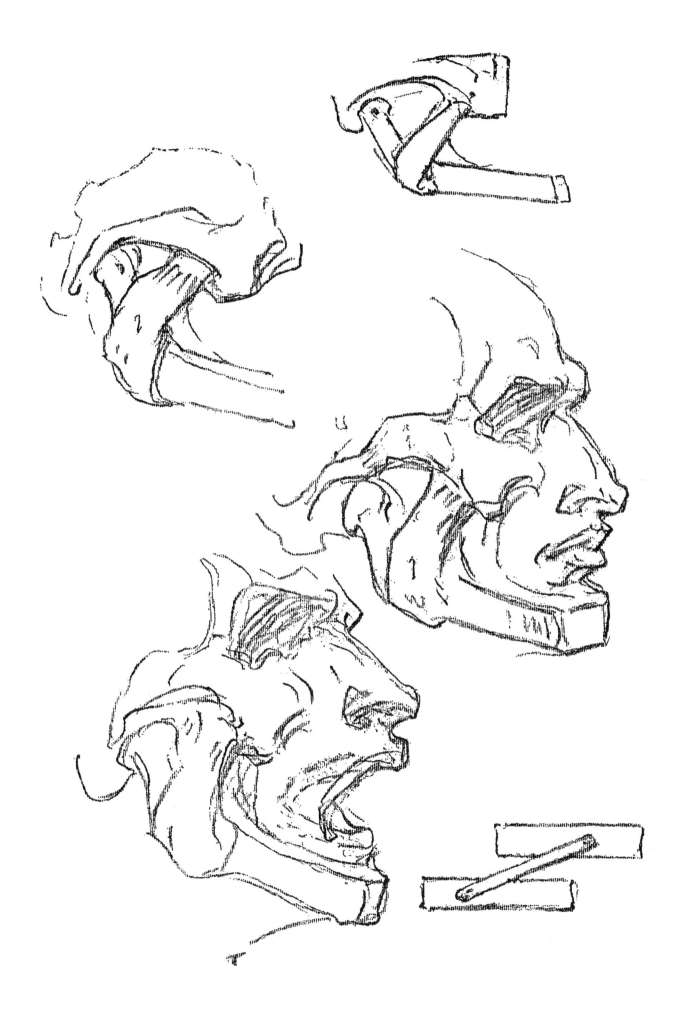

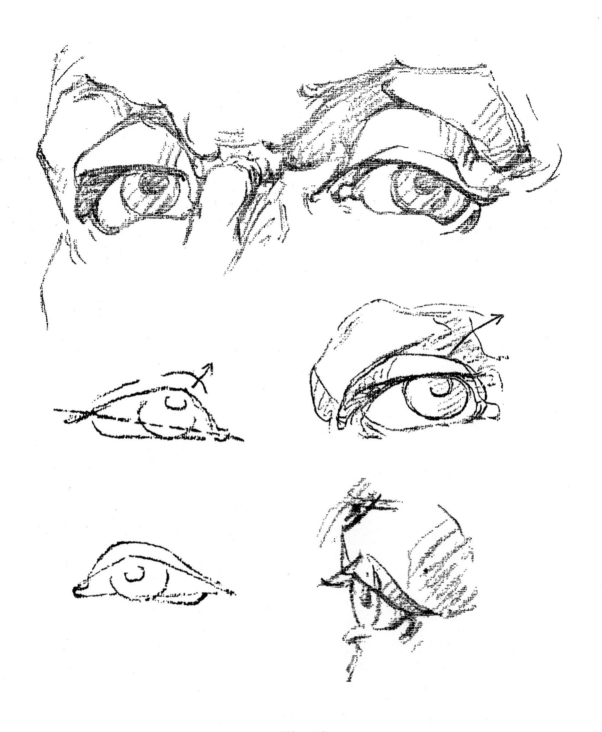

眼 睛

　　眼窝（或称眼眶）上面，被厚重的额骨所支撑。颧骨在其下方进一步起到支撑的作用，眼部周围整个骨骼结构旨在保护眼睛这个易受伤害的，同时又是脸部富于表情的五官之一。

　　眼睛位于眼窝内，被脂肪抬垫着，眼球的形状有点圆。暴露在外的部分由瞳孔、虹膜、角膜和白眼球组成。角膜，因为是一层透明的物质，刚好覆盖在虹膜上。就像手表上面的水晶表壳，其原理是把一个较小圆形物的一部分覆盖在另一个较大的圆形物上。这也是眼睛前面轻微凸出的原因。上眼皮可以上下运动。眼睑合上时，轻轻盖住眼睛；张开时，眼睑下方部分沿着眼球曲线抬起，就像书桌滑动式顶盖，折进眼睑上半部分之下，形成一道皱褶。透明的眼角膜你能感觉到它是凸起的，上眼皮只是盖住它的一部分，上眼皮因此也是凸出的。眼皮的隆凸部分随眼球的运动而移动，无论在眼睛张开还是合拢时都是如此。

下眼皮不动，可以变皱，向内轻微收缩，眼皮内端向下鼓出一点。眼睛边缘的上下眼睫毛像动物的触须一样保护眼睛，当有异物要进入眼睛时，上眼皮能够本能地闭上。

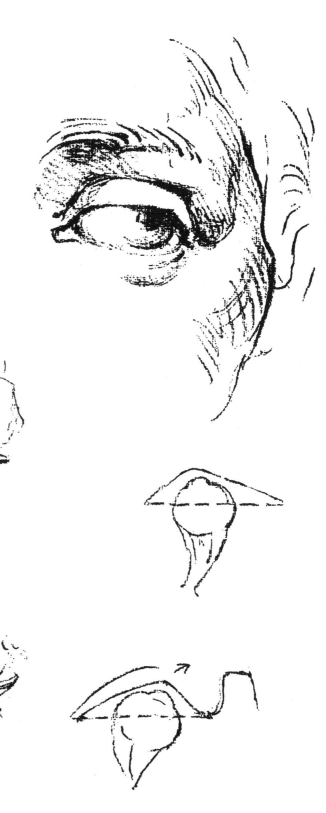

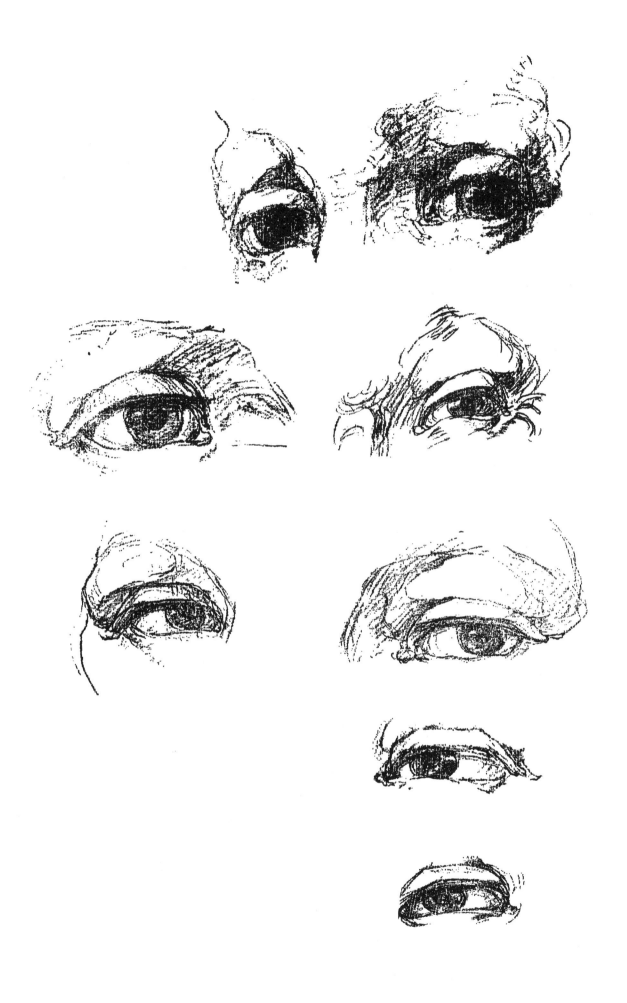

耳　朵

　　耳朵的形状是不规则的，位于头部两侧。耳朵与面部相接处在下颌上方成角的那条线上。人的耳朵不能活动，形状像半个边缘翻卷的碗，下边连接着一块脂肪组织，称为耳垂。最早时耳朵这些肌肉很可能是用来捕捉微弱的声音，现在有了很多褶皱，形状已经有很大改变，不过还是只有确定的几种形状。耳朵有外边缘，其形状往往残留着罩套一样的痕迹。耳朵里有一块隆起的部分，耳洞就在这块隆起部分的前面，由耳道口边的瓣状物从前、后等方向保护着。

　　耳朵有三个平面，用两条从耳洞向外放射的线分割出来表示。上面一条和下面一条。第一条线表示出平面中下降的角，第二条线表示出平面中上升的角。

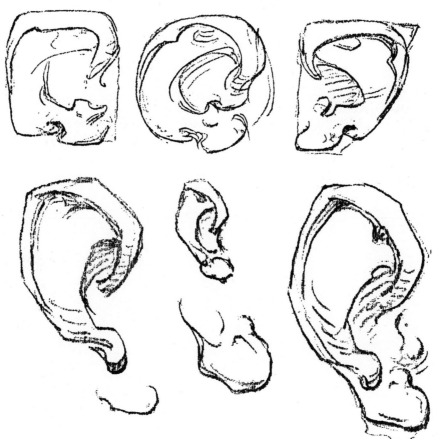

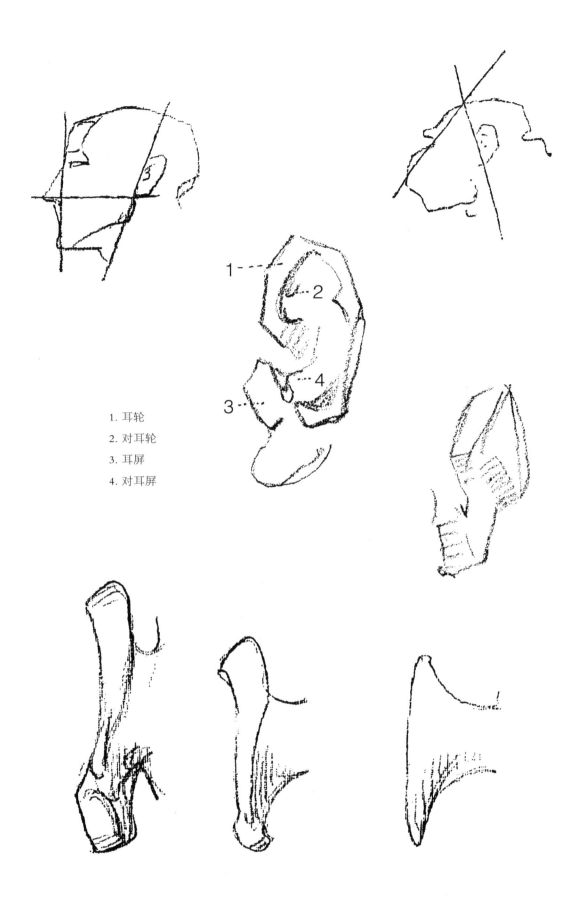

1. 耳轮
2. 对耳轮
3. 耳屏
4. 对耳屏

耳朵的类型

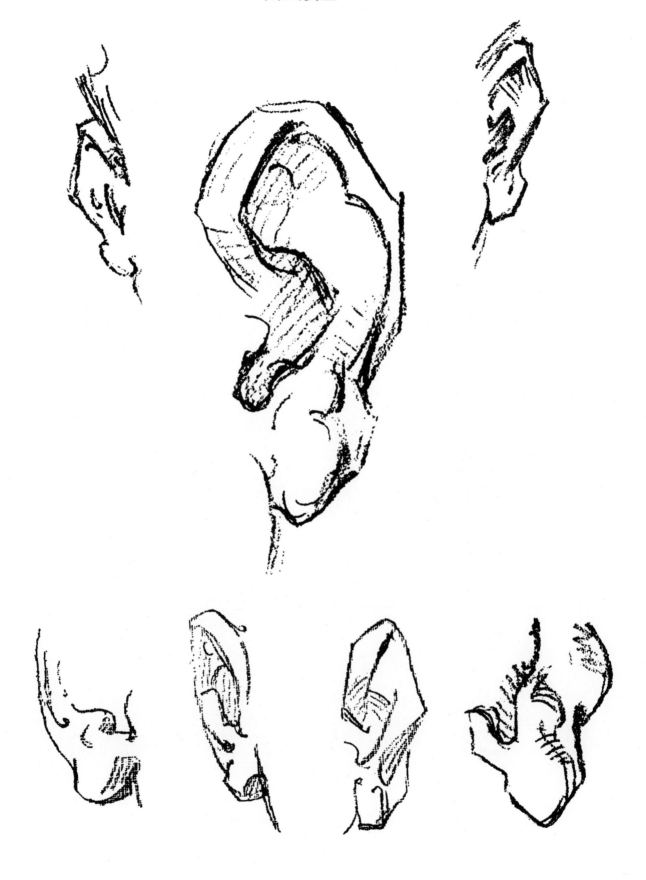

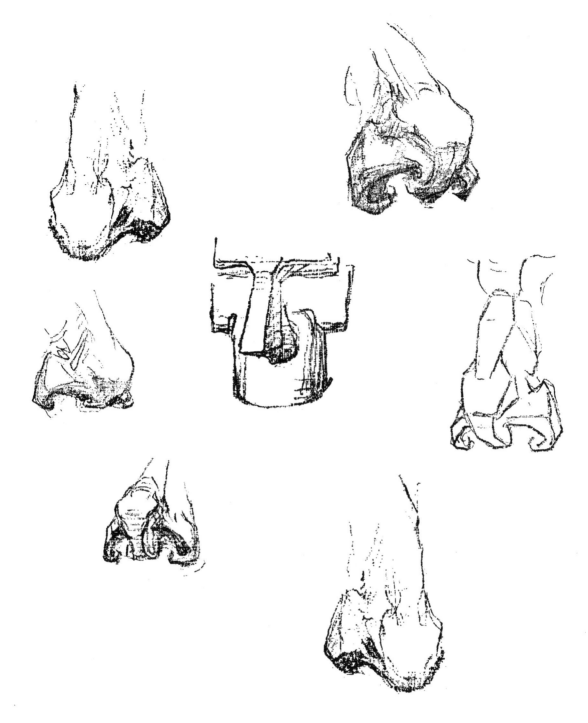

鼻　子

　　鼻子在面部正面中心位置，形状像楔子。鼻子根部与前额相接，鼻子底部在上唇中心处。从前额向下，鼻子形状渐宽、体积渐大。底部从中间支撑鼻子，两侧有软骨支撑。

　　鼻子的骨骼结构由两个鼻骨组成。从鼻根部向下伸延至鼻子的一半即止。下面的部分总共由五个软骨组成：上面两个，侧面两个，还有一个将鼻腔分开。

　　鼻子上有两个楔状物在靠中心（称为鼻梁的点）稍微上一点相连。一个楔状物一端朝向两眼之间的前额，另一楔状物的一端朝着鼻子底部，当其伸入鼻尖处的球形部分时，楔形将渐窄。

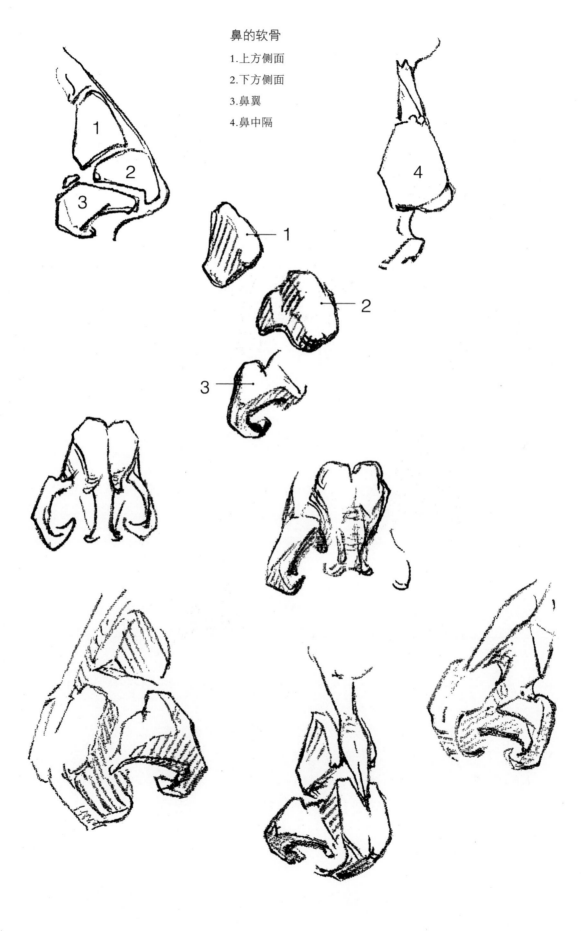

鼻的软骨

1.上方侧面

2.下方侧面

3.鼻翼

4.鼻中隔

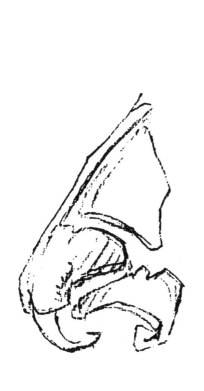

从上唇中间处（鼻中隔），鼻的两片软骨向上延伸到鼻尖处形成球状，然后向两边张开形成鼻孔的两个鼻翼。

鼻子的软骨部分能动，笑的时候鼻翼上升，呼吸困难时鼻孔张开，表示厌烦时鼻孔缩小，表示轻蔑时鼻翼和鼻尖上翘，鼻子表面的皮肤还可以皱起来。

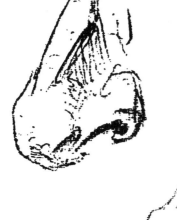

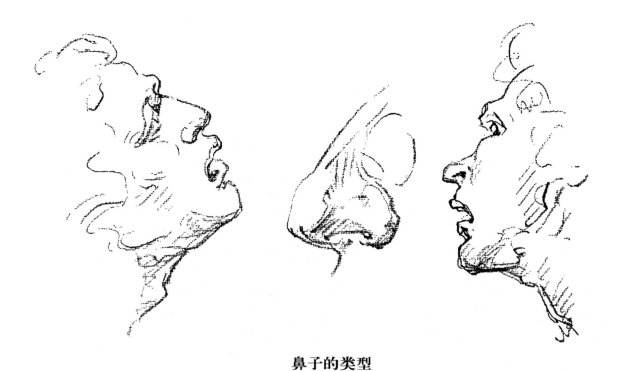

鼻子的类型

鼻子有很多种类型：

小鼻子、大鼻子、特别大的鼻子、塌鼻子、高鼻子，鼻尖有肉球、鹰钩鼻和直梁鼻。

鼻尖有上翘的、平的、扁的、尖的还有歪的。

鼻翼有窄的、鼓的、圆的、平的、三角形的、方的，还有杏仁形状的。

127

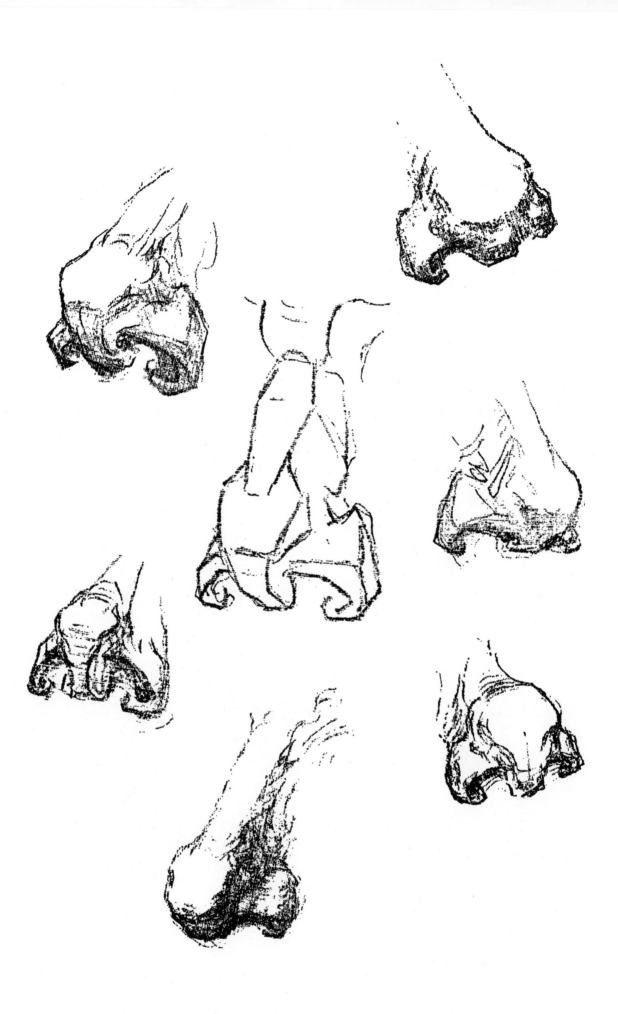

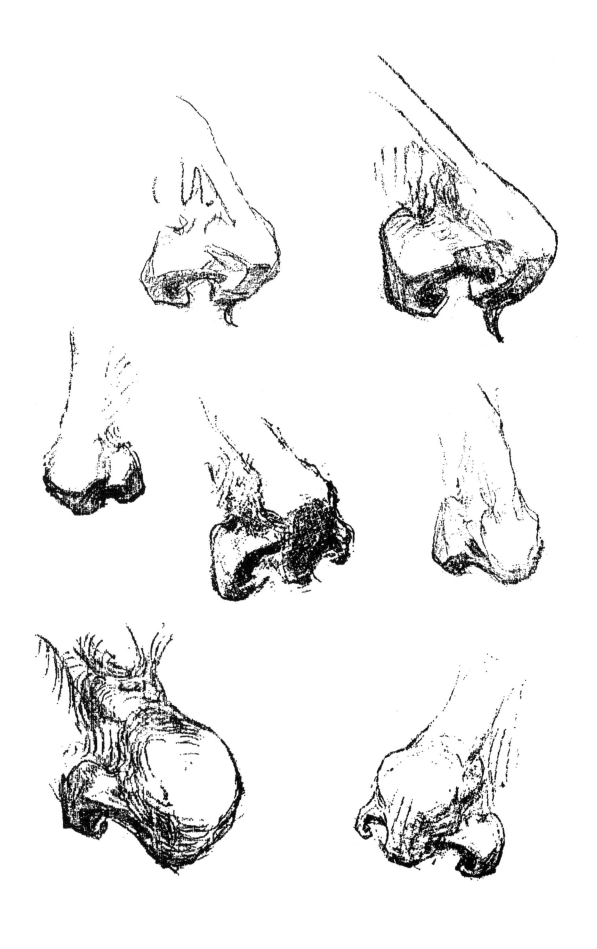

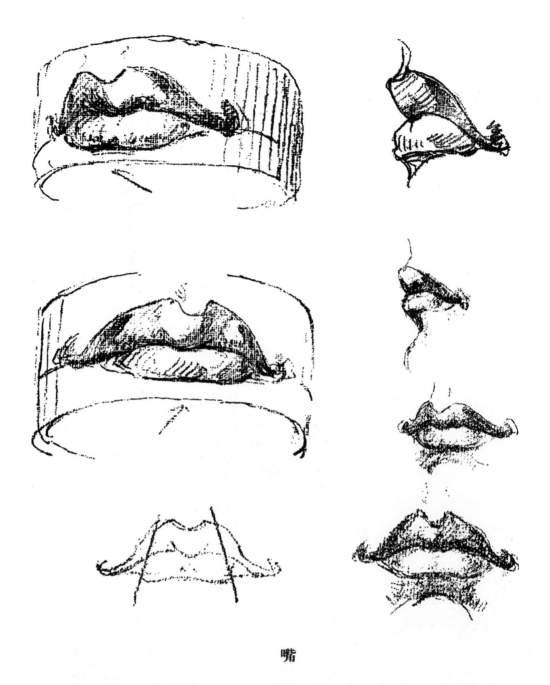

嘴

牙齿位于圆柱形的下颌骨上，所以下颌骨决定嘴的形状。如果这个圆柱前面是平的，嘴唇薄，嘴巴细长。这个圆柱弯曲程度越大，嘴唇越丰满，嘴形越像弓形。

从鼻子底部到上唇之间这部分中间竖直有一个沟槽，两侧向两边延伸，有下垂唇翼到嘴角处收住，有肉感凸出的部分称之为嘴柱。

上唇中间有个楔形体，与上面的沟槽相连。两片嘴唇细长，向两边延伸，在嘴柱下面收住。下唇中间有个沟槽，两侧圆形凸出，有三个平面，最大的是沟槽处中间向下的平面，两侧各有一个平面，向两边延伸渐渐变薄，唇部曲线向外凸出，没有上唇线条长。

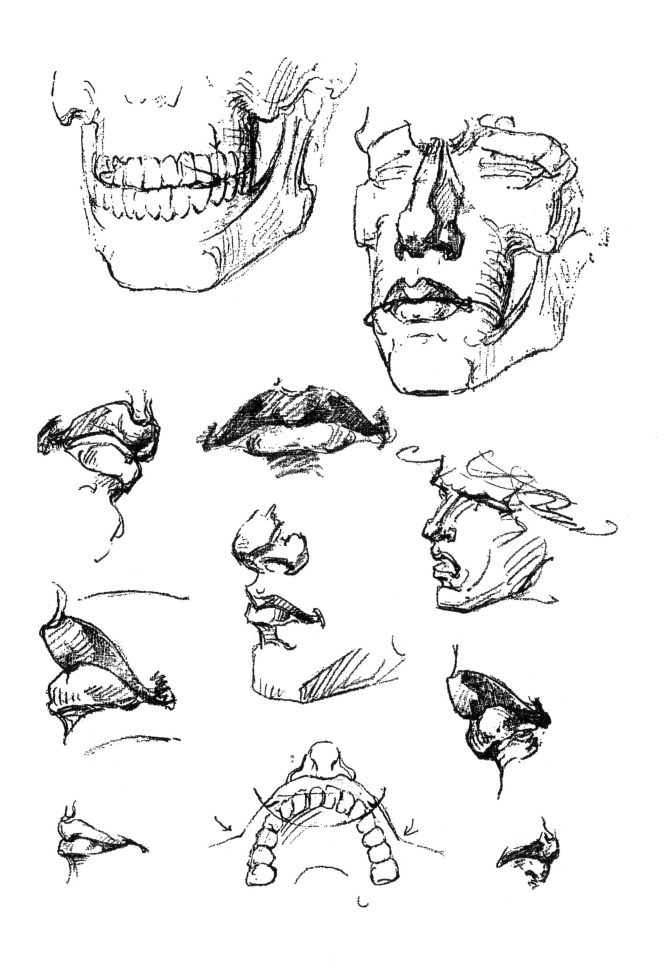

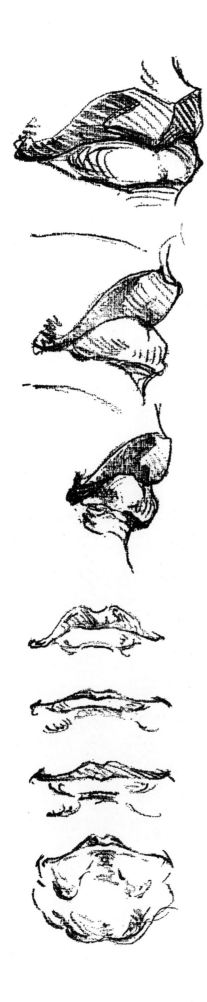

下唇下面，嘴的这部分向内倾斜并在下颌裂纹处收住。中间有脊形隆起，侧面有两个圆形凸出，连在嘴柱上。

椭圆形的口腔周围有肌肉纤维（口轮匝肌）在嘴角处交织叠合，使皮肤收缩附着在嘴柱上。

嘴外边缘的皮肤有一条皱纹，是从两侧鼻翼延伸下来的，这条皱纹向下同下颌裂纹融合。由这块肌肉伸展出各种不同的面部表情肌肉。

比较着看，嘴唇有很多种形状：厚嘴唇、薄嘴唇，嘴唇向前凸的和嘴唇向后回缩的。每种还可以从这些方面比较看：有直的、弯曲的、弓形的、花瓣形的、噘嘴的以及扁平的。

嘴的类型

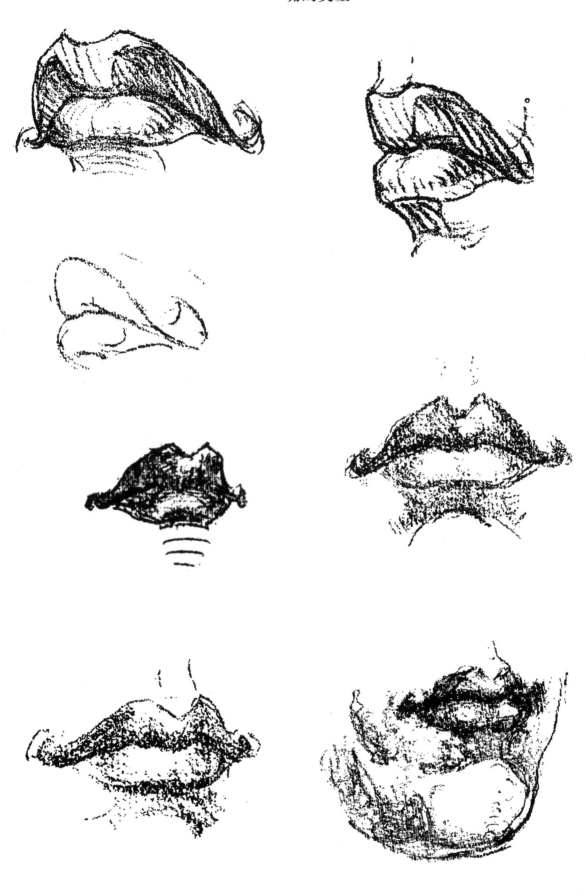

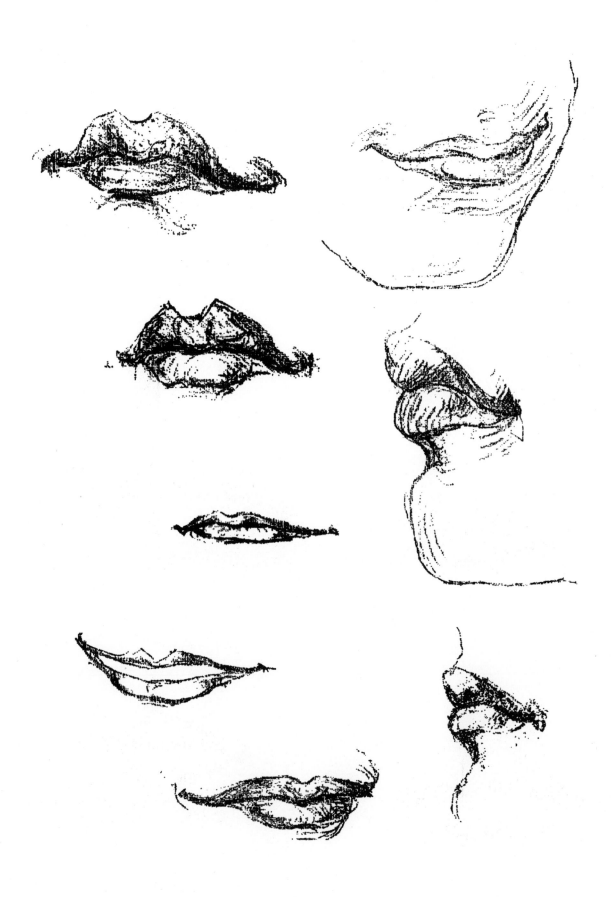

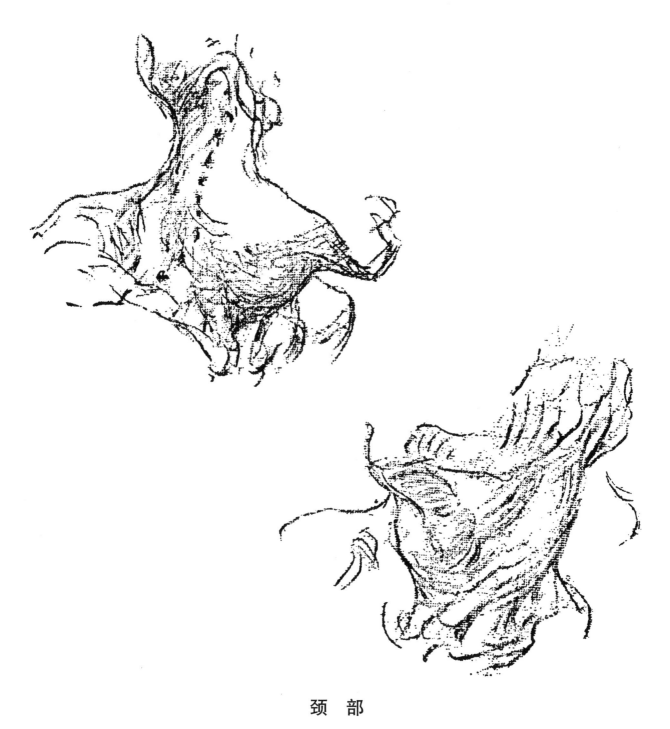

颈 部

颈部是圆柱形状，同脊柱曲线一致，当头部向后仰时，颈部的曲线向前轻微弯曲。

从前面看，颈部固定在胸部上，上方下颌遮盖住一部分。从背面看，稍微平些，头部的背面悬于颈部之上。颈部两侧有双肩支撑，耳朵后面有一块肌肉向内并且向下到颈部根处。两块肌肉在锁骨凹陷处连接，实际上，在颈部前面形成了一个倒三角。这两块肌肉就是两个侧边，倒三角底边是下颌的底部。这两块肌肉就像女帽两侧系着的绳线。

这个三角形有三个明显的形状：一个形状像盒子的软骨叫做喉，它的下方环形软骨叫轮状软骨，下方是甲状腺。男性的喉咙相对大，女性的甲状腺相对明显。这几个形状加起来就是我们所说的喉结。颈部有以下几种动作：上下活动、左右活动还有扭转动作。

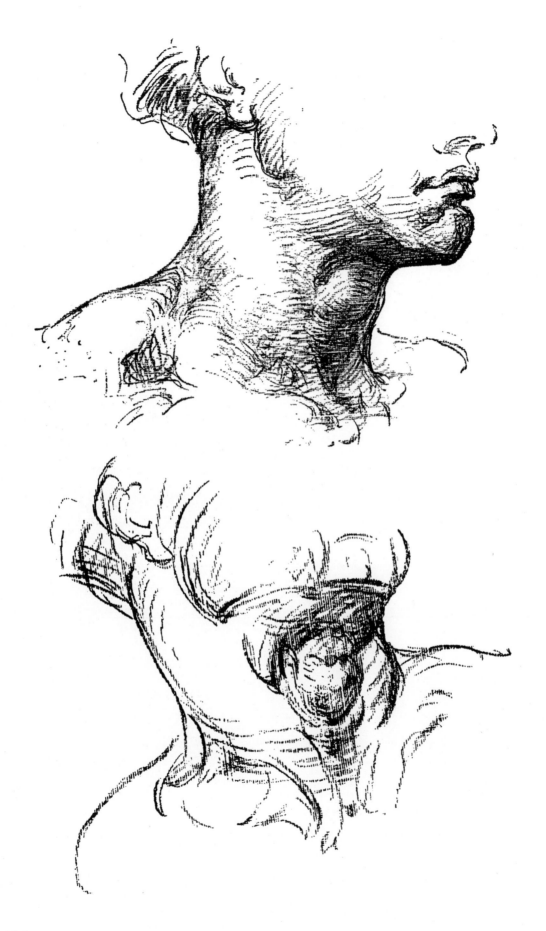

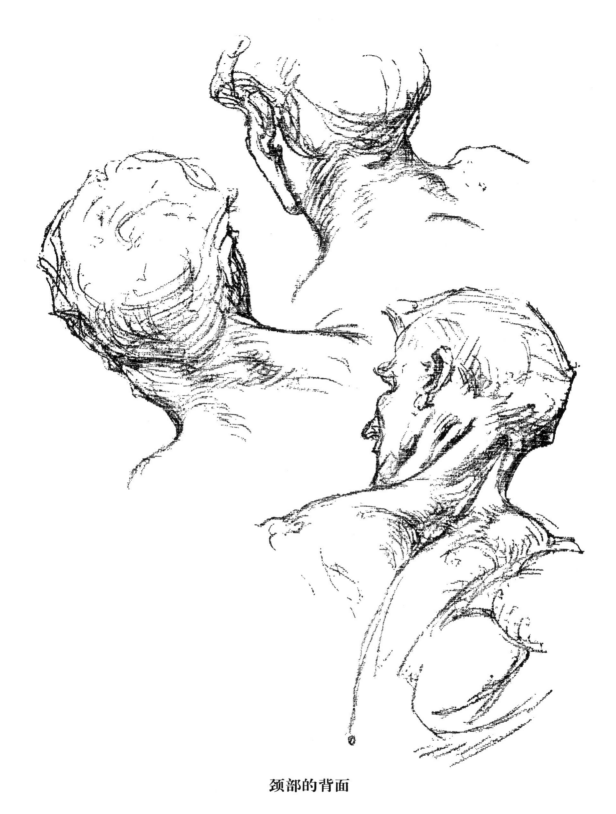

颈部的背面

颈部位于双肩之上，双肩有坡度，颈部在中间。颈部两侧有斜方肌支撑，肌肉形状从背面看是菱形，向下的低点至后背。肌肉侧面犄角从肩带处出来，与三角肌相对。两面对角上升，支撑住头的后部。

因此颈部的力量来自于颈的背部，有一点平坦，与脑颅底部相连。

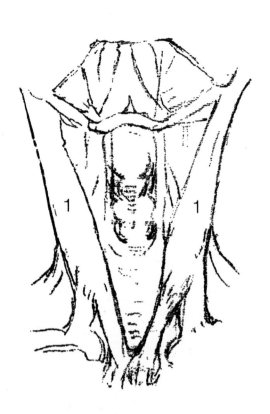

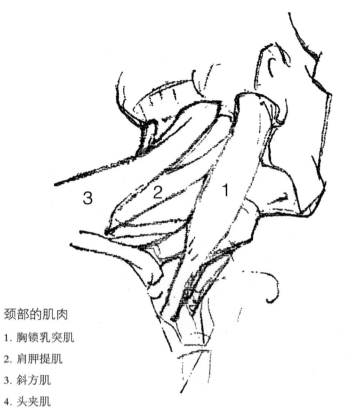

颈部的肌肉

1. 胸锁乳突肌

2. 肩胛提肌

3. 斜方肌

4. 头夹肌

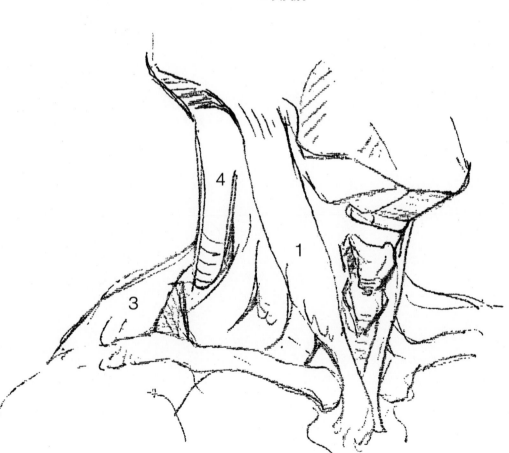

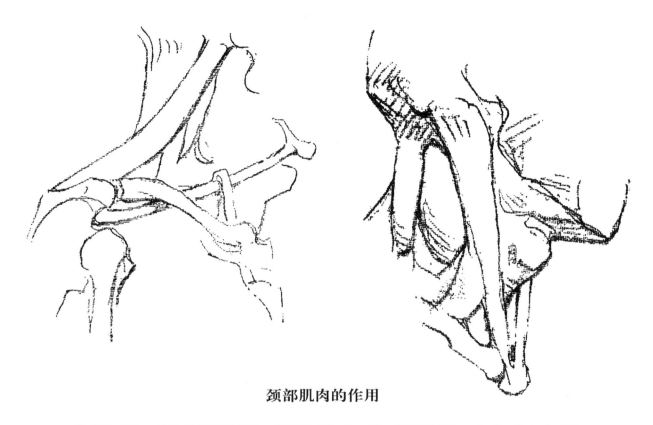

颈部肌肉的作用

胸锁乳突肌：从胸骨顶部和锁骨末端到乳突骨这一段（耳朵背部）。作用：肌肉合拢时，头部拉向前；分开时，扭转到另一侧，头部低下。

提肌、肩胛骨肌：从上颈椎骨到肩胛上方这部分。作用：提升肩胛骨。

斜方肌：从枕骨、颈背韧带、脊椎骨、第十二根脊骨到锁骨、肩峰和肩胛骨这段。作用：伸头部、提肩、扭转肩胛骨。

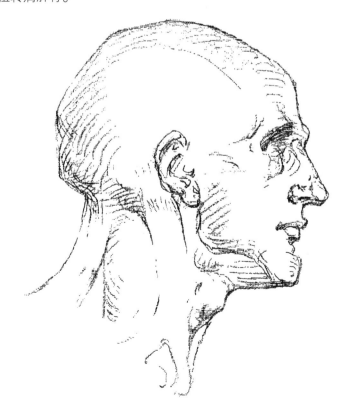

颈部的肌肉

阔肌肌样：从胸和肩到嚼肌和嘴角的一个遮盖物。作用：使颈部皮肤褶皱，嘴角下拉。

二腹肌：前腹肌，从下巴后面的上颌开始；后腹肌，从乳突骨这端开始，有环形物将其固定到舌骨上。作用：抬起舌骨和舌头。

下颌舌骨：从前面看，形成嘴的底部、下颌底部。

茎突舌骨：从舌骨到茎突骨这段。作用：将舌骨和舌头向后拉。

胸舌骨：从胸骨到舌骨这段。作用：使舌骨和喉咙下降。

肩舌骨：从舌骨到肩部这段，是肩胛骨的上边界。作用：将舌骨下拉至一侧。

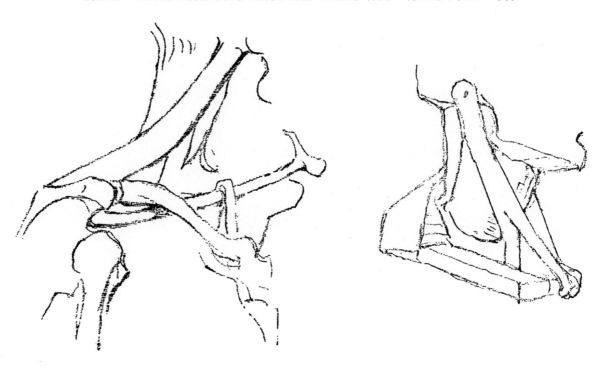

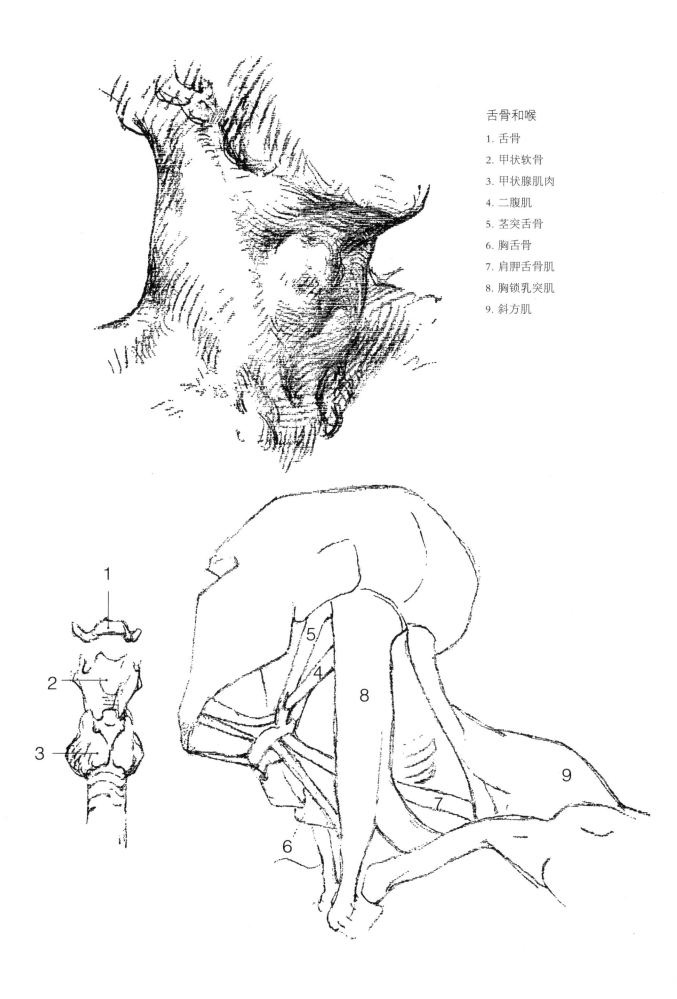

舌骨和喉

1. 舌骨

2. 甲状软骨

3. 甲状腺肌肉

4. 二腹肌

5. 茎突舌骨

6. 胸舌骨

7. 肩胛舌骨肌

8. 胸锁乳突肌

9. 斜方肌

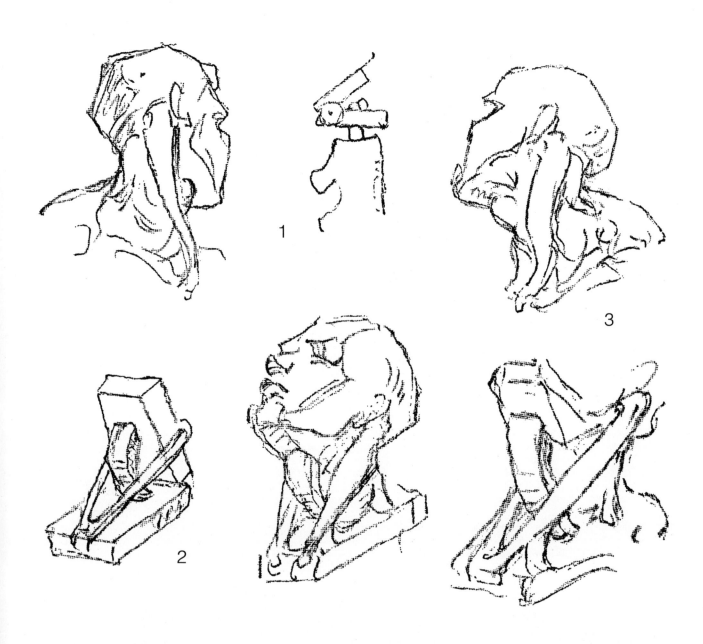

1. 头部和肩部能够朝所有方向转动

2. 头部是一个一级杠杆

3. 头部肌肉的移动

颈部的运动

　　颈部有七节脊椎骨，每节能够小幅度移动。颈部转向一侧时，那一侧的每节脊椎骨向后移动直到垂直，相反一侧向前移动，颈部同时伸长。从头骨下来的第二个关节是最灵活的，它位于运动中枢并可以转动。依靠头骨与颈的结合点这个关节，只能够做点头的动作，做这个动作时，颈部其他骨骼是不动的。

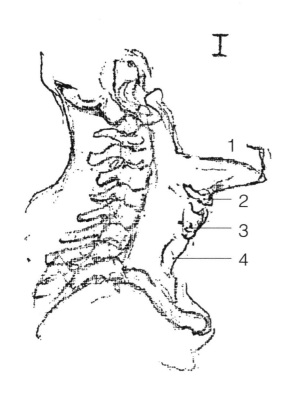

Ⅰ

（Ⅰ）

1. 下颌骨

2. 舌骨

3. 甲状腺软骨（喉结）

4. 气管

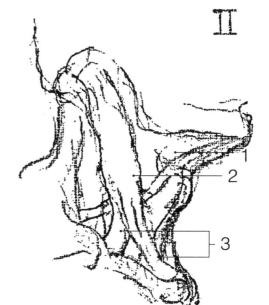

Ⅱ

（Ⅱ）

1. 下颚底部

2. 胸锁乳突肌

3. 锁骨和胸锁乳突肌胸肌的附属物，这块肌肉上方直接到耳朵背

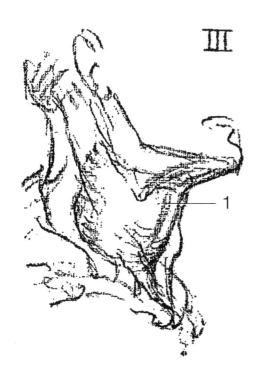

Ⅲ

（Ⅲ）

1. 颈部的形状是一个圆柱体，同脊椎骨方向一致。

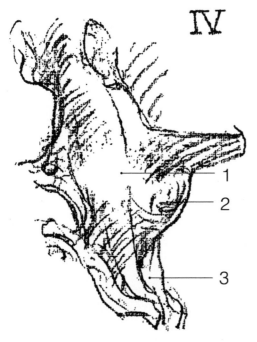

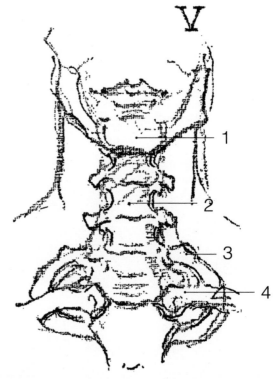

（Ⅳ）

1. 颈部这个圆柱稍微前倾，尤其是当头部
向后仰时

2. 喉结

3. 颈部胸部之间的凹陷部分

（Ⅴ）

1. 颏（下颌）

2. 颈部脊椎骨

3. 第一根肋骨

4. 锁骨

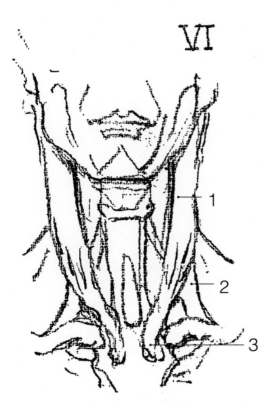

（Ⅵ）

1. 胸锁乳突肌

2. 锁骨附属点

3. 胸骨附属点

Ⅶ

（Ⅶ）

1. 当两块肌肉同时作用时，胸锁乳突肌使头部向上抬起，因为胸锁乳突肌位置在颈椎左右偏后，把后面往下拉，则头抬起来了。

Ⅷ

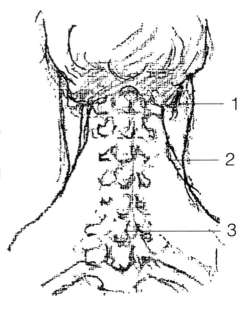

（Ⅷ）

1. 胸锁乳突肌

2. 斜方肌：在枕骨曲线上至头骨，其肌肉纤维的走向为向下向外倾斜。

3. 第七节颈部脊椎骨，为颈部背后明显凸出的一节脊椎骨。

Ⅸ

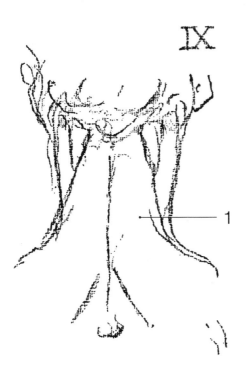

（Ⅸ）

1. 颈的背部比前面平而且短，颈部支撑头部并移动头部，肌肉使颈部上方的头部运动。

145

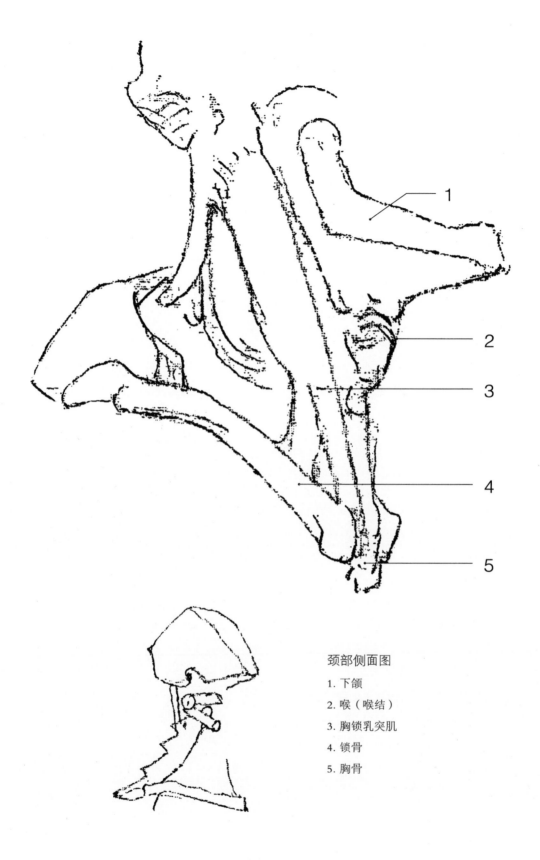

颈部侧面图

1. 下颌
2. 喉（喉结）
3. 胸锁乳突肌
4. 锁骨
5. 胸骨

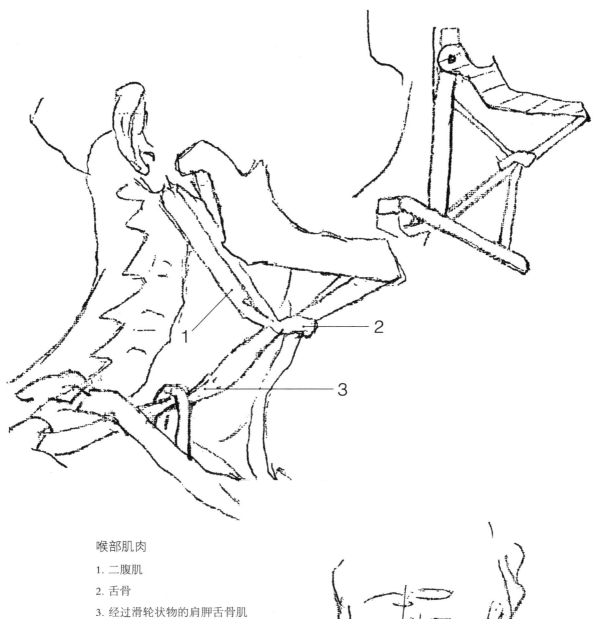

喉部肌肉

1. 二腹肌

2. 舌骨

3. 经过滑轮状物的肩胛舌骨肌

颈背部图

1. 胸锁乳突肌

2. 头夹肌

3. 肩胛提肌

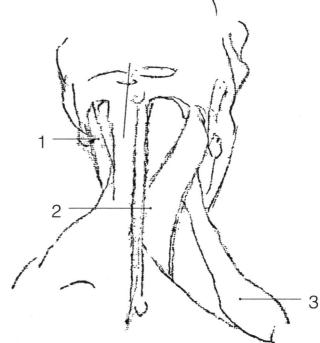

躯 干（Ⅰ）

前视图

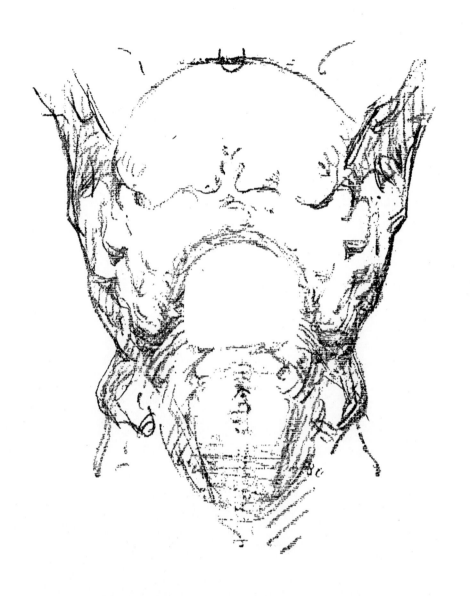

　　胸廓或称胸部，是由骨骼和软骨组成的，这些骨骼用来保护里面的心肺，也能够使胸部这个组块配合身体的不同动作相应扭动。胸廓是由胸后面的脊柱、两侧的肋骨和前面的胸骨组成的，保护心肺，就像棒球手戴的面罩保护脸部一样。胸廓的结构能够弯曲，有弹性，因此还可以看作是一个风箱。肋骨不是完整的圆圈，彼此之间也不是平行的，它们从脊柱开始向下倾斜，在两侧以一定的角度弯曲，朝胸骨方向隆凸。胸腔前面的骨头叫做胸骨。

如果每根肋骨都是固定不动的圆形，那么胸部就无法移动，也无法扩张。根据基尔的理论，人在呼气时，胸骨向外扩张十分之一英寸（1in=2.54 cm），能够吸进688.23 cm³的空气，如果用力，可以吸进更多，到1147.1 cm³甚至1638.71 cm³。

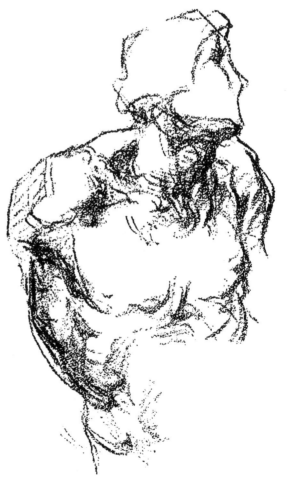

　　盆骨是人体机械动作的轴心部分，它是躯干和腿部的支点，在人体占很大比例。盆骨组块轻微向前，同躯干相比方一些。两侧的隆起叫做髂骨凸出部分，它是侧面肌肉的支点，所以向两边凸出，前面比后面宽。

躯干的组块

躯干是由胸部、腹部（盆骨），还有它们之间的腹上部组成，胸部和腹部相比较来说是固定不动的，中间的腹上部是活动的。

画一条线表示锁骨，确定胸的顶部。然后穿过胸肌和腹上部的凹陷部分，与锁骨平行画一条线，形成胸部组块的底部。

弓形线条下方是腹部，它是最为活动的部分。画一条线大约穿过髂骨顶部靠前的点，这条线勾勒出腹部的下方。腹部的轮廓显示出胸椎向下分开的线条，胸部和肩部楔形向下分开的线条，以及支撑侧面肌肉的块面。

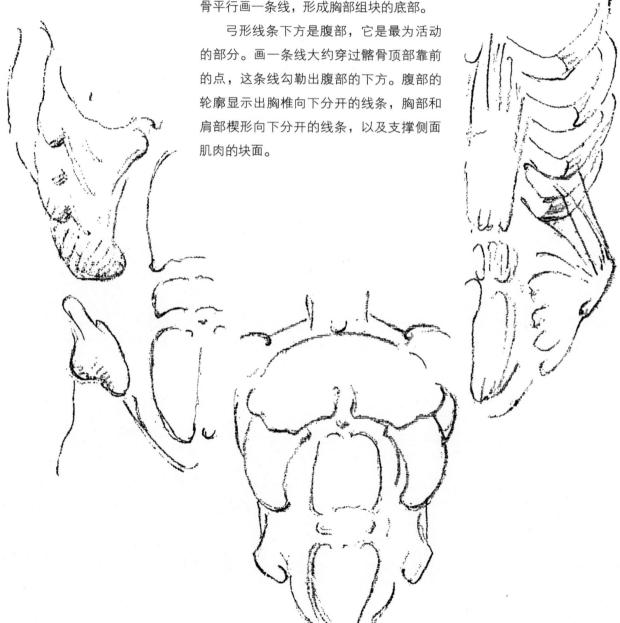

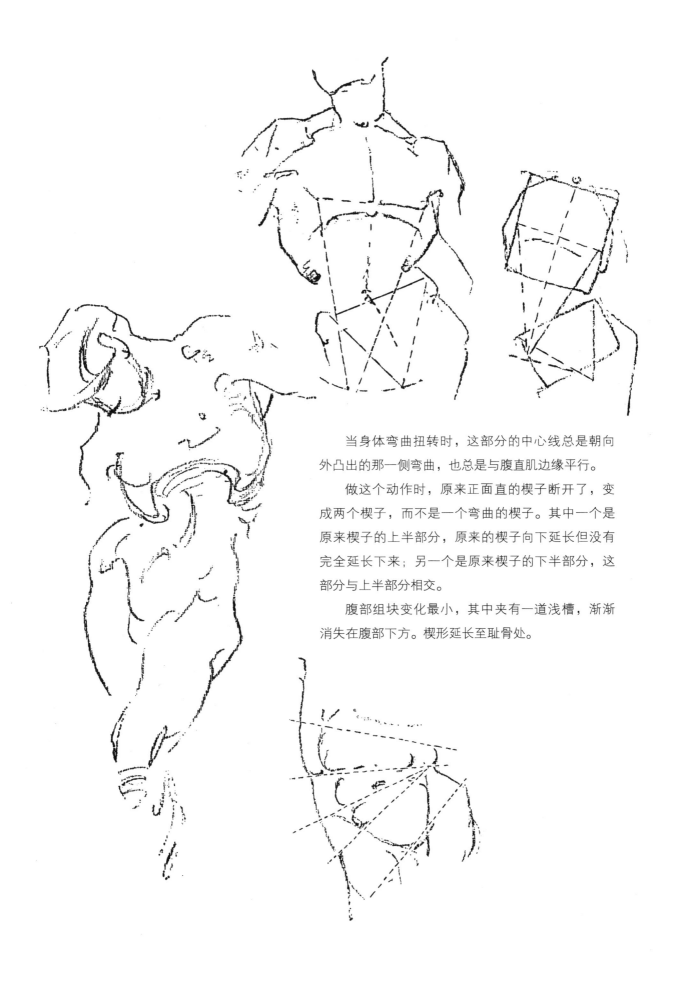

当身体弯曲扭转时，这部分的中心线总是朝向外凸出的那一侧弯曲，也总是与腹直肌边缘平行。

做这个动作时，原来正面直的楔子断开了，变成两个楔子，而不是一个弯曲的楔子。其中一个是原来楔子的上半部分，原来的楔子向下延长但没有完全延长下来；另一个是原来楔子的下半部分，这部分与上半部分相交。

腹部组块变化最小，其中夹有一道浅槽，渐渐消失在腹部下方。楔形延长至耻骨处。

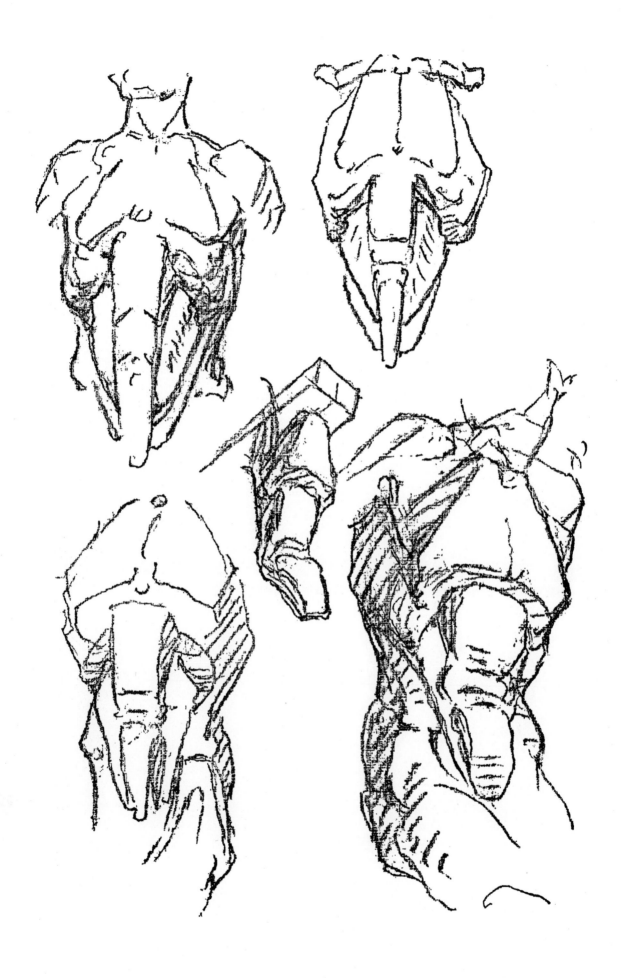

躯干的平面前视图

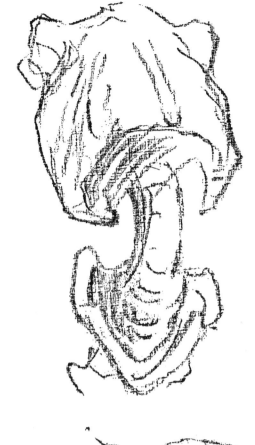

　　从正面看，躯干可分为三个不同的平面。

　　从每根锁骨的内三分之一处到胸大肌的底部（此点正是胸大肌朝向上方插入上肢骨的地方）画出两条线。然后，画一条穿过第六根肋骨的底线把刚才画的两根线条连接起来。

　　第二个平面是腹直肌，形成腹部的上面部分。在这里，把它看作平坦的平面，与上方胸肌和下方的胃部相接。

　　第三个平面更圆，两侧固定在下方的肋骨和盆骨上。这个平面就是腹部，位于躯干下方腹腔内。

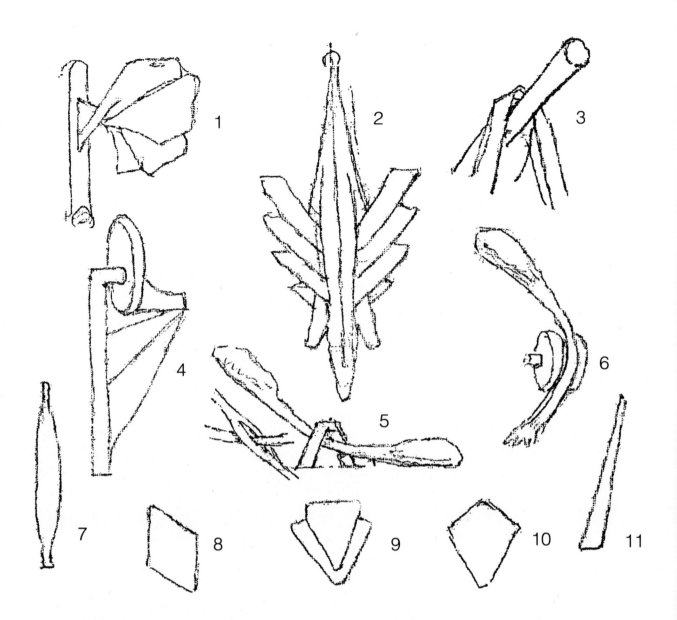

躯干的肌肉

1. 大胸肌：属于胸部

2. 锯齿状肌肉：脊椎骨深处的肌肉

3. 能够下拉手臂的肌肉：胸肌、背阔肌

4. 外展肌肉：将大腿向中线拉近

5. 穿过环形或裂缝的腱：肩舌骨肌、二腹肌

6. 滑轮：膝盖骨、腱和韧带

7. 直立的直肌：腹肌和腿肌

8. 菱形肌：肌肉是菱形，不是直角，从肩胛骨到脊柱

9. 三角肌：三角形，两肩相等

10. 斜方肌：平板形状

11. 形状歪斜的肌肉

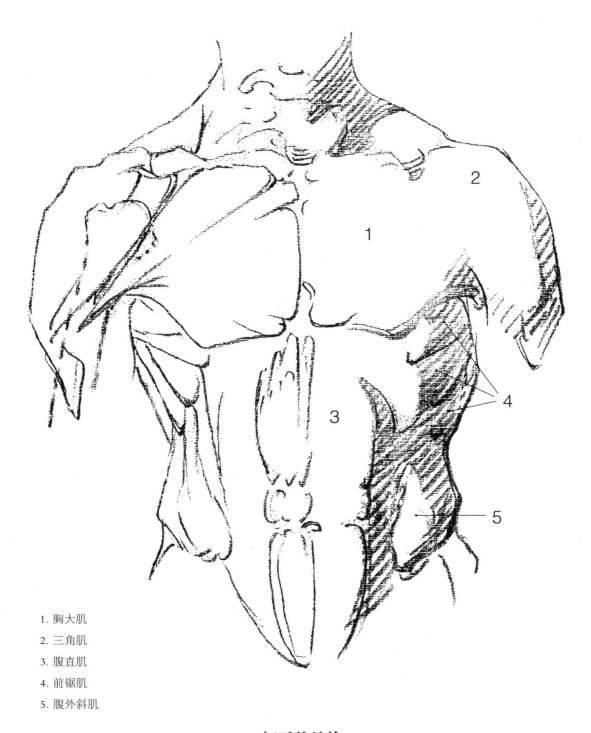

1. 胸大肌

2. 三角肌

3. 腹直肌

4. 前锯肌

5. 腹外斜肌

躯干的结构

　　腹直肌：从合生耻骨到肋骨软骨，从第五块到第七块。作用：拉伸胸部。

　　前锯肌：从上肋骨第八块到肩胛骨——脊柱的边缘，浅表形。作用：将肩胛骨向前方拉，提升肋骨。

　　腹外斜肌：从下方肋骨第八块到髂骨顶部和耻骨韧带。作用：拉伸胸部。

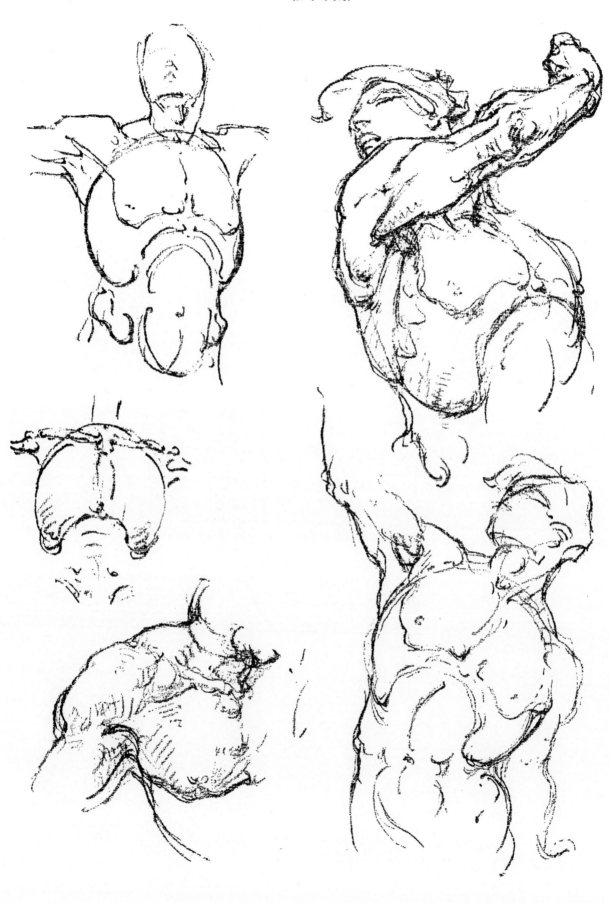

躯干轮廓

直立躯体正面在轮廓上构成一条长曲线，这条曲线被胸肌边缘的凹陷处、肚脐的凹陷处分割成三条基本等长的短曲线。背部的曲线体现在腰部所形成的一条向腹部方向大幅度弯曲的曲线，与肚脐相对，与胸部处的背部长曲线连接起来，以及较短的臀部曲线。胸部曲线被几乎与之垂直的肩胛以及其下面的薄而隆凸的部位分割。

躯体在轮廓上形成三个组块：胸部、腰部、臀部和腹部。相比之下，第一组块和第三组块不大活动。

躯干上半部分，胸部组块的边缘线由锁骨的线条所构成；下半部分，其边缘线由肋骨的软骨曲线构成，与胸部直径垂直。

胸部由于胸部呼吸而扩张，其上的肩部可以自由活动，带动肩部、锁骨及肌肉。

胸部的下边缘是向前上方倾斜的肋软骨的脊，前下方走向的肋骨本身也是胸部的标志。胸部的标志还有锯肌（大锯齿状）指凸和从胸肌转角处成排的小三角形，它们与肋骨的软骨相平行，并于背阔肌下方消失。

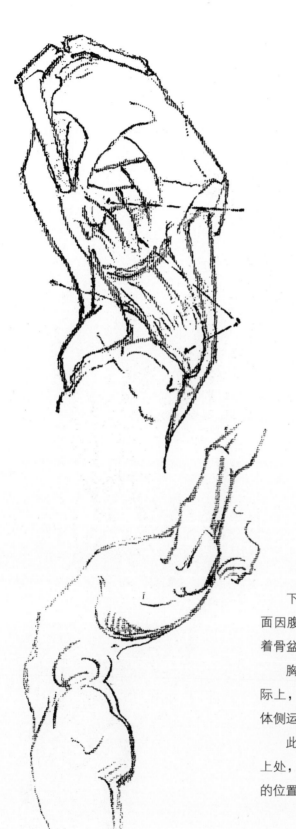

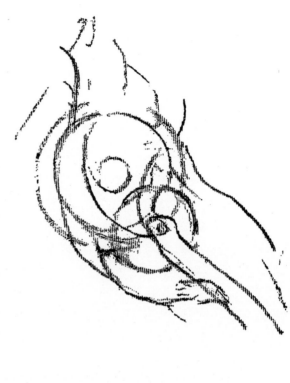

下部，盆腹部呈前上方走向的斜坡。盆腹部的前面因腹肌收缩而变得平坦。臀部可以自由活动，改变着骨盆的倾角。

胸部和盆腹部之间的中部有易于活动的腰椎。实际上，整个脊椎的所有弯曲和伸展运动以及大部分的体侧运动都产生在这里。

此部分的标志是一块斜侧肌，在盆腔界限稍微偏上处，向里靠上方一侧的身体部位上。此部分因躯体的位置不同而变化很显著。

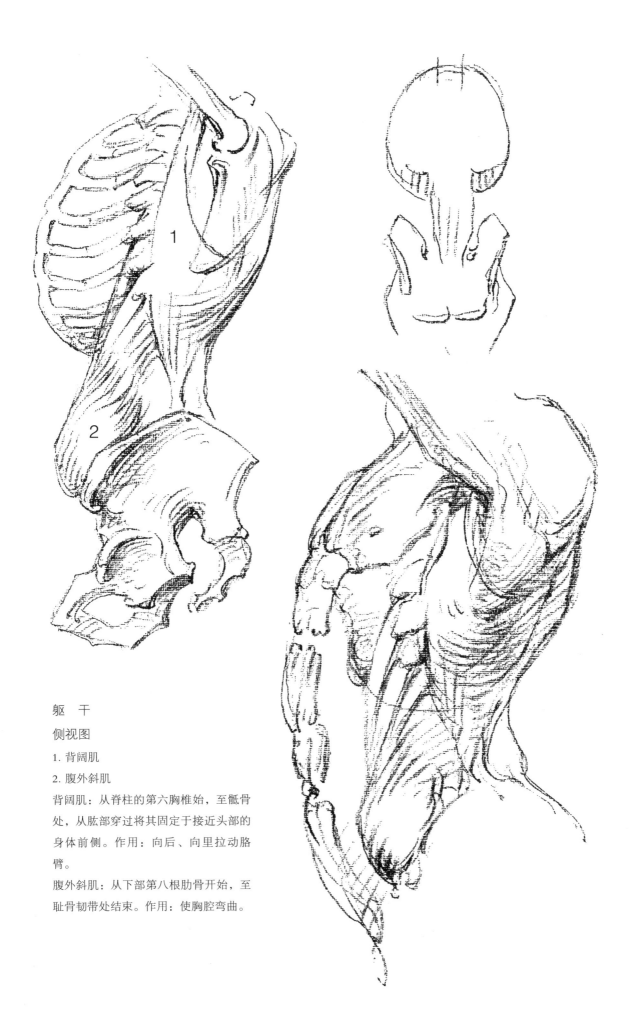

躯 干

侧视图

1. 背阔肌

2. 腹外斜肌

背阔肌：从脊柱的第六胸椎始，至骶骨
处，从肱部穿过将其固定于接近头部的
身体前侧。作用：向后、向里拉动胳
臂。

腹外斜肌：从下部第八根肋骨开始，至
耻骨韧带处结束。作用：使胸腔弯曲。

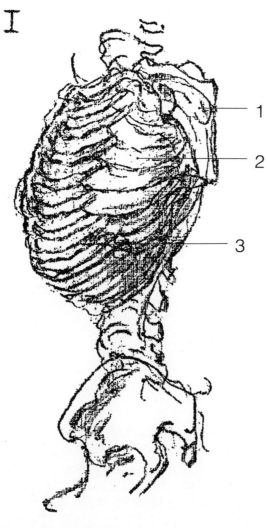

Ⅰ

1

2

3

躯干轮廓

（Ⅰ）骨骼

1. 肩胛骨，一块大三角形平骨，在肩部顶端和锁骨相连。

2. 肋骨下面是背阔腱膜，参见（Ⅱ）肌肉。

3. 胸腔是由肋骨围成的腔体，肋骨在前面与胸骨，后面与椎骨相连。上方的肋骨很短，到第七肋骨开始变长，最后一条肋骨也是最长的，它固定在胸骨上。上面的七条肋骨称为真肋骨。

（Ⅱ）肌肉

1. 背阔肌覆盖即将嵌入上臂的腰部区域，即二头肌沟槽下边缘位置。阔肌腱膜是浅表型肌肉，薄薄地罩在后腰和腰椎及胸椎下端附近的髂骨骨脊上。

2. 前锯肌只能在腋窝下胸腔一边看到其下部的凸起部分。这块肌肉大部分都掩盖在大胸肌和背阔肌之下。

3. 腹外斜肌附着在下部的八条肋骨上，并和前锯肌后延伸向下。

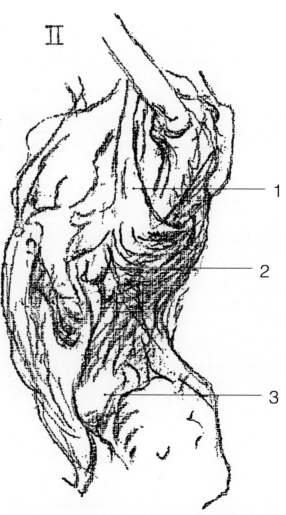

Ⅱ

1

2

3

Ⅲ

（Ⅲ）前锯肌使肩胛骨向前，并使肋骨提升，而背阔肌则拉动胳臂向后向里运动。当跨越肩胛骨下角后，它的上缘呈曲线向后折至与第六或第七胸椎等高位置。

前锯肌构成腋窝的内壁。它伸入肋骨上部的那部分是看不见的，而在大胸肌和背阔肌之间可以清晰地分辨出其下部的第三或第四块。

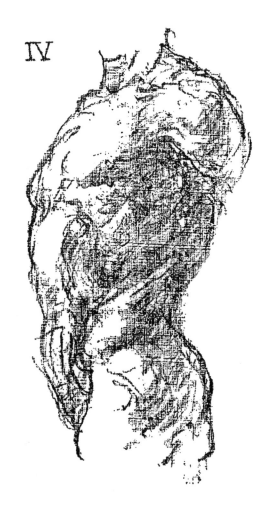

Ⅳ

（Ⅳ）在轮廓上，躯干前面以构成其边缘的肋软骨的骨脊为标志。前锯肌的指状凸起向上向前同腹外斜肌会合（肋骨本身是向前下方倾斜的）。

在与髂骨连接处，腹外斜肌呈厚的斜向、翻卷状结构，其底部构成髂骨沟。当肌肉的一侧收缩时，躯干沿左右方向转动。当两侧同时拉动时，腹外斜肌向下牵引肋骨，于是身体前倾。

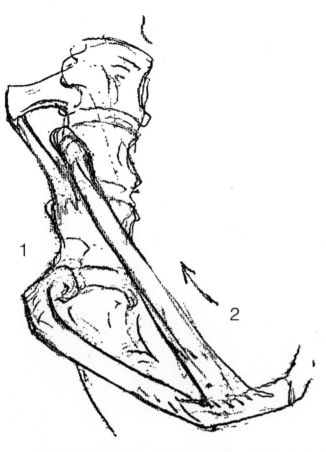

胸　腔

1. 杠杆活动时的支点或枢纽。

2. 肋骨须由肌肉发力才能提升。

3. 肋骨的前端在肌肉的作用下降低或升高。无论是升高或降低，肌肉都支撑着肋骨转轴或保持其平衡。肌肉由两个"引擎"发力，一个使胸部提升、扩张，另一个使胸腔下降。这些作用相反的肌肉即通常所说的提肌和降肌。

胸部的扩张和收缩依靠封闭胸腔的骨骼所构成的机械装置。肋骨在背后与脊柱接合，从那儿它们向斜下方投射。当肋骨被向上拉动时，它们同时也被向外拉动，从而与脊骨之间的夹角大于直角，使得与其前部相连接的胸骨被推向前。令胸部扩张或收缩的肌肉带从骨盆向斜上方直达胸腔的前部和两侧。

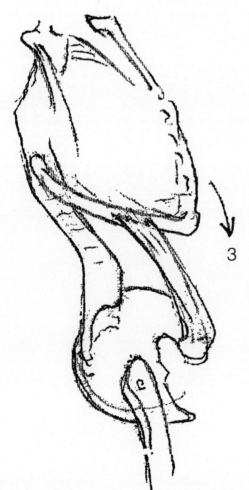

躯 干（II）

后视图

斜方肌是一块菱形的肌肉，其上端在头骨底部，下端正好在肩胛骨下面。其两个转角在肩胛带处，与三角肌相对，尽管实际上斜方肌和三角肌是连接在一体的。

肌肉群从骶骨向上扩散，而低位肋骨和肩胛骨下角则向下扩散，从而形成了外形明确的许多小菱形。

肩胛骨的骨脊总是很显著，它斜指向肩部的转角。它同脊骨的棱呈大于直角的固定夹角，而与其下部朝外的转角呈直角。

放松状态下，骨脊和肩胛骨都隐藏在皮肤下面，因收缩而膨胀起来的肌肉使那里呈现为凹槽。

在这些肌肉中，骨脊两侧的肌肉都是很容易辨认出来的，三角肌在下面靠外些，斜方肌在上面靠里些。但斜方肌同时还从骨脊的内端延伸到脊柱的正下方。其下面是帮助形成隆起的菱形肌和肩胛提肌。菱形肌从肩胛骨斜向上直到脊柱，肩胛提肌则从肩胛骨上角几乎是垂直向上直达颈部顶端。

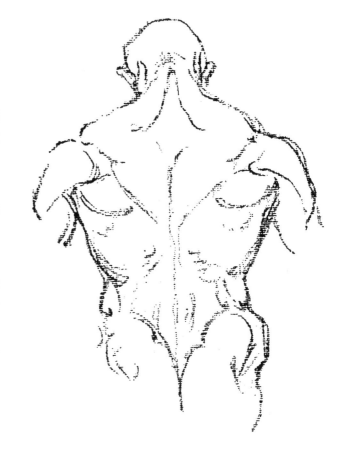

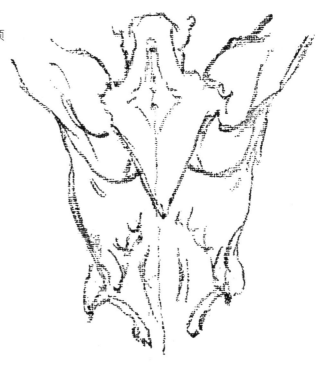

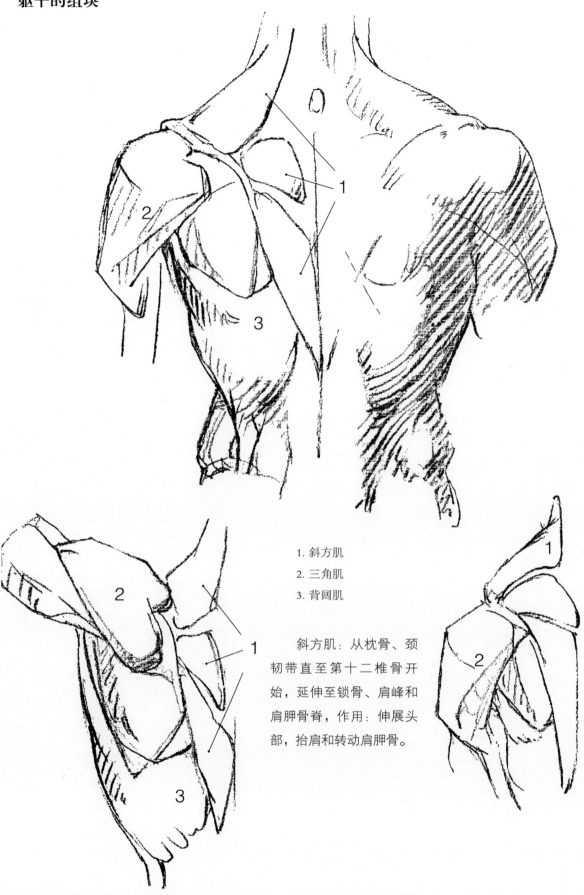

1. 斜方肌
2. 三角肌
3. 背阔肌

斜方肌：从枕骨、颈韧带直至第十二椎骨开始，延伸至锁骨、肩峰和肩胛骨脊，作用：伸展头部，抬肩和转动肩胛骨。

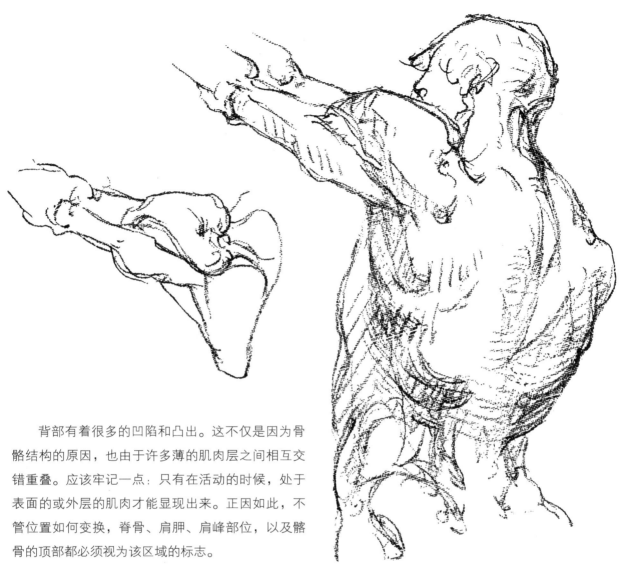

背部有着很多的凹陷和凸出。这不仅是因为骨骼结构的原因，也由于许多薄的肌肉层之间相互交错重叠。应该牢记一点：只有在活动的时候，处于表面的或外层的肌肉才能显现出来。正因如此，不管位置如何变换，脊骨、肩胛、肩峰部位，以及髂骨的顶部都必须视为该区域的标志。

脊骨由24节脊椎骨组成，纵贯整个背部，以一道沟槽为标志。脊椎分为颈椎、胸椎和腰椎。颈椎骨数目为7节，其中第7节是整个脊椎中最凸出的。胸椎部分的沟槽不像下面腰椎部分的那样深。胸椎有12节椎骨。当身体向前弯曲时，这部分的椎骨会很明确地显现出来。

接近腰椎部分，脊椎的沟槽开始变深。凹陷和陷窝是其明显特征。同时，在身体的这一部分，脊椎也变宽了。它通过骶骨表面抵达尾骨，然后变得平缓。

肩胛带的外角部分是肩峰，它是由肩胛向上的隆脊部分的外端高处所构成。肩胛，又称肩胛骨，是一块平板状的骨骼，紧贴着胸腔壁，其内侧是平行于脊椎的垂直边缘，它有一个明显的低位点，一个长外边指向腋窝，一条短上缘和肩部斜坡相平行。隆脊，或说肩胛骨的骨脊始于脊骨的边缘，约向下三分之一的位置，以三角形的形状变厚，当高过于外上角时耸起。在此处，肩关节向前同锁骨会合。隆脊、脊椎骨缘和下角为凸出的部位。上外角变厚以形成容纳肱骨头的肩窝，从而形成正常的肩关节。

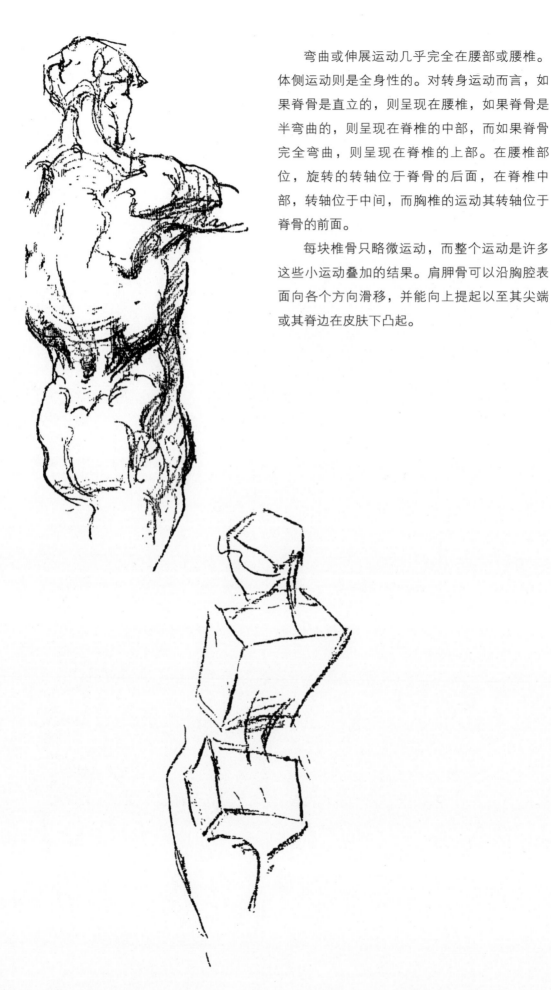

弯曲或伸展运动几乎完全在腰部或腰椎。体侧运动则是全身性的。对转身运动而言，如果脊骨是直立的，则呈现在腰椎，如果脊骨是半弯曲的，则呈现在脊椎的中部，而如果脊骨完全弯曲，则呈现在脊椎的上部。在腰椎部位，旋转的转轴位于脊骨的后面，在脊椎中部，转轴位于中间，而胸椎的运动其转轴位于脊骨的前面。

每块椎骨只略微运动，而整个运动是许多这些小运动叠加的结果。肩胛骨可以沿胸腔表面向各个方向滑移，并能向上提起以至其尖端或其脊边在皮肤下凸起。

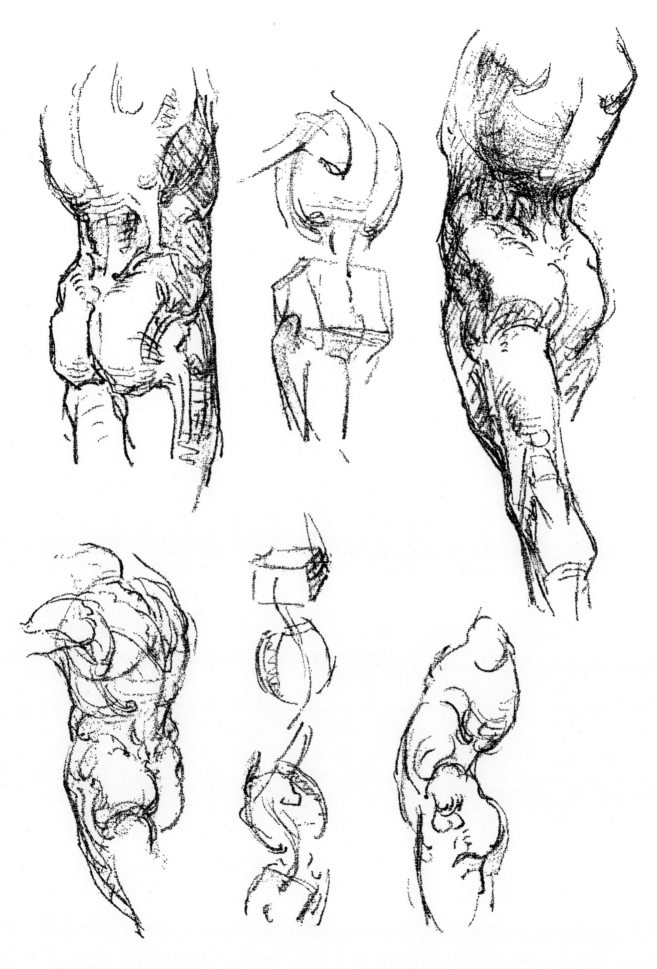

躯干和臀部的机理

胸腔和盆骨之间是靠称为腰部的一段脊椎连接在一起的。通过杠杆原理，肌肉的能量作用于这些骨骼，使得身体前行、后退或转身。骨盆就像是一个只有两条辐条的轮子，其中心为髋关节，"辐条"就是走路或跑步时前后摆动的两条腿。当有力作用于杠杆的长端时，在另一端的能量就会增加。而如果需要速度的话，杠杆就可变短些。

当背部和骨盆前后或侧向弯曲时，人体肌肉的能量只能在关节处拉动或弯曲这些杠杆。背部的活动受到脊椎骨骼结构的限制。每段椎骨都是一个杠杆，胸腔和盆腔正是靠它们实现弯曲或旋转。从后面看，躯干呈一个巨大的楔形，楔形的尖点向下，基底在肩部，楔形直插入臀部两支壁之间。运动时，这两部分发生旋转或弯曲。

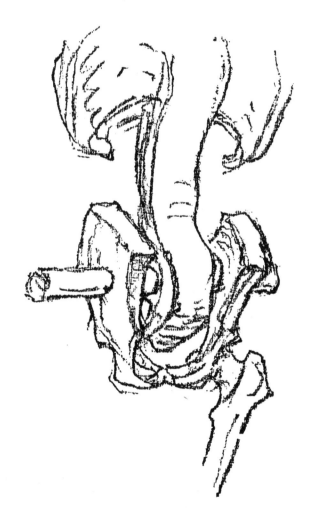

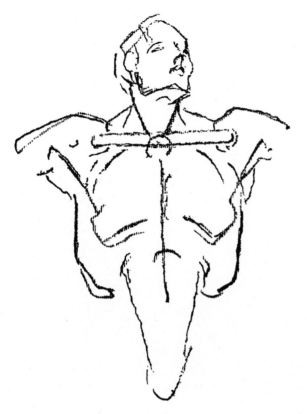

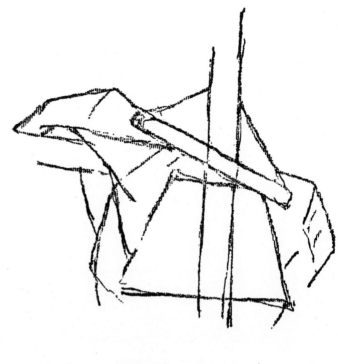

肩胛带

肩胛是嵌入而非贴于背部。肩胛从其顶点的附着处向锁骨处运动，并在肌肉力量的作用下抬高、降低或扭曲。除了锁骨于前面的胸骨交会处外，锁骨和肩胛骨的活动是自由的。这些骨骼环绕锥形的胸腔，形成肩胛带。

除了与胸骨连接外，肩胛带可以抬高或降低，可以向前，可以绕静止的胸腔扭曲而绝不会影响呼气或吸气。在肩胛骨的前后边缘和锁骨的两端之间有一个空间。在运动中，使肩部向上离开胸腔的肌肉互相之间保持着完美的平衡。

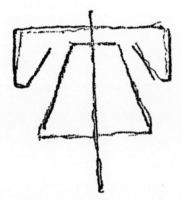

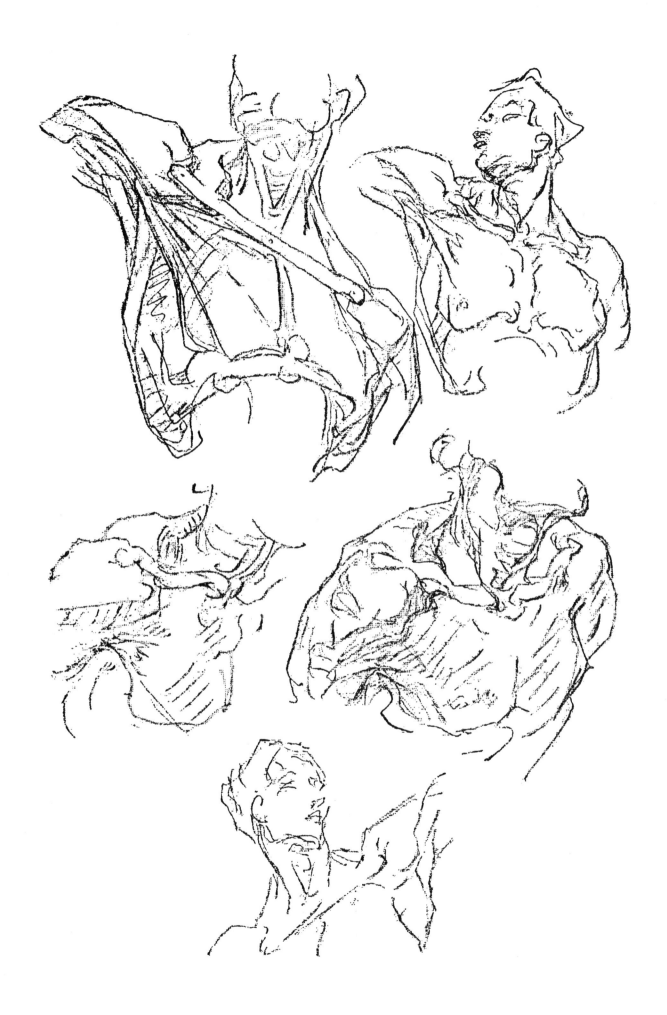

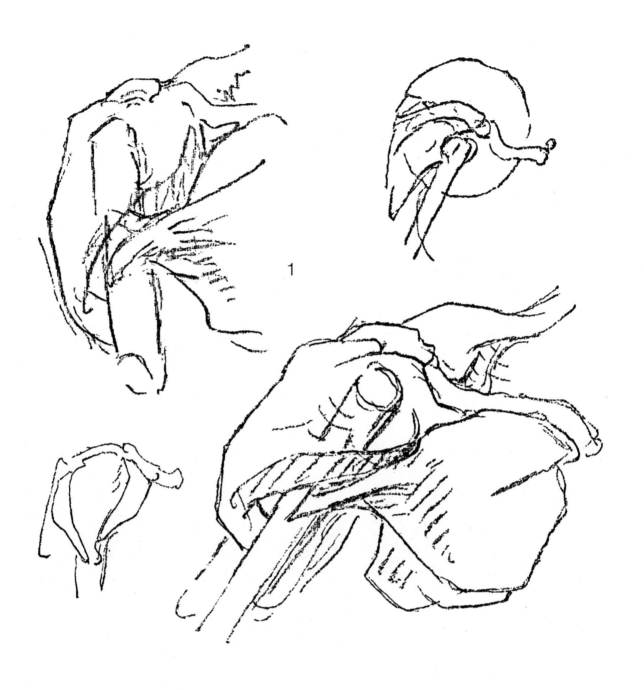

1

三角肌

　　三角肌在形状上像一个三角。它起自锁骨的外三分之一处和肩峰的凸缘，纵贯肩胛骨脊骨全长。其三部分都是向下的，中间部分垂直，内外部分倾斜向下，一根短肌腱贯穿其中，插入肱部的外表面，从而使得这三部分能协调配合。当三角肌的这三部分都工作时能使胳臂垂直抬起。如果三角肌从锁骨和肩胛骨顶部对角方向拉动的话，可以使胳臂前后运动。

　　当胳臂向下时，胸大肌绕其自身扭曲。当胳臂伸展或举过头顶时，其肌纤维是平行的。在胸部时，有七点须注意：（1）腱在何处与胳臂分离；（2）与锁骨的连接；（3）在何处与从锁骨向胸骨的过渡接合；（4）从胸骨向下的斜坡；（5）与第七肋骨的交会；（6）跨越直至离开第六肋骨处；（7）紧靠前胸骨下方的第二、三肋骨的位置。

肩胛骨

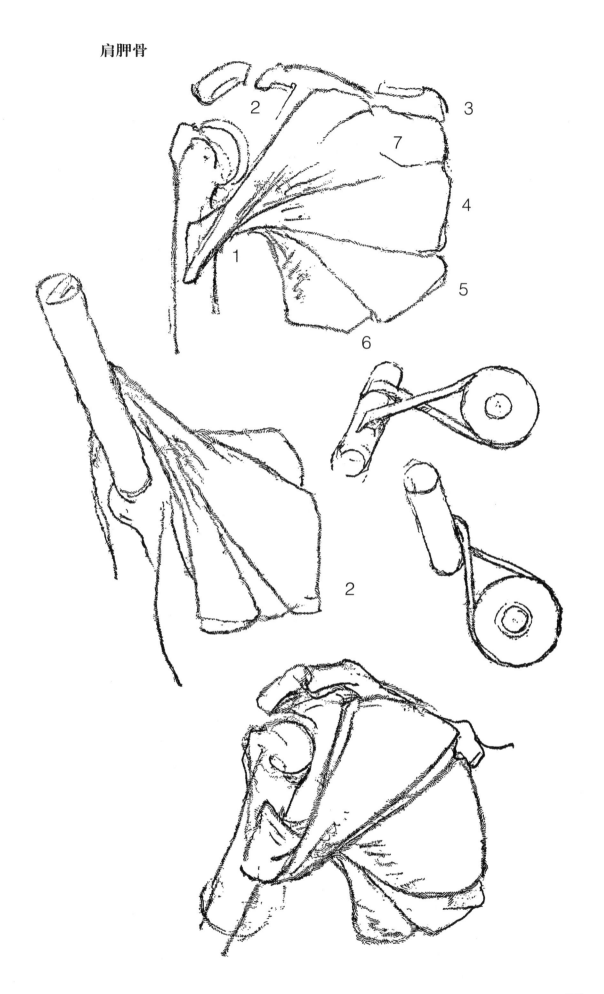

肩胛骨的机理

当把肩部视为一个机械装置时，我们试图发现其功能、杠杆作用及力量。肩部须被看作胳臂的基座。

下页的大图显示了肩胛骨的肌肉排列情况。胳臂和肩部间隔有一段距离，造物主如此设计是为了使胳臂能被向前、内及后方拉动。图中所示的所有肌肉都起源肩部，而这些肌肉嵌入胳臂的位置均为肱部的顶部、前部和后部。这样的位置使得这些肌肉在彼此拉动时，肌纤维收缩，从而使胳臂产生扭转运动。只有在由斜方肌、背阔肌和三角肌围成的三角形空间内才能完全或部分地看到这些肌肉。

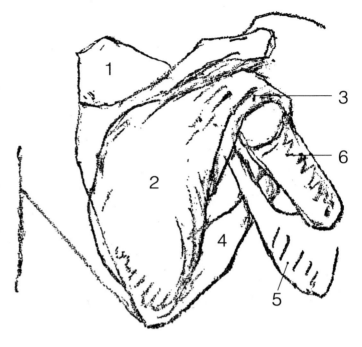

1. 冈上肌
2. 冈下肌
3. 小圆肌
4. 大圆肌
5. 三头肌
6. 肱骨

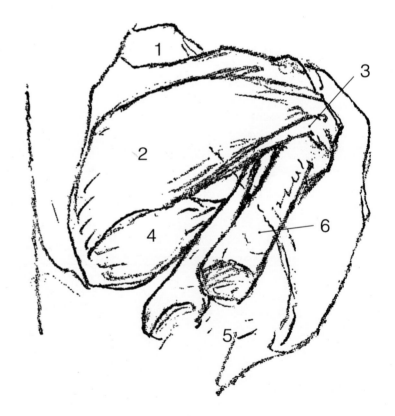

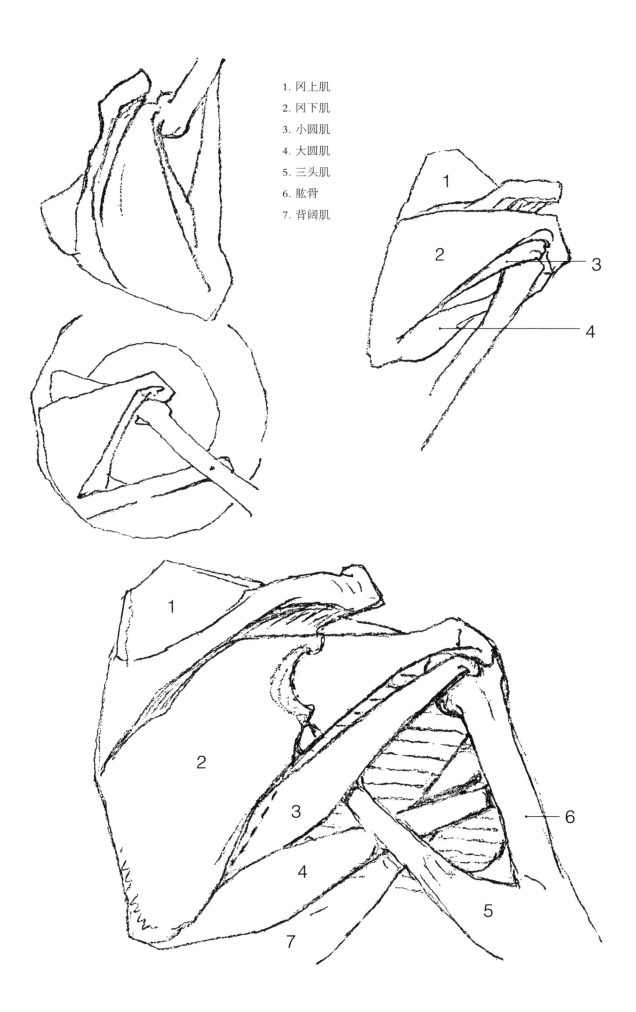

1. 冈上肌
2. 冈下肌
3. 小圆肌
4. 大圆肌
5. 三头肌
6. 肱骨
7. 背阔肌

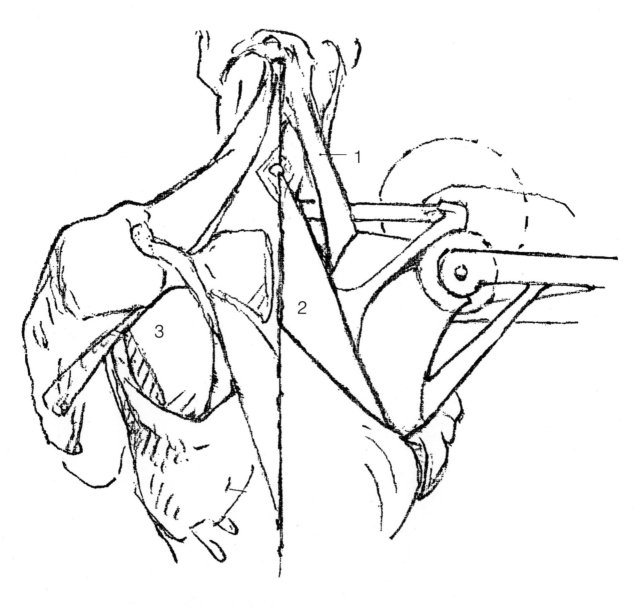

1. 肩胛提肌：提拉肩胛骨，使肩胛角度升高。

2. 菱形肌：位于第七颈椎到第四和第五胸椎之间，提升或拉回肩胛。

3. 冈下肌：在肩胛骨与椎骨相邻处向前拉动肩胛。

结构

1. 胳臂向下时，肩胛的内缘与脊骨平行。

2. 当胳臂抬起，与身体成直角时，肱部的较大的茎节压迫关节腔的上缘，此时肩胛开始转动。

3. 图中的水平杆状物即锁骨，它前面与胸骨铰接，同时还在肩部顶端和肩胛骨的肩峰铰接。

4. 肩胛转动时（从后面看）的轴线正是锁骨和肩胛顶端的交会处。

5. 肩胛骨。

6. 肱骨。

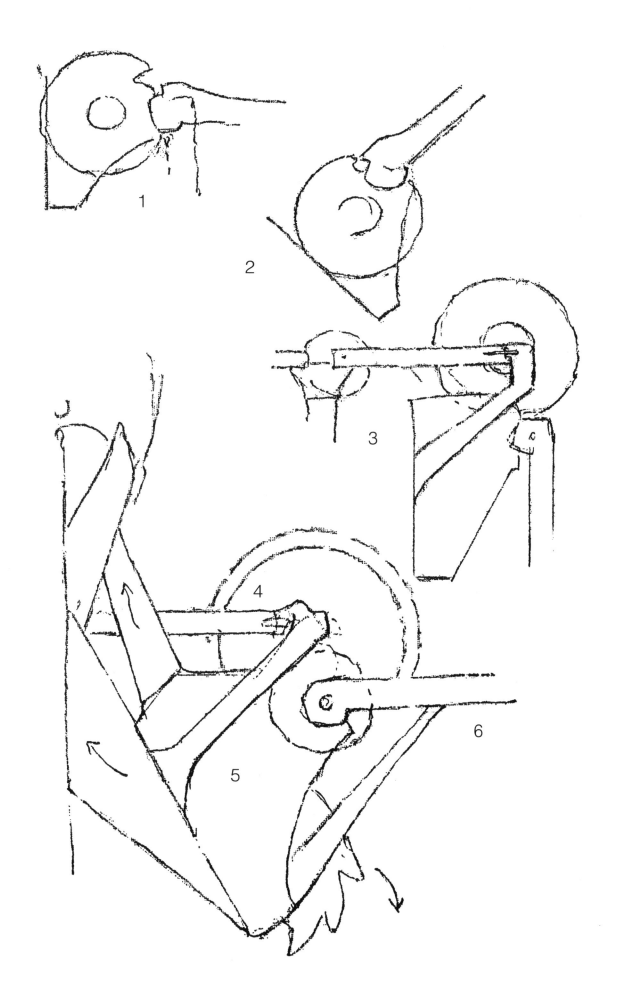

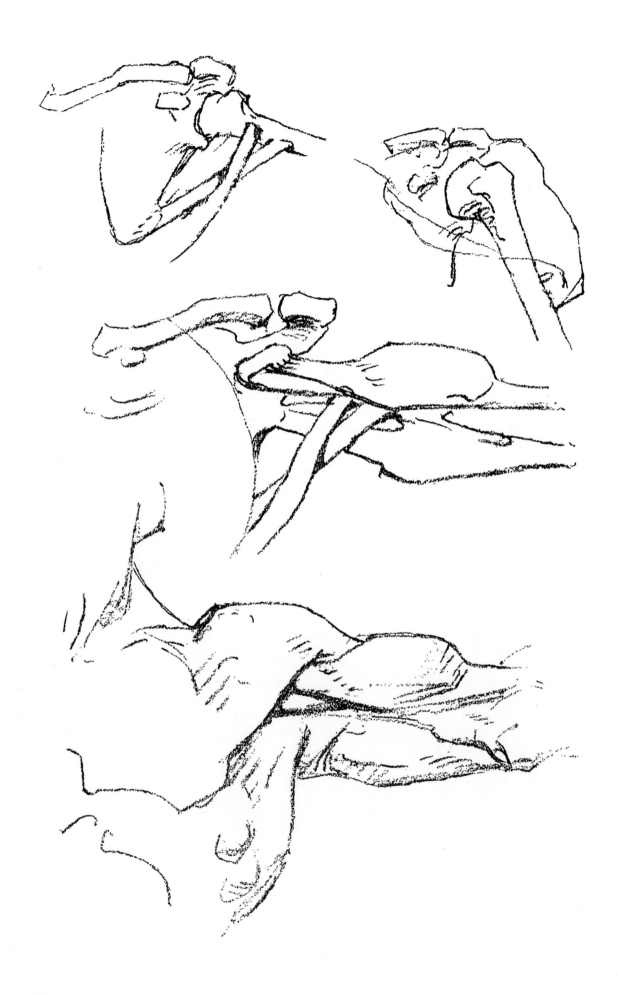

胳 臂

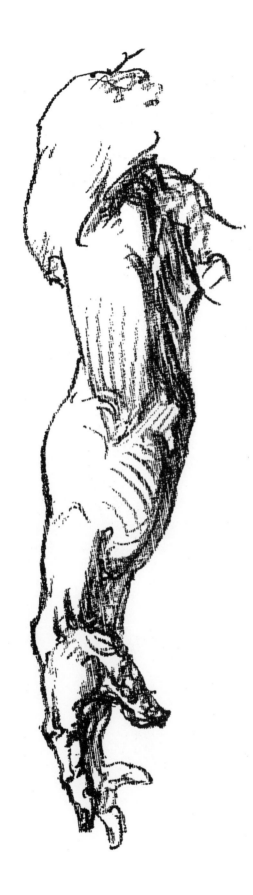

　　胳臂的底部在肩托带里。它的一根称为肱骨的骨骼是圆柱形的，稍微弯曲，球形头部位于肩胛骨的杯形腔内。它的球窝接点上覆盖一个润滑胶囊并通过带有膜和系带的牢固支架固定在一起。这些骨架在不同的角度支撑胳臂，并能自由运动。胳臂的下部截止到肘部绞关节，其内部和外部有两块隆突骨节，叫内骨节和外骨节。

　　两个骨节都凸出在表面。内骨节作为测量点，它比外骨节更突出。

　　前臂有两块骨，一块叫尺骨，尺骨的凹口刚好包裹住胳臂和肘部两个关节之间的圆形表面。在这根骨头的下部末端，有一个球形关节，在小手指一侧的腕关节上，显得很清楚。另一根骨头，叫做桡骨，与大拇指一侧的腕关节相连。它是宽的，向上呈曲线状到它的顶端。桡骨的顶端小，呈杯状，在肱骨的外骨节处有一个系带环将其固定住。

　　在大拇指一侧的手腕上的桡骨，环绕着在小拇指一侧的尺骨伸展。在肘部、胳臂和前臂形成一个铰点。

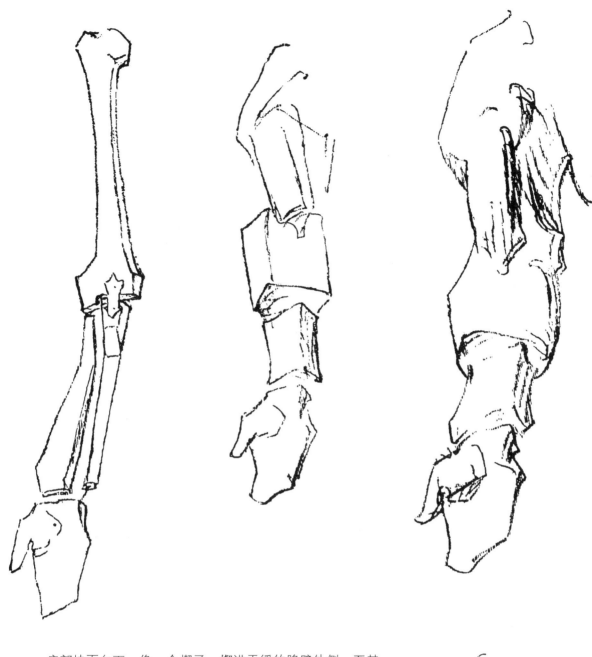

肩部块面向下，像一个楔子，揳进平缓的胳臂外侧，至其一半的距离。

在这一点，从前看，胳臂向下揳进肘部下方的前臂。当大拇指转离身体时，前臂块面是椭圆形的；当前臂骨交叉时，变成圆形的。

与手腕对应的块面，其宽度是其厚度的两倍，像一个平展的楔子向上伸进前臂至其一半的距离。

从后面看，肩部在侧面进入胳臂。在其下方有一个可旋转的楔子，楔子的中部是肘部腱的平面，与肘部到肩部保持在一条线上。前臂是圆的还是椭圆形的，取决于前臂骨是否交叉。手腕的宽度是其厚度的两倍。

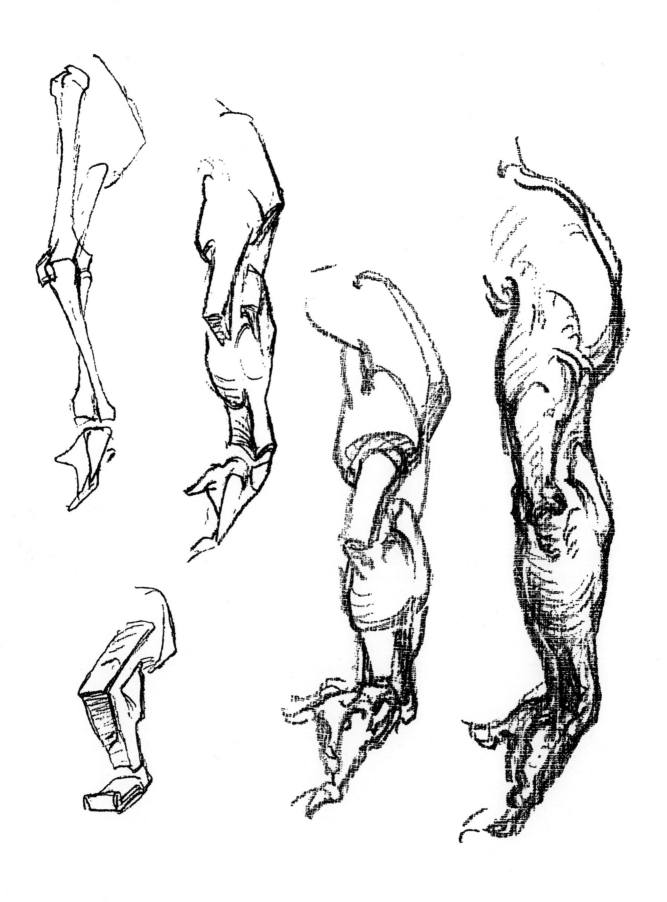

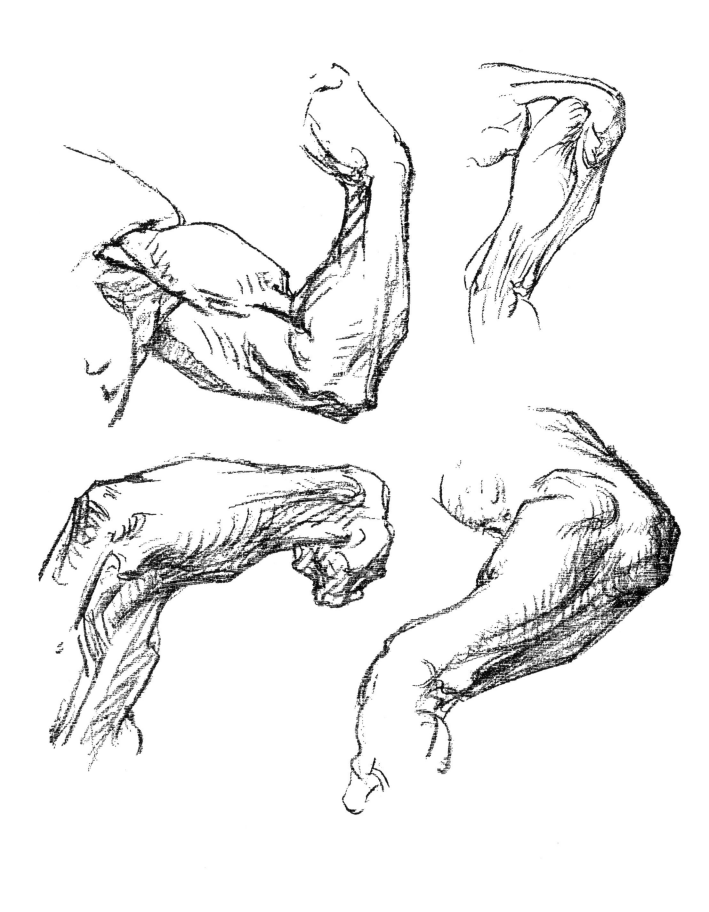

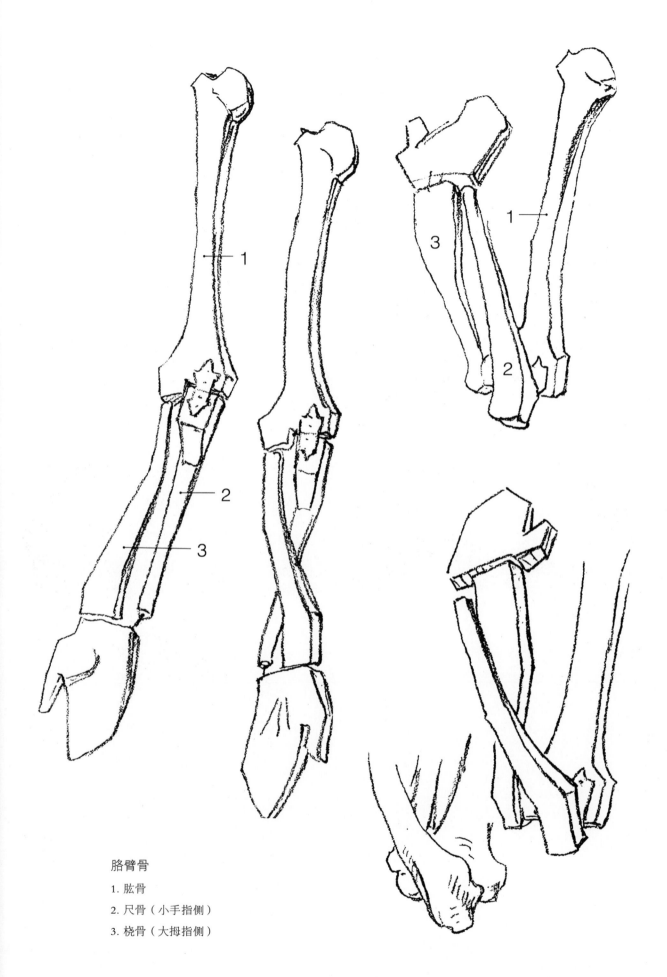

胳臂骨

1. 肱骨

2. 尺骨（小手指侧）

3. 桡骨（大拇指侧）

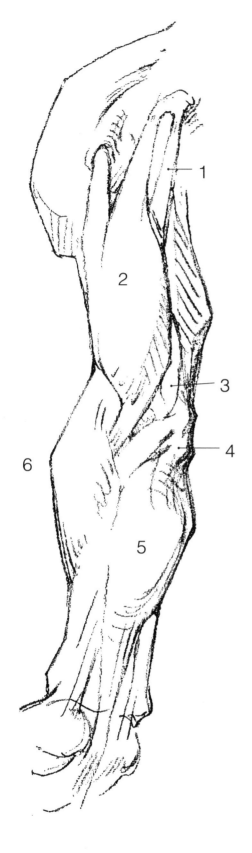

上臂肌肉（前视图）

1. 喙肱肌
2. 二头肌
3. 肱肌
4. 旋前圆肌
5. 屈肌，组合肌
6. 肱桡肌

喙肱肌：从肩胛喙到肱骨内侧，向下至其一半的距离。动作：向前拉肱骨，向外扭转肱骨。

二头肌：长端从关节腔（肩峰下）穿过肱骨上部的凹沟；短端从鸟喙骨到桡骨。动作：下降肩胛片，弯曲前臂，向外扭转桡骨。

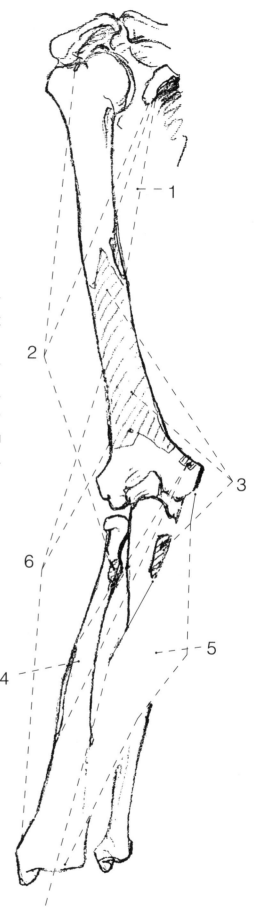

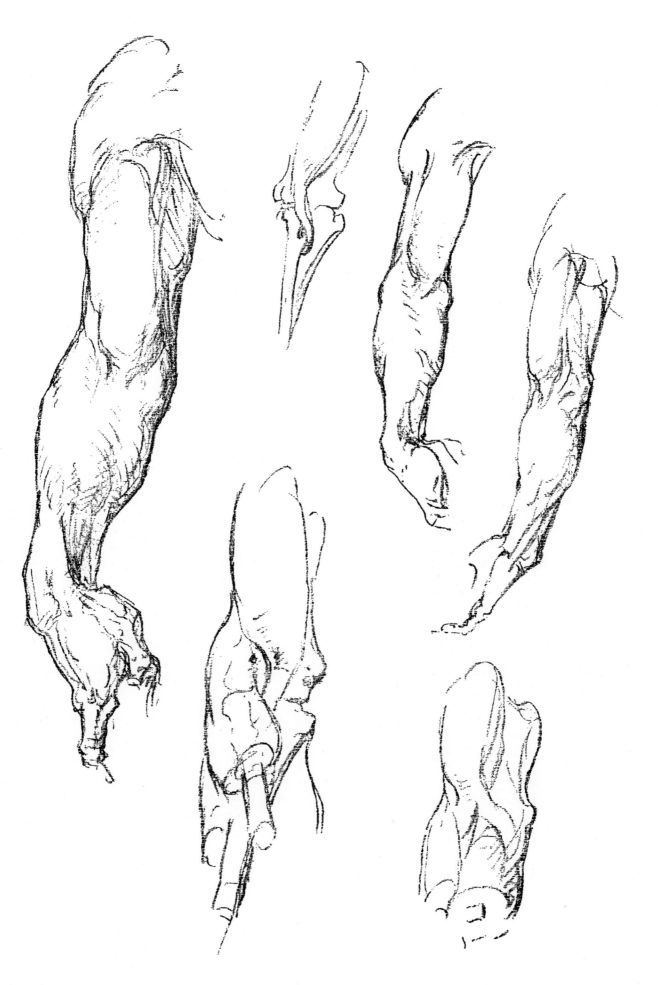

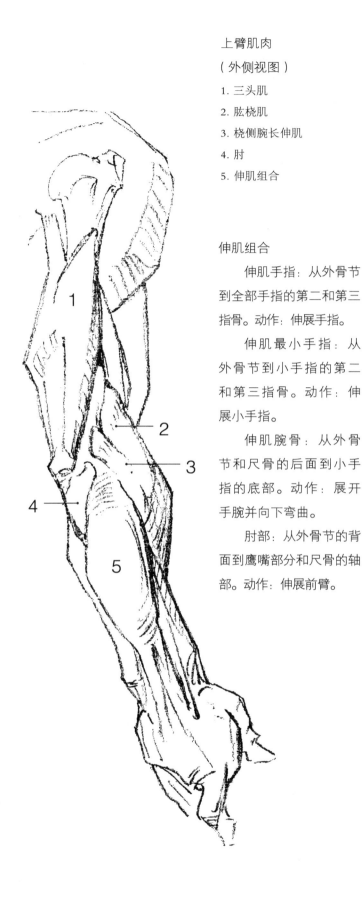

上臂肌肉

（外侧视图）

1. 三头肌

2. 肱桡肌

3. 桡侧腕长伸肌

4. 肘

5. 伸肌组合

伸肌组合

　　伸肌手指：从外骨节
到全部手指的第二和第三
指骨。动作：伸展手指。

　　伸肌最小手指：从
外骨节到小手指的第二
和第三指骨。动作：伸
展小手指。

　　伸肌腕骨：从外骨
节和尺骨的后面到小手
指的底部。动作：展开
手腕并向下弯曲。

　　肘部：从外骨节的背
面到鹰嘴部分和尺骨的轴
部。动作：伸展前臂。

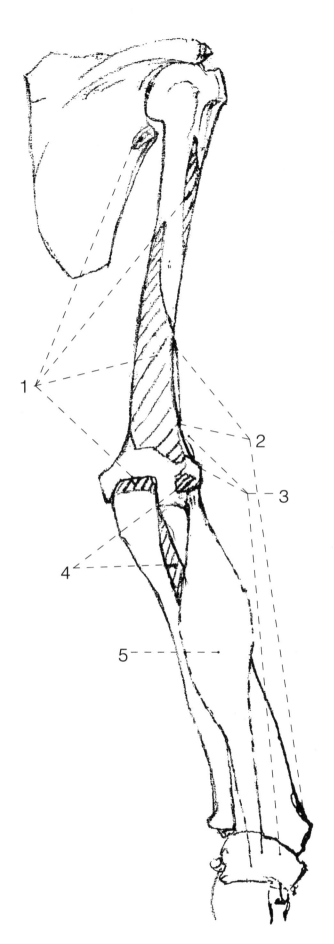

胳臂的各向视图

胳臂的前视图

（Ⅰ）骨骼：

1. 肩胛骨喙突是这部分肩胛骨伸展到固定肱骨顶部的杯状边缘的上面。

2. 肱骨的顶部是圆形的并被软骨覆盖，它与肩胛片的关节腔接触。

3. 肱骨是人体的长骨之一。它由一个骨体和两大末端组成。上部连接肩部，下部连接肘部。

4. 肘部的肱骨骨体从前到后是平展的，末端形成两个凸出物：一个在内侧，另一个在外侧，叫做内骨节和外骨节。内侧骨节更凸出。

（Ⅱ）肌肉：

1. 喙肱肌是一块小的圆形肌肉，位于胳臂的内面，邻近二头肌短的一头。

2. 叫做二头肌，是因为它分成两部分：长的和短的。长的一头沿着肱骨的臂沟上升，在肩胛片的关节腔的上边缘插入。短的一头附在肩胛骨喙突上。二头肌像一个腱下降到肘部下的桡骨。

3. 肱肌位于二头肌下。它横叉过肱骨的下半部到尺骨。

（Ⅲ）二头肌和肱肌位于胳臂前。当它们弯曲肘部收缩时，每块肌肉都有一块相对的反向肌。譬如：如果两块肌肉不做相反的运动，手指就不会弯曲或伸直。二头肌和肱肌是三头肌的直接对抗肌。肱肌裹着前方肱骨的下半部，并插入肘部下的尺骨。它伸入尺骨的部分很短，以至于它在产生能量上处于不利地位，但由于其拥有短杠杆之原理，能量上的失利可以由速度来弥补。

（Ⅳ）肩部块面像一个楔子，向下嵌入胳臂外侧面至其一半的长度。当二头肌不收缩时，是平的，它向下揳入肘部下的前臂。肘部上方的胳臂块面有许多变化形式：二头肌休息时是伸长的，而在收缩时它变成短的和球形的。

188

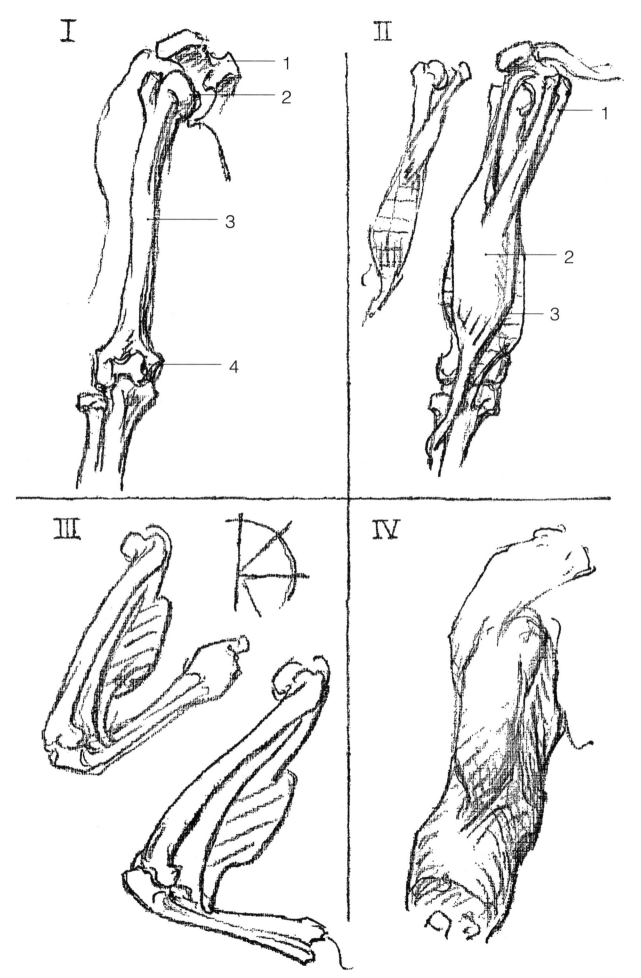

I

1

2

3

4

II

1

2

3

III

IV

胳臂的后视图

（Ⅰ）骨骼：

1. 肱骨的大结位于肱二头肌沟的外侧。在它的最上端，是一个凸出的肩部骨质点。尽管覆盖着三角肌，但它实际上仍然影响着表面的形状。

2. 肱骨骨体是圆柱状的。

3. 尺骨的鹰嘴组成了肘部的尖端。

（Ⅱ）肌肉：

1. 长头。

2. 三头肌外部部分。

3. 三头肌的内部部分。

4. 三头肌的总腱。三头肌的命名是由于它是由三部分或者三个头组成，一个是中间的，两个是边上的。长头从紧挨着关节盂下边的肩胛骨的边上产生，终止在一个宽大扁平的腱上，这个腱同时也是内侧和外侧部分的终点。外侧头从肱骨上部的外侧产生。内侧头也在肱骨上，但是在内侧。两块肌肉都附着在总腱上，总腱插入了尺骨的鹰嘴。

5. 肘后肌肌肉，小小的，形状是三角形，上面附着在肱骨上的外髁处，下面附着在尺骨上，是三头肌的延续。

（Ⅲ）肌肉只通过收缩而起作用，当作用力停止后它们就放松下来。位于胳臂前部的肌肉，通过收缩弯曲肘部，通过伸展而伸直肢体。三头肌被其他肌肉的弯曲带动着。这些肌肉运动的肘关节是一个铰链关节，它只在一个平面内做或前或后的运动。

（Ⅳ）三头肌覆盖着胳臂的后部，它贯穿整个肱骨骨体。这块肌肉在上面窄，在下面变宽，一直到三头肌的外侧头的沟槽处。从这里，三头肌的总腱沿着肱骨成为一个扁平的平面并到达尺骨的鹰嘴。三头肌的总腱接受了三头肌所有的三个头的肌肉纤维。这个宽扁的腱与肱骨的走向一致。

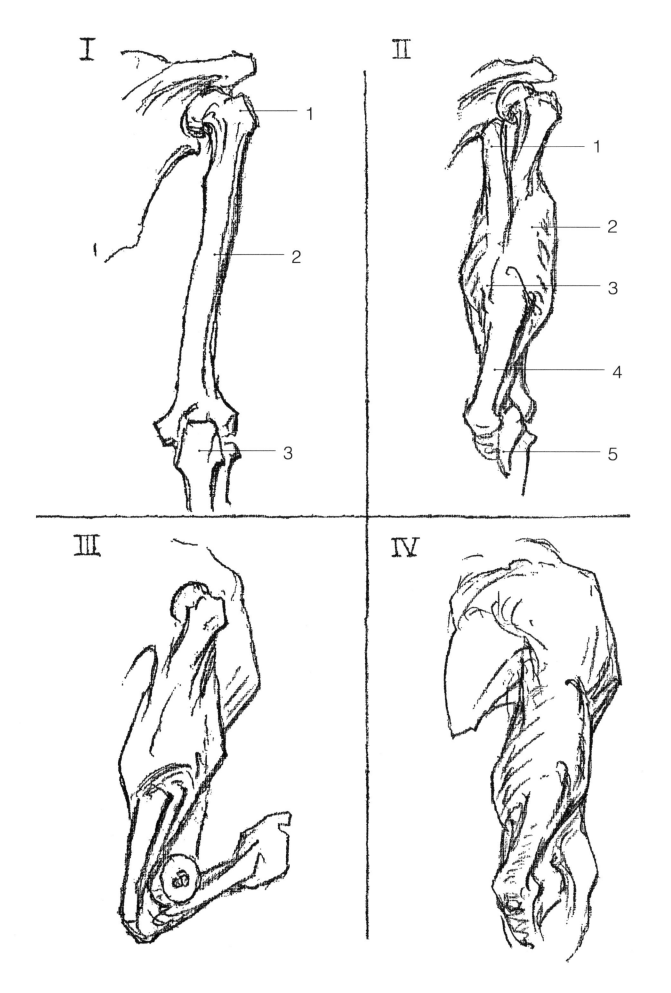

I

1

2

3

II

1

2

3

4

5

III

IV

胳臂的外侧视图

（Ⅰ）骨骼：

1. 肩胛骨肩峰

2. 肱骨头

3. 肱骨体

4. 外髁

（Ⅱ）肌肉：

1. 三头肌是一块有三个头的肌肉。通过收缩，它可以伸前臂。

2. 二头肌是一块有两个头的肌肉。通过收缩，它可以使肩胛骨下降。

3. 肱肌，通过收缩，它可以使前臂弯曲。

4. 肱桡肌。

5. 桡侧腕长伸肌。它负责伸展手腕的运动。

（Ⅲ）肌肉和它们的腱是运动的工具，就跟操纵木偶的铁丝和线绳一样。在上臂，提起和放下前臂的铁丝位于与骨头平行的方向。身体的所有肌肉都是相对成双的。当一块肌肉拉伸的时候，相对一块就产生刚好合适的反作用力来平衡这个拉力。前臂就是一根杠杆，二头肌和三头肌都在它的上面起作用，在肘部屈伸胳臂。刚刚提到的与胳臂平行的肌肉使得前臂向前和向后摇动。另外还需要提供一个使手臂向拇指侧转动的作用。为做到这一点，力量施加在肱骨下的三分之一处的外髁上面的地方，并且向接近手腕桡骨端头伸展。也就是这块肌肉协助转动门把手和螺丝刀的。

（Ⅳ）从外侧观察胳膊，可以看到三角肌下行，像一个楔形沉入到胳臂外侧的沟内。二头肌和三头肌的块面就位于侧面。那里还有一个靠外楔形，就是长旋前肌。这些不同的形体代表了完全不同的功能。机理总是有一个目的：或者是慢慢地移动一个沉重的物体，或者是快速地移动一个较轻的物体，在肩部的楔形体产生力量，在肩部下的胳臂上面产生速度。这一机理，使得手腕和手可以作上下移动以及圆形运动。与举起胳臂的相对慢速的运动相比，这种运动有一定的稳定性和自由性。

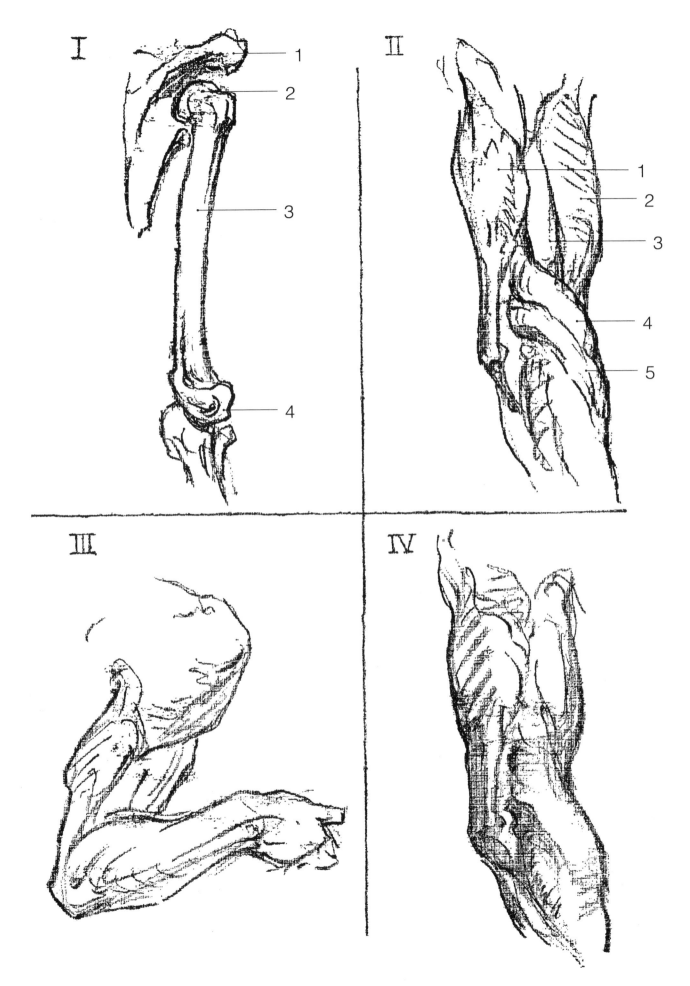

I

1
2
3
4

II

1
2
3
4
5

III

IV

193

胳臂的内侧视图

（Ⅰ）骨骼：

1. 上臂的肱骨，由一根长的粗圆柱组成。因为它没有弹性，它只能在关节处转动，肩部的关节提起胳臂，肘部的关节弯曲胳臂。从内侧看，肱骨的长端包含一个覆盖着一层软骨的圆滑的球，它被称作肱骨头，它在肩胛骨的碗形凹坑里，也就是在关节盂里面滑动。

2. 圆柱状的肱骨体。

3. 肱骨的内髁比外髁更大，更突出。它是前臂屈肌以及将前臂的拇指侧拉向身体的肌肉，也就是旋前圆肌的起点。

（Ⅱ）肌肉：

1. 喙肱肌：从喙突到肱骨，内侧向下至其一半的长度，向前拉动和向外转动肱骨。

2. 二头肌：长头始于关节盂的上边界，短头始于桡骨侧的喙突。它使得前臂弯曲，使桡骨向外转动。

3. 三头肌：中间头或者是长头，外侧头，内侧头或者是短头，它伸展前臂。

4. 肱肌：从肱骨的前端和下半部分到尺骨。它可以使前臂弯曲。

5. 旋前圆肌：从内髁伸到桡骨外侧向下一半的地方。它使手掌向下以及前臂弯曲。

6. 肱桡肌：从肱骨外部髁状嵴到桡骨端头。它使前臂向后转。

（Ⅲ）胳臂和前臂间的转动中枢或者关节，肘部是支点，移动杠杆的是肌肉的力量。当前臂被举起的时候，力量是由二头肌和前肱肌施加的。当发生这一运动的时候，三头肌是不动的。

（Ⅳ）从内侧看，胳臂在肉乎乎的三角肌区域，肘部以上三分之二的部分，呈现出最大的宽度，然后渐窄，形成一个凹槽，以它的总腱为边界。胳臂的内侧视图，与身体相接的一侧，有一些朝各个方向伸展的肌肉，以便于这些肌肉沿着它们所依附的方向拖拉关节。它们从不同角度的交错重叠，撑起了胳臂，并且使它有较大的运动自由。

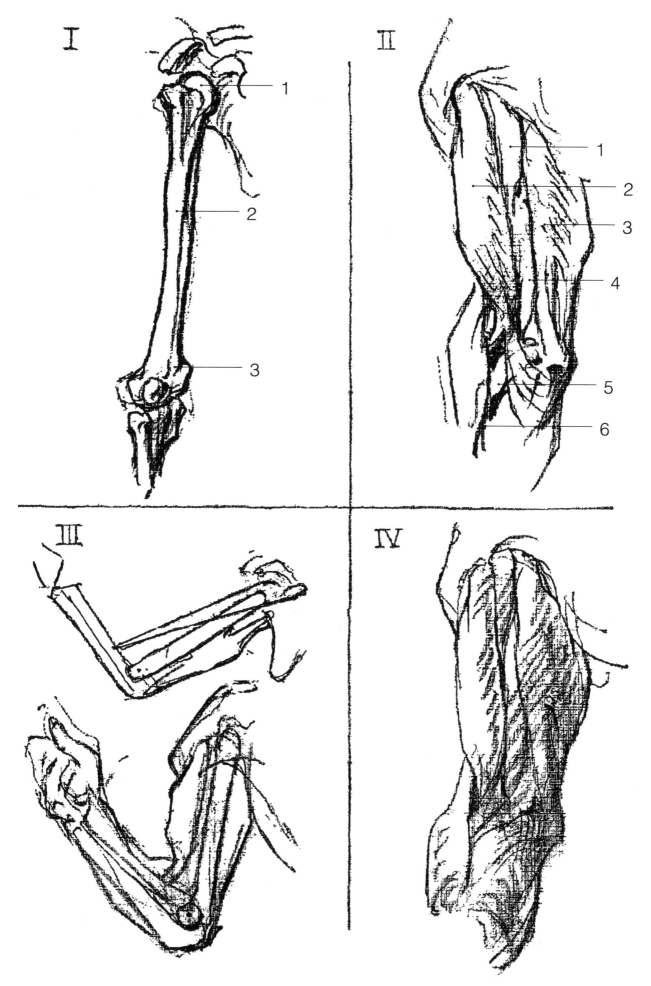

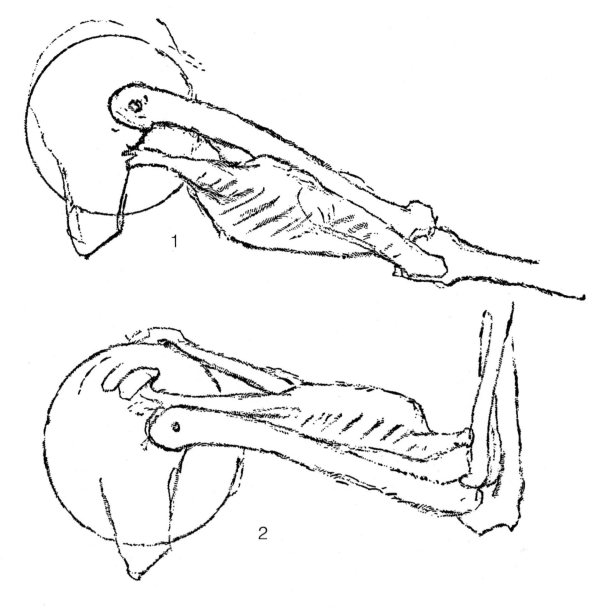

三头肌和二头肌

  如果没有两块肌肉的收缩，一根手指就不能弯曲和伸直。一块肌肉通过收缩而起作用。弯曲前臂的方法与弯曲手指的方法一样。胳臂前面那部分肌肉的收缩可以弯曲肘部，那些位于后部的肌肉伸展和挺直胳臂。前臂这个杠杆，以肘部为转动中枢或者关节，肘部是它的支点。要伸直胳臂，沉重的三头肌与它的对抗肌即二头肌起相反的作用。当这两块肌肉中的任何一块停止作用的时候，它们就放松到它们以前的状态。

  胳臂包含一根强壮的柱状骨头，这根骨头围绕肩部的关节转动，可以抬起胳臂。它围绕另一个在肘部的关节转动，可以使胳臂弯曲。这些关节可以相互滑动，并且当它们收缩或者放松的时候，可以被拖拉；当运动或者放松的时候，就改变了表面形状。

1. 三头肌使弯曲的胳臂伸直。
2. 二头肌使胳臂上的肘部和前臂弯曲。

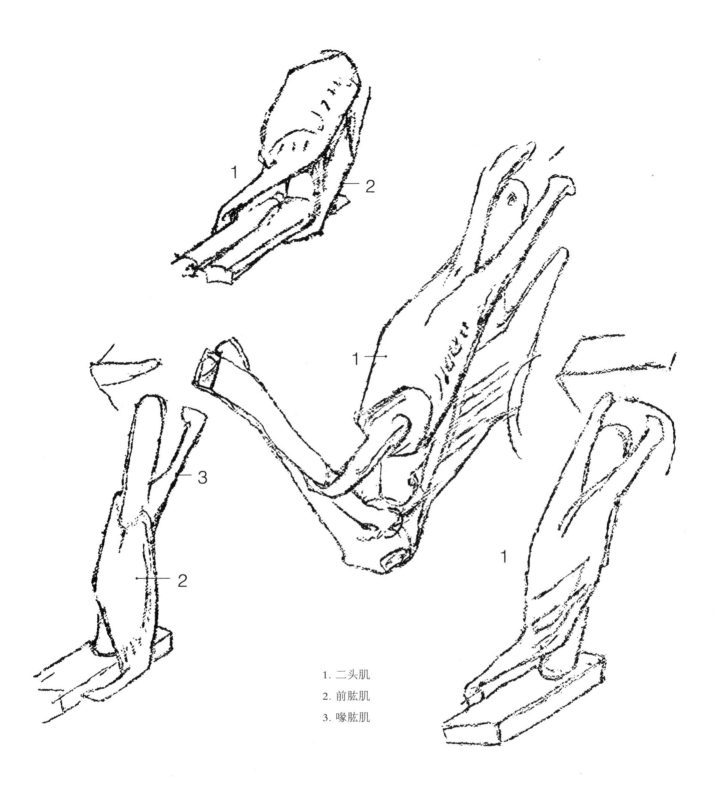

1. 二头肌
2. 前肱肌
3. 喙肱肌

胳臂的机理

人体不仅通过肌肉的力量弯曲肢体，而且可作为制动器使用，使得运动减速。例如：二头肌和肱肌位于上臂的前部，通过它们的收缩，可以弯曲肘部。如果力量完全终止，前臂就会掉下来。但是其对应的反抗肌肉以制动器的方式，使得运动不是不可控制，而是使运动减慢下来。肢体和身体的运动中不能没有这种减缓运动。这种减缓运动的机理存在于所有肢体上和身体的每一运动中。

前 臂

　　前臂的肌肉可以移动手腕和手。它的上面是发达的肌肉，下面是腱。这些腱被捆缚着穿过并位于手腕和手指的下面。前臂的肌肉有各种各样的结构和外形。有些带有腱的肌肉是单块肌肉，当它到达手腕和手指的时候又变成了两块肌肉。肌肉能够快速准确地视情况需要而单独起作用或者成组起作用。

　　1. 前臂的前面和内侧由肌肉组成，这些肌肉由总腱始于肱骨的内髁。在肱骨下面以占肌肉三分之二长度的腱为其末端。这些腱分开以后，被插入了手腕和手指，它们被称为屈肌。

　　2. 前臂后外侧的肌肉作为一组，从外髁和邻近的肱骨嵴处产生。作为一个块面，它们比位于前臂内侧的块面高出一些。这些肌肉从整体上来说，它们沿着前臂的后侧下行，然后当他们接近手腕的时候分成了腱，在此它们被一条称为环状腕韧带的带环约束在适当的位置。

　　3. 当胳臂被弯成直角并且手指向肩部时，屈肌通过收缩处于运动状态。这时，肌肉向其中心隆突，而肌肉的腱却把手向下拉。当手在手腕处被弯向前臂的前部时，被称为弯曲，相反方向则被称为伸展。

　　4. 伸展前臂上的手，就展示出位于前臂外侧和后侧的肌肉和腱。这些都被环状韧带约束在适当的位置。圆形的前臂由肌肉构成，它们大多以一个延伸到或者绕过手腕和手的长腱为其末端。其中的一些肌肉可以活动前臂上的手或者各个手指关节。也有一些深层的前臂肌肉，腱从它的上面伸出来，并将这些肌肉遮挡住了。

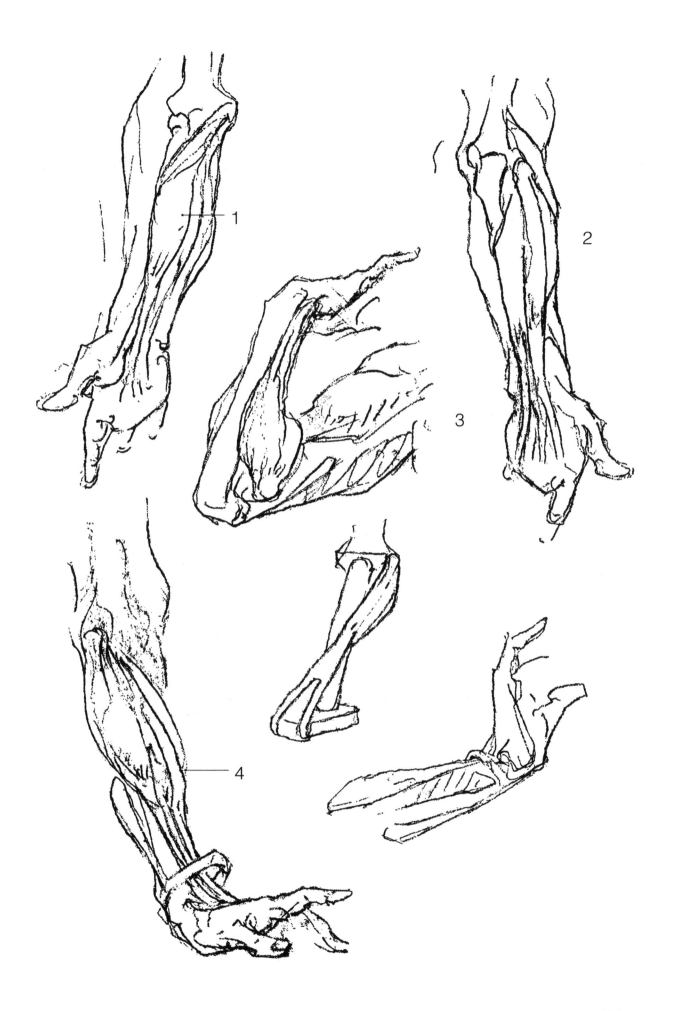

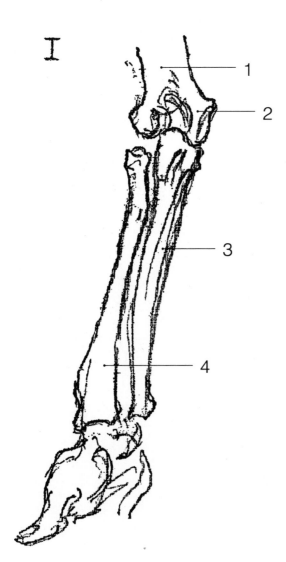

前臂的各向视图

前视图

（Ⅰ）骨骼

1. 肱骨，是上肢最大的骨头。

2. 在肱骨的下端有两个凸起。内侧的凸起（内髁）十分突出，总是显而易见，被用作一个测量点。

3. 尺骨的铰链位于肘部，与上面骨头的连接类似咬合的鸟嘴。它下行到小手指一侧的地方，在手腕上呈现出结状的凸起。

4. 桡骨在它的下端支持着手腕的拇指侧。在它的上端，端头是中空的，以便于在肱骨的桡骨头处自由活动。

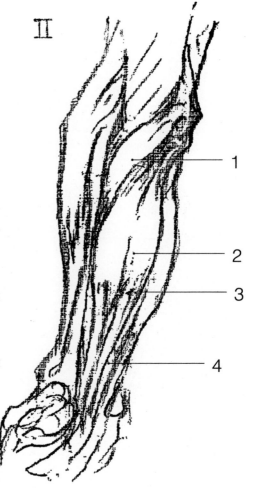

（Ⅱ）肌肉

1. 旋前圆肌。从它在肱骨的内髁的起点，朝着向下向外的方向插入外侧的桡骨骨体至其一半处。它可以通过收缩来向内转动前臂和手，来完成弯曲前的动作。

2. 肱骨的内髁处有四块屈肌。其肌肉本身大多厚实，它们的下半部终止于长腱上。

3. 掌长肌。也是一块屈肌，显示出一块细长的腱，一直指向手腕的中间，它插入了伸展到手掌的掌腱膜上。

4. 尺骨腕屈肌。

（Ⅲ） 肌肉必须位于它们所活动的关节的上面和下面，使得前臂前面凸出的肌肉是屈肌。当它们收缩的时候，它们把手腕和手拉直，就像铁丝或者绳子被拉直一样。

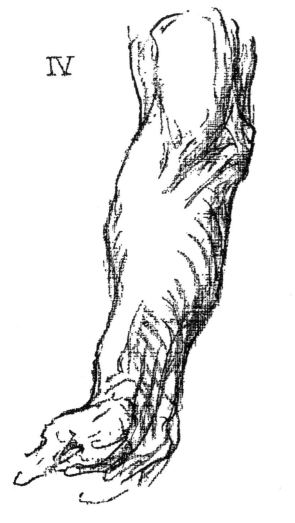

（Ⅳ） 从前面看前臂，肱骨的内髁是一个标志，骨头是平行的。在这个位置，肌肉和它的腱指向下面的手腕和手。第一块，旋前圆肌，斜着贯穿到了桡骨的中间。第二块，腕屈肌，向手的外侧辐射。第三块，掌长肌，朝向中间。第四块，尺骨腕屈肌，朝向手的内侧。这里命名的肌肉位于前臂的前内侧，全部源于肱骨的内髁。

后视图

（Ⅰ）骨骼：

1. 胳臂的肱骨为一个骨体和两个端头。

2. 肘，尺骨的鹰嘴。

3. 尺骨，从肘部到小指一侧的手腕。

4. 桡骨，前臂在拇指侧的手腕处。

5. 桡骨的茎突。

（Ⅱ）肌肉：

1. 肱桡肌从肱骨骨体向上三分之一处的外缘生出。随着下行它逐渐增大，到最大尺寸处，大约在外髁的水平处。在下面，它的纤维被一个插入桡骨茎突的长腱所代替。

2. 在肱骨上，就在旋后肌的下面，长出了腕长伸肌。这块肌肉通过一根细长的腱下行到食指，并被命名为侧桡腕长伸肌。

3. 肘后肌，一块小三角形的肌肉，附着在肱骨的外髁上，并且插入到肘部下面的尺骨处。

4. 包括刚刚提到的腕长伸肌在内共有四块伸肌。其中的三块从肱骨的外髁处长出，以肌肉的形式下行到一半的距离，再延伸到手腕和手指的腱而终止。第四块从外髁之上的肱骨的骨体处长出。

5. 拇指伸肌。

（Ⅲ）前臂的肌肉位于肘部下面，通过细长的腱可以活动手和手腕，这些腱从手腕下面或者上面通过的时候，被牢牢地绑缚在上面。一块肌肉向它的中心收缩，是一个固定规律。它的快速和准确的运动决定于它的长度和体积。如果前臂的肌肉被放置在更低一些的地方，胳臂的美感就会被破坏掉。

（Ⅳ）处于前臂外后侧的肌肉被认为是旋后肌和伸肌群。它们在二头肌和三头肌之间大约位于沿胳臂向上三分之一的地方。这些楔形肌肉的位置比旋前肌或者屈肌群高，因为它们在肱骨外髁上面一段距离。伸肌群的起点在髁的下面。伸肌腱在胳臂的后部并且总是指向肱骨的外髁。伸肌是前面的旋前肌和屈肌的对抗肌。肱桡肌的主要运动方式就是一块屈肌的方式，但也起旋后肌的作用。

I

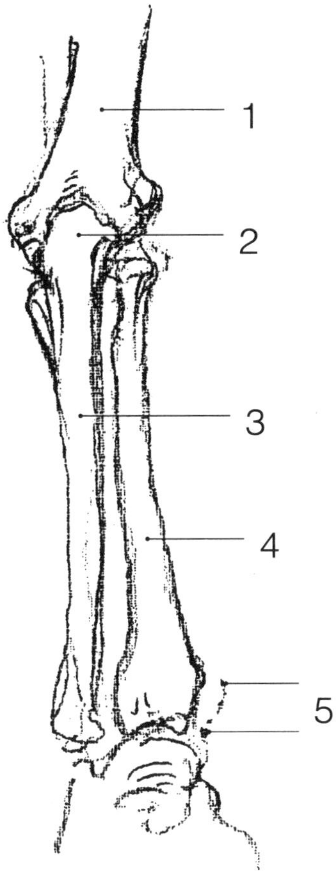

II

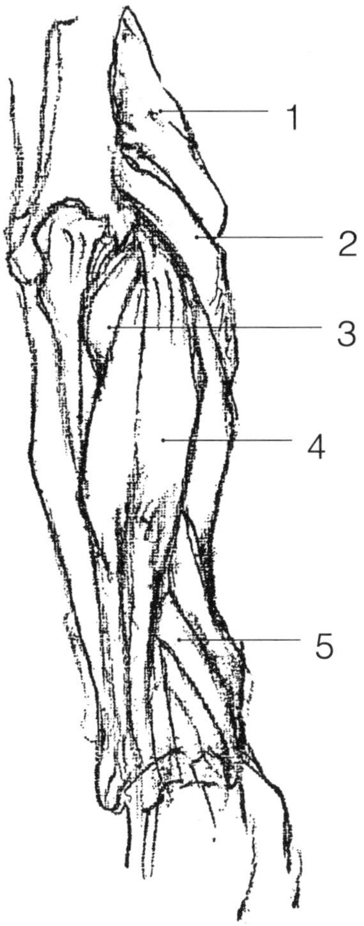

III

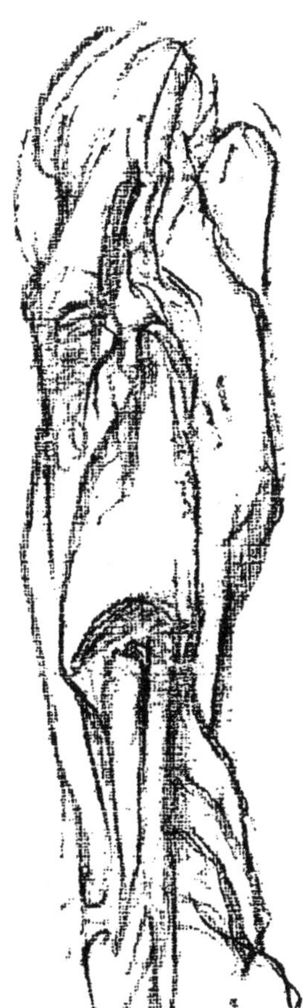

IV

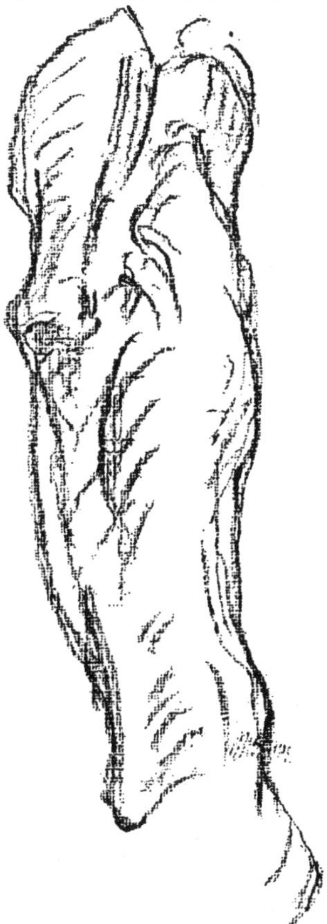

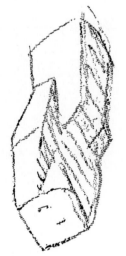

肩部和胳臂的组块

肩部、胳臂、前臂和手的组块不是直接地互相头对头地连接起来的，而是以各种角度覆盖和伸展着，它们是一些榫接起来的楔形块。

将这些组块先构造成块面，我们有肩部组块，或者三角肌，它的长边向下向外倾斜，在末端成斜角，它宽的一侧向上向外，窄的一侧笔直。

这个组块斜着伸展覆盖在胳臂的组块上面，而胳臂的组块是垂直的，其宽侧向外，窄边向前。

前臂的组块从胳臂端头的后面开始，并且绕过它，以一个角度向前向外。它由两个正方形组成。前臂的上半部分是一个宽侧向前，窄边朝向侧面的块面。它的下半部分，比上面小，它的窄边向前，宽侧朝外（手举着，拇指向上）。

这些块通过楔形连接在一起，而且肌肉轮廓的曲线就结合在这些直线上。三角肌本身是一个楔形，它的顶点隐没在胳臂外侧的凹槽中，沿其向下行至其一半的长度。二头肌组块以一个楔形结束，这个楔形在进入尺骨窝的时候，转向外侧。

前臂的组块在外侧以一个楔形（肱桡肌）覆盖胳臂的末端，这个楔形在胳臂向上三分之一的地方出现，到达前臂的最宽处的宽顶点，然后向手腕逐渐变细，其方向总是指向拇指。在内侧，也是一个楔形，它位于胳臂后面，其方向指向小手指（屈肌和旋前肌）。

在前臂的下半部分，组块的窄边，朝向拇指的，是由这个来自外侧的楔形的延续部分构成的。朝向小指的窄边是由来自内侧的楔形的一端构成的。

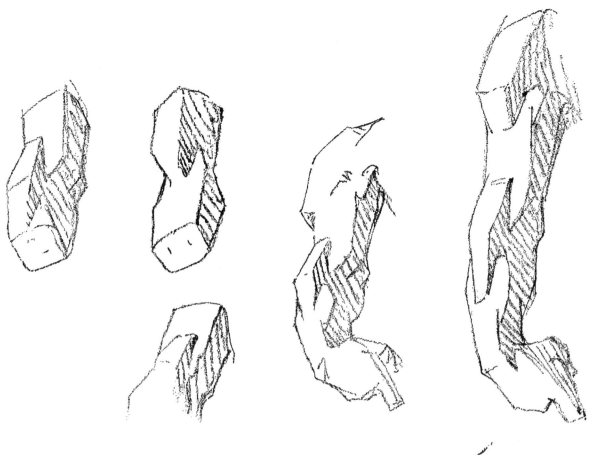

当肘部伸直，手向里转的时候，前臂的内侧线条与胳臂的内侧线条成直线。当手向外转，这条线被设置有一定的角度，其角度与手腕的宽度相呼应。小指侧（尺骨）是这一变化的中枢。

前臂正面的屈肌腱总是指向骨节内侧，其背面的伸肌腱总是指向骨节外侧。

手的宽度是与前臂下部组块相呼应的，不是直接把它连接起来，而是有一个从上至下的过渡。

胳臂的后视图和前视图中，其顶点处于相交点上。这个组块的后侧边缘看上去是一个从三角肌下面被截断的楔形，它集中在肘部。它的上部分解为三头肌的三个头；它的下面或者是被截断的一端是三头肌腱，在它上面将加上从外髁跨越到尺骨的肘后肌（驴蹄状）的小楔形。

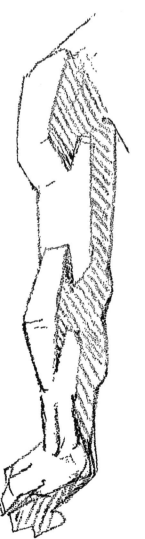

胳臂对前臂的楔分

后视图

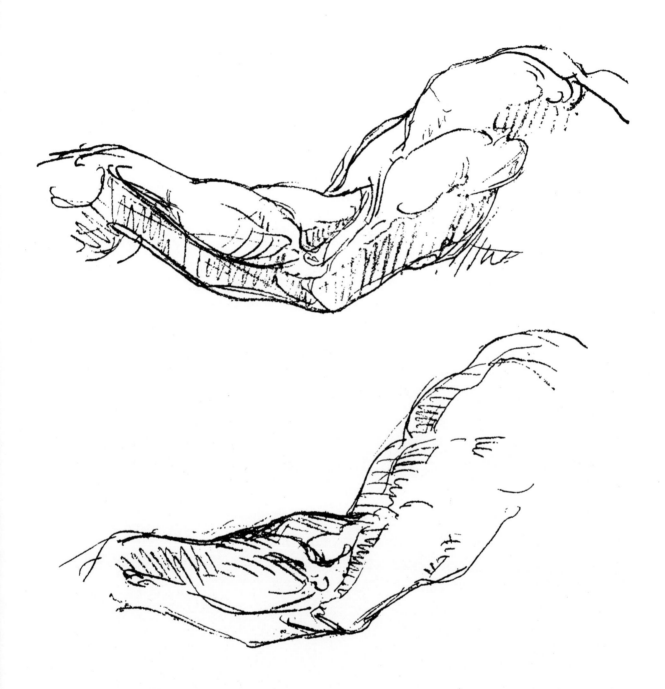

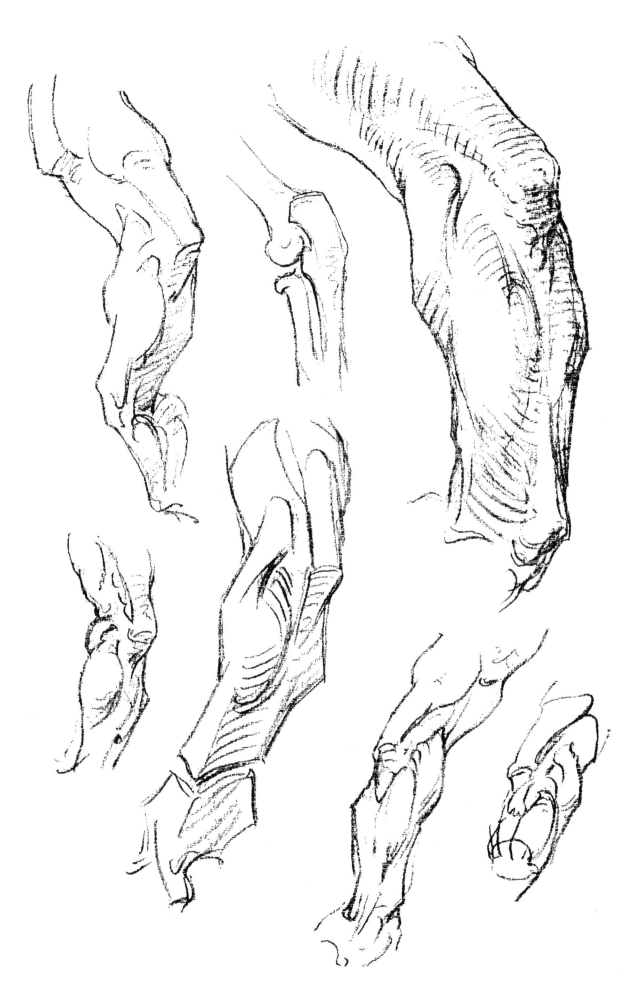

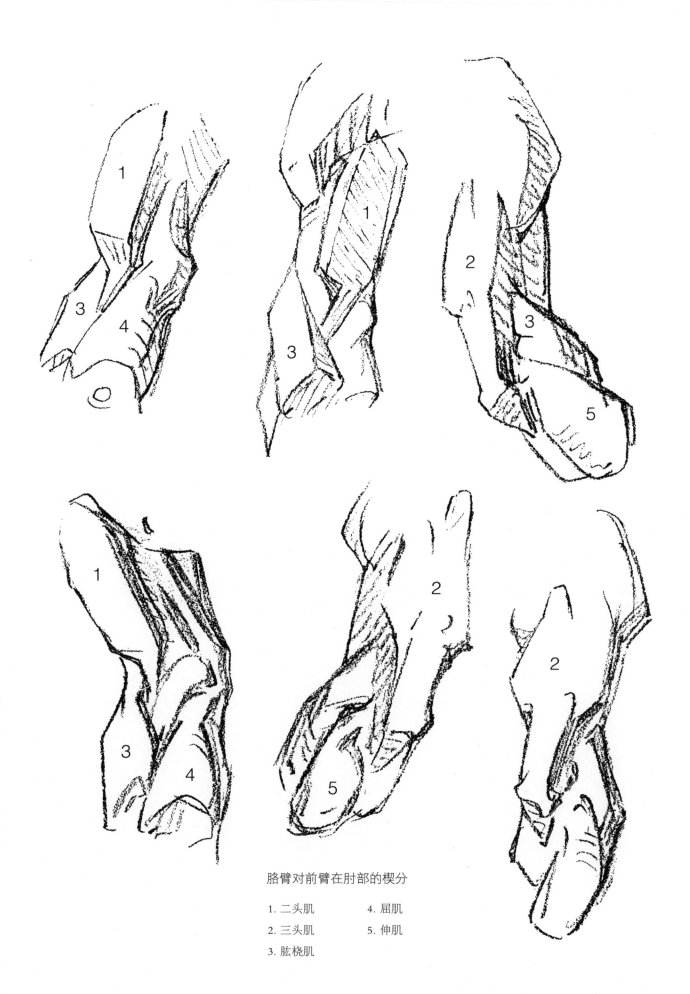

胳臂对前臂在肘部的楔分

1. 二头肌   4. 屈肌

2. 三头肌   5. 伸肌

3. 肱桡肌

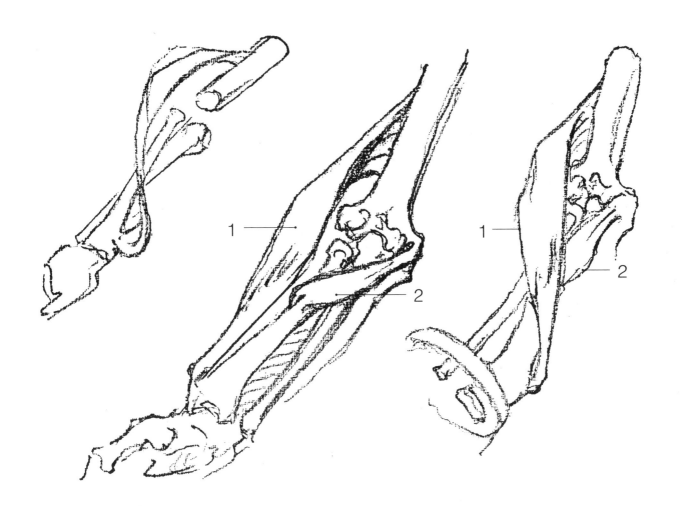

旋前肌和旋后肌

两个转动前臂的肌肉力量来自旋前肌和旋后肌，它们是通过将一根骨头交叉在另一根之上而完成的。

1. 旋后肌从手腕伸展到上臂向上三分之一的地方，是一块长肌肉。它的下三分之一是腱，在肱骨外髁处。它的上部厚实，位于前臂外向上三分之一处，其作用是可以弯曲向后扭转。

2. 与旋后肌相对的是又短又圆的旋前肌，它斜着向下穿过前臂。在肱骨的内髁处插入到桡骨外侧中部附近。

这两块肌肉以车轮一样的运动在尺骨上拉动桡骨，然后再向后，把手的拇指侧拉近或者拉远身体。旋后肌的力量能够用来转动门把手或者螺丝刀。它是前臂仅有的可以在表面上被全部看到的屈肌。

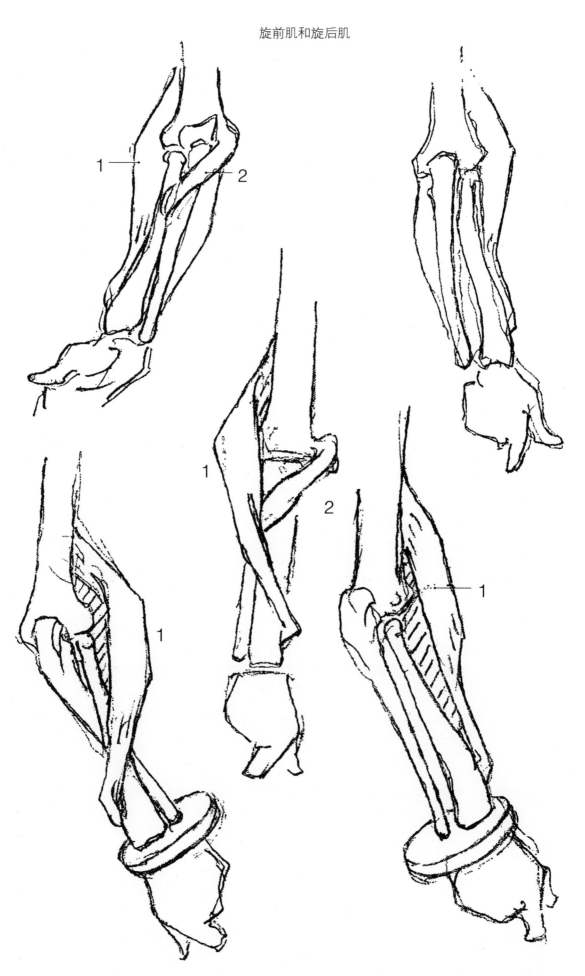

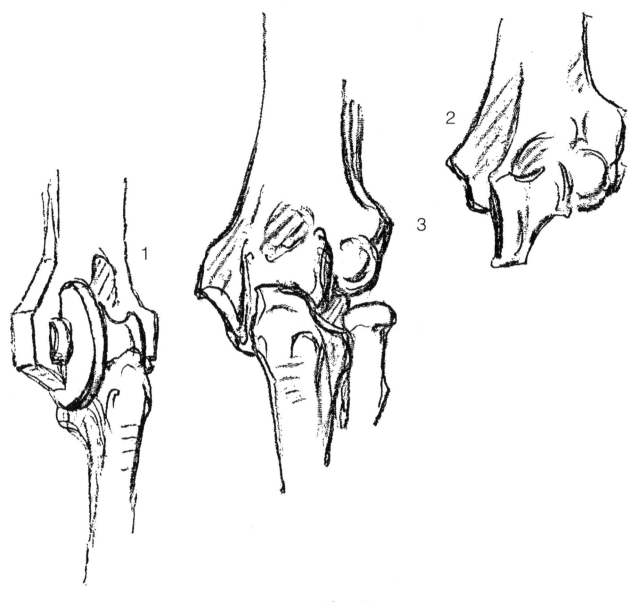

肘 部

1. 肘部的最上面一点就跟从前面所看到的一样。尺骨喙突的内表面是弯曲的，以便于扣紧在滑轮一样的肱骨之上。

2. 肱骨部下端有些平。从两侧凸出来的是内外髁。在这两者之间的是接受尺骨唇的圆槽。

3. 在此胳臂和前臂的骨头被连接在一起。这是一个前面的视图。上面的肱骨显示出了当胳臂弯曲时候的髁，它带有一个接受尺骨喙突的槽口。它只是在一个平面内前后运动。就在肱骨外髁的下面是一个小圆囊，叫做肱骨的桡骨头。桡骨头在它的表面滑动。

肘部的各个方向视图

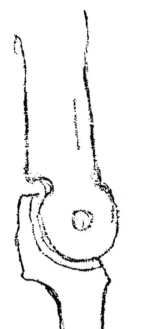

前视图

　　支撑前臂的大骨头可以围绕着肘部的铰链而摆动。同时，支撑手的小一些的骨头可以绕它转动。前臂的这两根骨头，尺骨和桡骨，都有突出的嵴和沟槽。它们从上面斜着向下和向内。桡骨沿着这些沟槽在两根骨头端头部的结节处绕着尺骨转动。

　　肱骨最下面给肘部运动提供了一把钥匙。在上面，肱骨骨体被上臂的肌肉完全覆盖着。在下面，内外髁在肘部突出到表面上。内髁更加明显一些。当胳臂伸直的时候，外髁被肌肉遮住了；当胳臂弯曲的时候，它变得比较突出并且更容易定位。

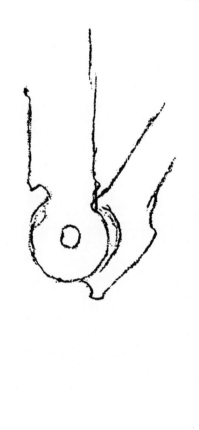

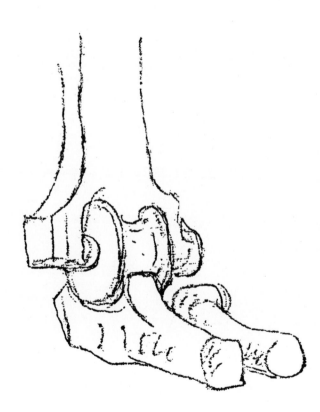

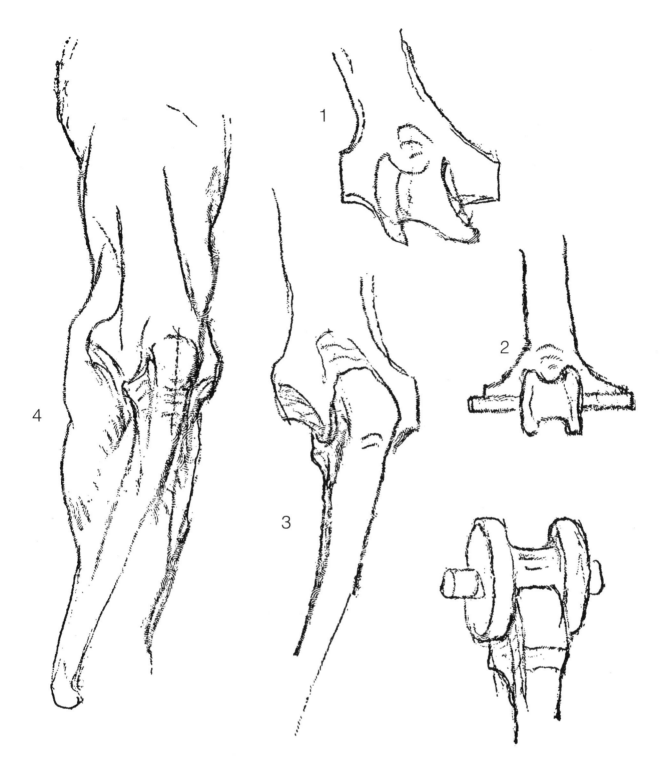

后视图

1. 肘部的肱骨在前后方向是平的，终止于两个髁。在此中间是滑车，一个圆的像线轴一样的形体，它被尺骨的鹰嘴扣紧了。

2. 这是一张类似线轴的形体——滑车的图，它包含了位于侧面的髁。

3. 从后面，尺骨鹰嘴落入了肱骨背后的中空部分，形成了肘点。

4. 显示出肘部铰链的骨骼结构。

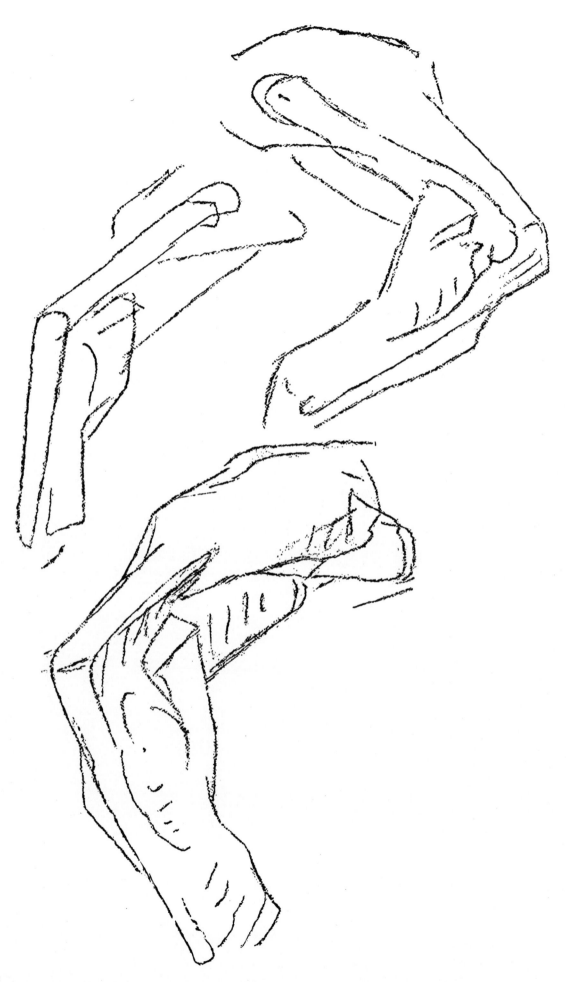

214

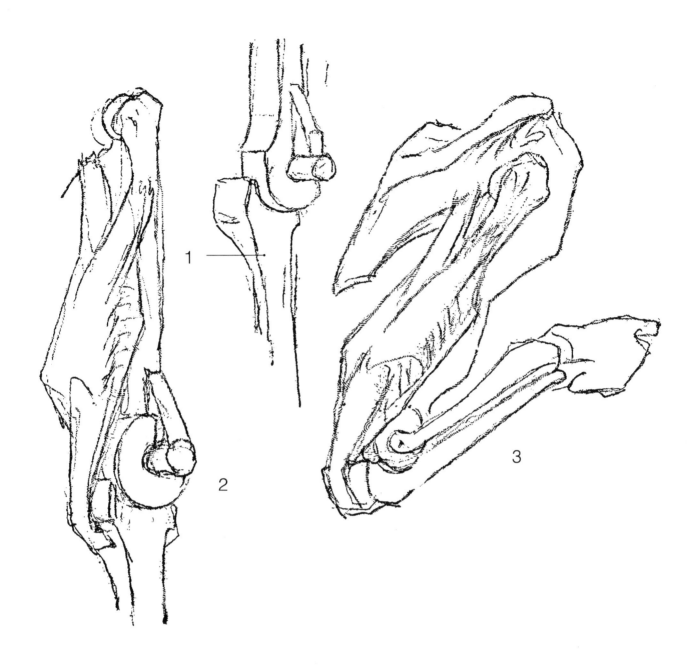

侧视图

1. 尺骨在肱骨的滑轮上摆动。连接的关节被称为铰链关节。

2. 表示在胳臂肘部伸直前臂的机械结构。三头肌的总腱抓住了尺骨鹰嘴,尺骨鹰嘴继而扣紧了类似线轴的肱骨。

3. 当前臂在胳臂上弯曲的时候,尺骨勾住了肱骨的类似滑轮的结构。在这个位置,三头肌被二头肌和前面的前肱肌对顶着,它们就成为向上举起前臂的力量,而处于相反状态的三头肌不起作用,并且有些扁平。

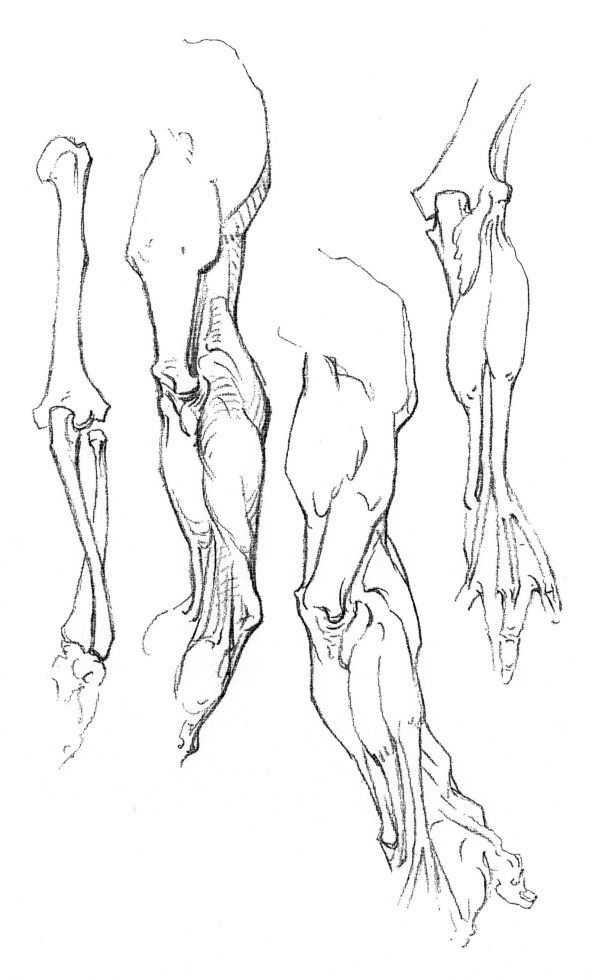

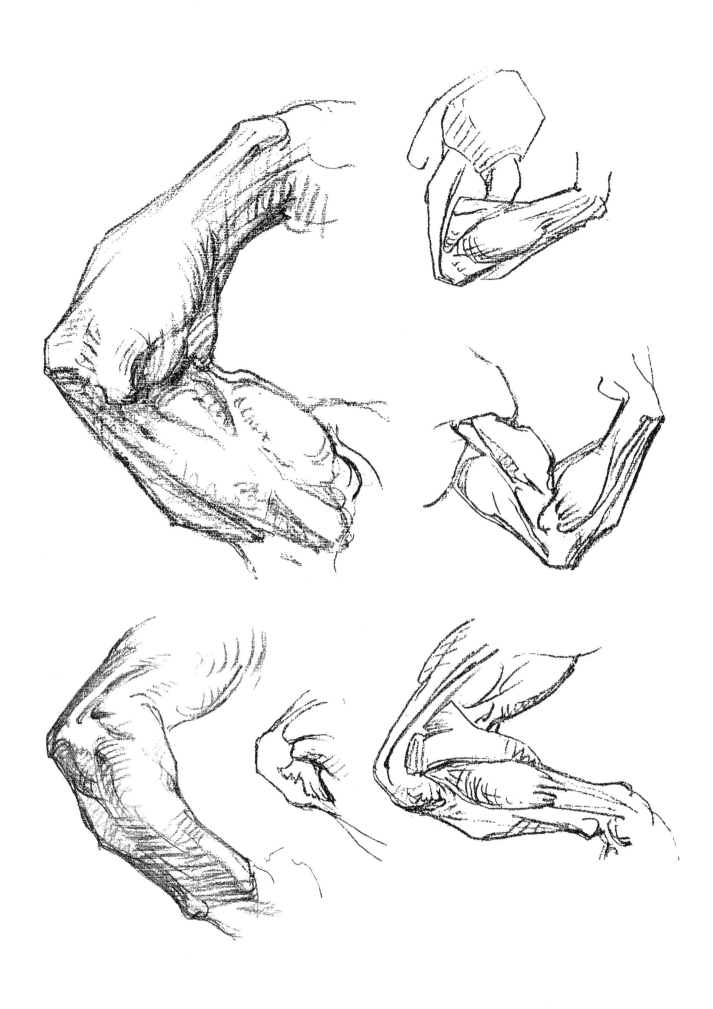

腋　窝

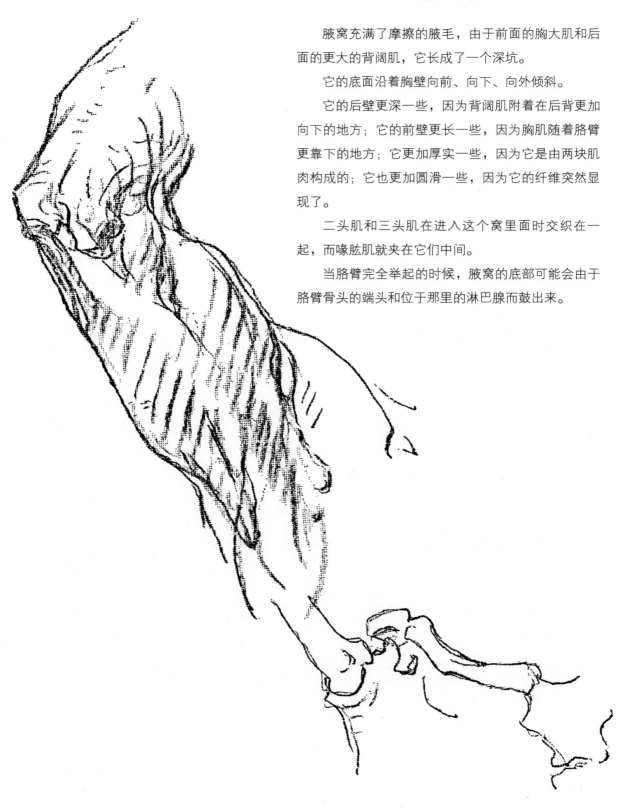

腋窝充满了摩擦的腋毛，由于前面的胸大肌和后面的更大的背阔肌，它长成了一个深坑。

它的底面沿着胸壁向前、向下、向外倾斜。

它的后壁更深一些，因为背阔肌附着在后背更加向下的地方；它的前壁更长一些，因为胸肌随着胳臂更靠下的地方；它更加厚实一些，因为它是由两块肌肉构成的；它也更加圆滑一些，因为它的纤维突然显现了。

二头肌和三头肌在进入这个窝里面时交织在一起，而喙肱肌就夹在它们中间。

当胳臂完全举起的时候，腋窝的底部可能会由于胳臂骨头的端头和位于那里的淋巴腺而鼓出来。

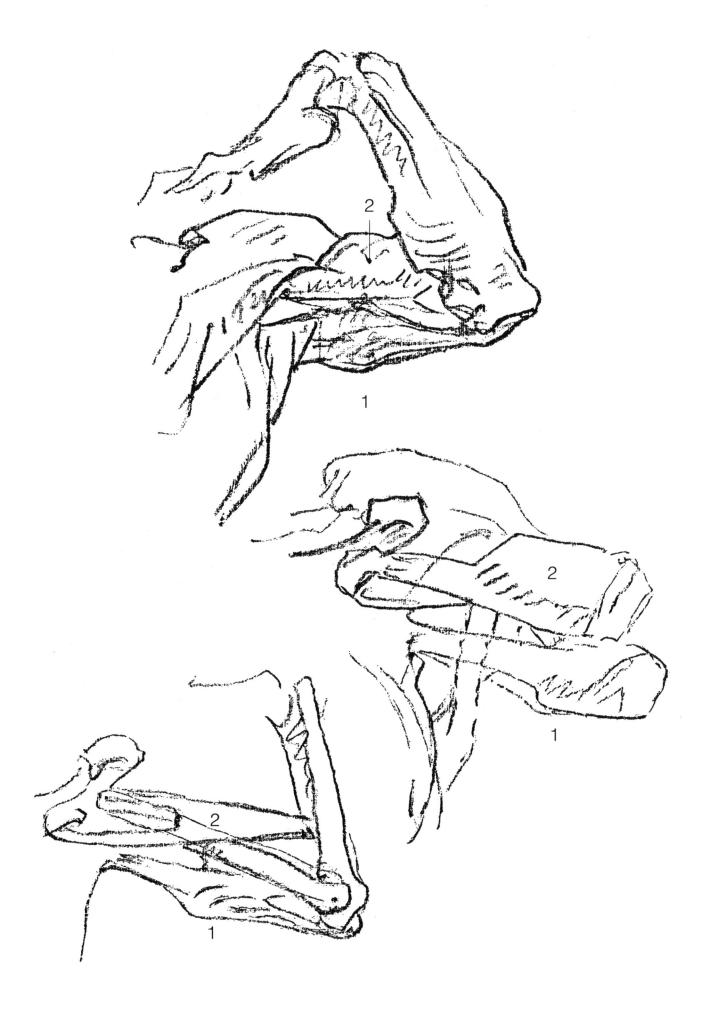

手

　　大自然根据机械和动力学的原理将所有的手标准化。古埃及木乃伊的手，尽管已经有几千年了，仍然与今天的手没有区别。史前人类的手骨也是一样的，百分之九十以上的手是被它不变的使用规律所标准化。

　　但是，画面上的和雕刻中的手在不同的年代却发生了很大的变化。穴居人在他们所居住地方的墙壁和房顶以及工具上刻画了记号和图形，其中就有手，表现了那个年代的特点。

　　秘鲁人、阿兹特克人和美国印第安人的符号语言中，阿拉斯加人的图腾柱上，它们当中的每一个不管是被雕刻得凸出来的还是雕刻得凹进去的，不管是画的还是涂染的，不管是红色的还是蓝色的，只要是一只手被显示出来——忠于一定风格的手，其特征就标明了它是属于哪个年代或者哪个部落或者哪个种族，并且全部与其他年代或者种族或者部落有明显的不同。

　　亚述人在宫殿的石头墙壁上雕刻手，那是亚述人的手，能够很容易地与其他种族或者不同年代的手区分开来。埃及人通过雕刻的和绘制的手来讲故事，就像在其他地方或时代的那些手一样独特。

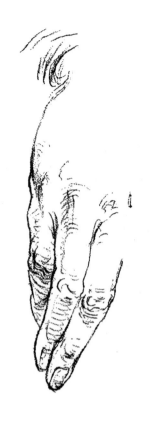

一只文艺复兴时代的手带有它自己的特点，其特点如此之多，以至于它可以被提炼出来并且加以分类。它不仅作为一只文艺复兴的手，而且作为一只早期或者晚期文艺复兴时代的手。

没有一个人对基尔兰达约、里皮、波提切利作品的真实性有疑问。他们不仅是大师，而且是很亲近的学者，但是他们每个人仍然画出了不同风格的手。

在后来的学校中，可能讲的是相同的东西，就像维多利亚和荷兰的学校，以及卓旦斯、鲁本斯和凡·戴克的学校。至于凡·戴克，被认为是不能画出劳动者的手，而米勒被认为是不能画出绅士的手。

事实上，我们靠眼睛来观看是很不准确的。如果没有眼睛后面的思想，眼睛就是盲的。是眼睛后面的思想使得它与照相底片有所不同——它能够选择一些部分加以强化，而对其他部分加以抑制。我们是用思想来观看的，不仅仅是通过眼睛而已。

米开朗基罗、达·芬奇和拉斐尔，他们都是同一时期的人物，都用一样风格的模特，但是他们仍然画出了三种风格明显不同的手。

阿尔伯特·丢勒、小荷尔拜因、伦勃朗的作品中都有手，由于它们的独特性，被绘画界归类为丢勒的手或荷尔拜因的手或伦勃朗的手。

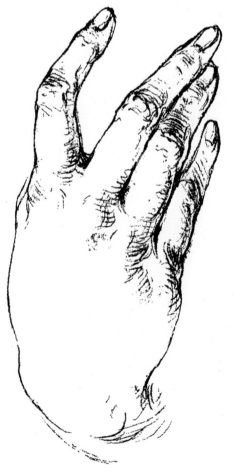

这些手的特点和风格变化，其原因毫无疑问是我们每个人都很熟悉的。简单地说，画出来的手不受真实手的自然规律来统一。所画的手，除了那些想象外，也就是时代观念和个人品位，不会被任何其他的规律所统一。

按照这种前后关系，艺术家的工作也就是对手的观念按照自然的规律加以统———以自然来理解它的目的、方法和规律。

人们可能会想到，解剖学这门科学是对种族的相对近代的认识。人体解剖不被法律禁止和宗教憎恶还没有多少年。即使当这项研究已经很有发展之后，仍然花费了很长的时间，它的重要性才深入到其他领域之中，又花费了更长的时间才使得它在其中被吸收。

人们花费了几个世纪的时间来学习从形体下面来寻找机理。直到现在，人们才学着从机理下面寻找潜在的原因。艺术界正开始将这些东西吸收，同时，通过这种方法提高一个人的技术会迫使其他人在同一个学校里面寻求提高——这就是自然的学校，它的原因和它的目的。

如果对于变动、风格和时尚的这种趋势，不能在手上比在身体的其他部位更明显地表现出来，可能是因为手作为表现的重要途径还没有被理解。手被认为是行为的奴隶，但是行为的奴隶却是表现的大师。

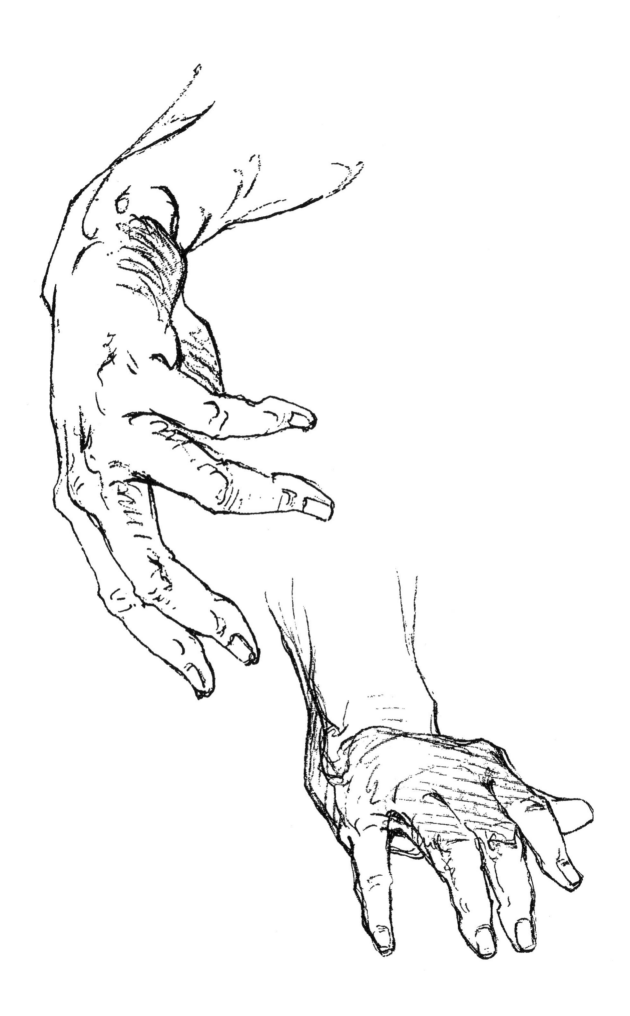

手的表现

通常，脸被很好地训练以进行自我控制，而且可能成为掩饰思想和感情的助手。手很少受到这样的训练，并且在不知不觉中对精神状态作出了反映，它能反映出脸所隐藏的东西。

儿童的手是几乎不变的，它的皱褶和小凹窝以及尖端细细的手指，代表了几乎是纯粹的对称性，这是所有被创造的自然遗传性。老年人的手代表了相反的极端，它被时间的伤疤弄得充满了皱纹，有着变大了和方正的关节，并且是抖动的。

我们的手有许多的变化。例如年轻或者年老、男性或者女性、健康或者病态、是劳动者或者是贵族、强壮或者柔弱。

手的类型可能被划分为：方形、圆形、小巧型，长的或者短的，粗的或者细的。手指自身的相对长度都不相同，关节、指干和手指尖的相对厚度也不相同。拇指可能短、粗或者细，可能与手紧贴着或者远离开来。

习惯于沉重劳动的手表现出了很明显的变化，它更大更沉重。肌肉自然很发达，但这些肌肉都位于手以上的前臂的大部分。那些手掌的鱼际和小鱼际凸起的肌肉有些更大更方。主要的关节增大，变得方正、粗糙而且外观不规则。腱变得更加明显，皮肤更硬，以至于皱褶更深，皮肤垫更厚，可能会厚厚地堆积在边上。皮肤上的毛可能会立起来像是鬃毛一样。在平静的时候，它采取更加弯曲的姿势。握紧的时候，挑衅的拇指蜷曲在其他手指上面，它变成了一个方正的、多节的、样子可怕的武器。

对不习惯劳动的手来说，情况恰恰相反。手掌的肌肉显现出柔软圆滑的外观，皮肤光滑细腻，皮肤垫没有显现出来，关节不仅不粗糙，而且可能会过分地有弹性，小巧而稍稍有些角度。手的骨头很少有弹性曲线，它们可能更直更轻。手在整体上可能更加匀称，更加沉静。

当手被用于称为智能用途时，其中需要自由性，作为结果，它就会有更大的运动自由，就会呈现更不同的姿势，并且将更容易表现出精神状态。按照这种习惯性的练习，自由性和智能程度的比例，所呈现的匀称性是自由而有表现力的。

有些典型的姿势不能过多归结于精神状态而是因为手的机理。例如：小指侧总是比拇指侧更加有弹性，因为它与有力的拇指相对。中指总是更向前弯，或者第一个向前弯，这是由于它相对大的力量。所有的手指首先从与手相连的第一个指节向前弯，然后依次是在各个指节。拇指习惯性地有些向外伸，偏离了其他手指的方向。

现代心理学通过研究神经系统动力学，告诉我们许多关于身体（包括手）本能的姿势和行为以及它们所表达的东西。例如：在高兴的表情和诚实的情况下，整个身体、四肢和容貌有一个完全不自主的张开运动；相反的，在不高兴的表情和不诚实的情况下，有一个闭合的姿势。在清醒状态，而能力处于自我控制之下，会表现出抱紧自己所相同的倾向，就像四指扣紧在拇指上面，扣紧或者扭紧另外一只手，或者身体的某一部分。

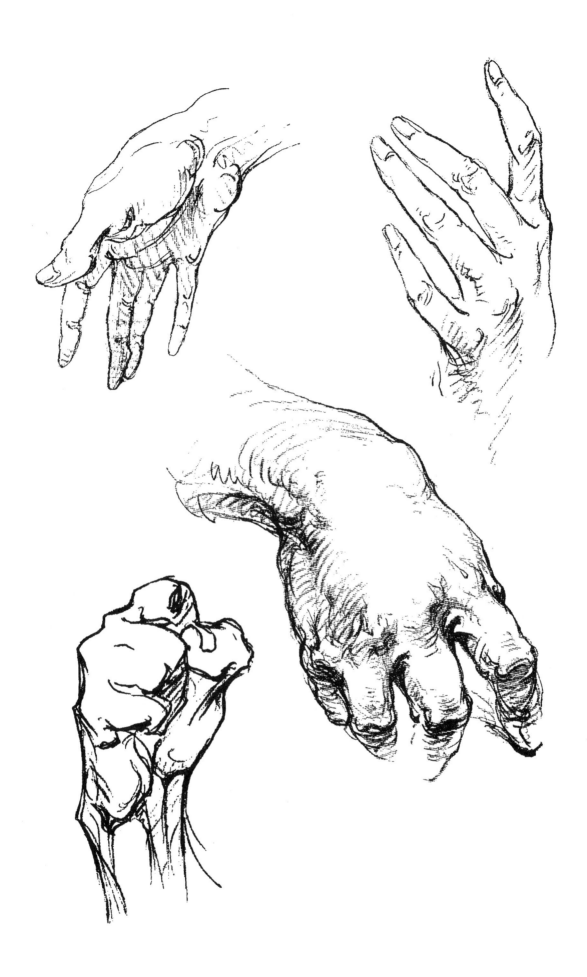

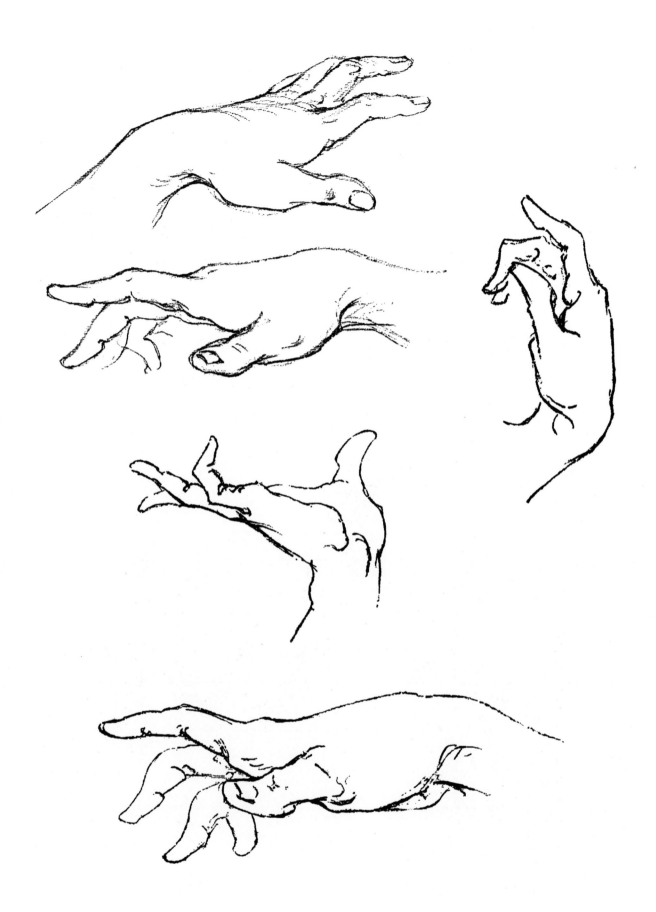

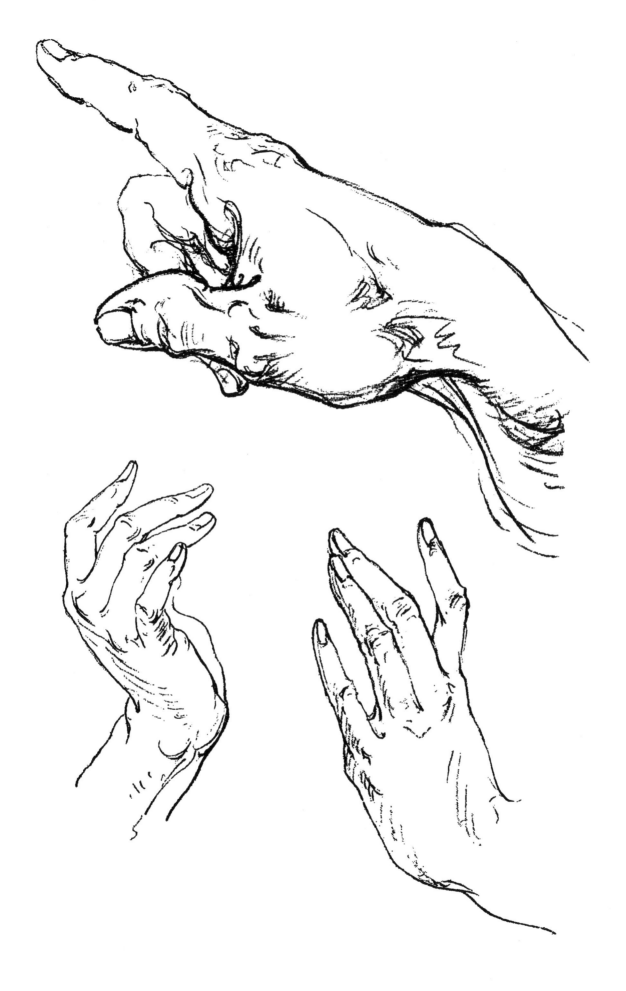

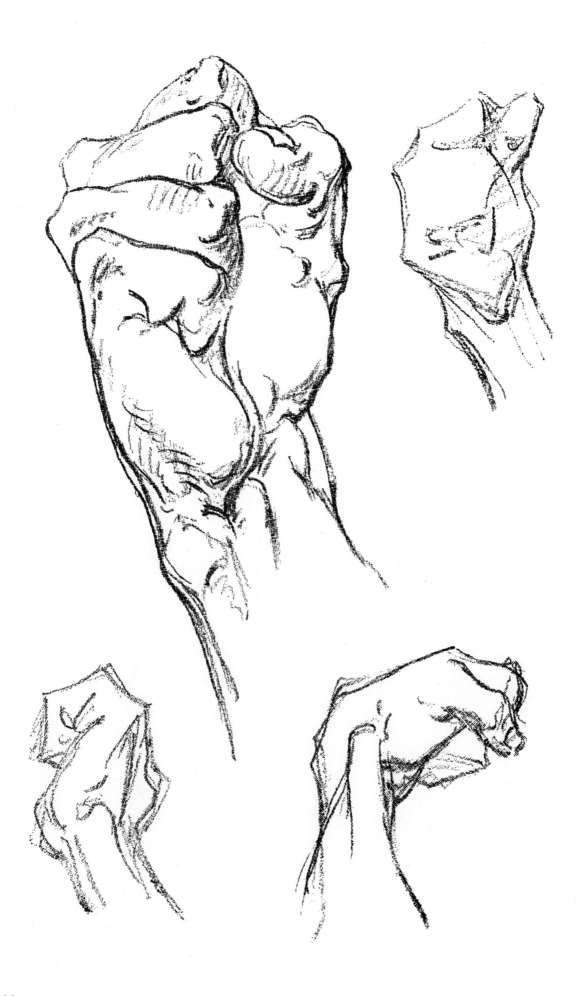

228

手腕和手

手腕的骨头和手的骨头是榫接的，形成了一个组块，手随着手腕而动。手腕的宽度是其厚度的两倍。在它与胳臂相连的地方，其宽度和厚度都变小了。从胳臂的后侧经过手腕到手是一个渐变的过程。

手腕随着手在前臂上运动，与之相连还有一些旋转运动，但是没有扭转运动。扭转运动是由前臂完成的。手有两个组块：拇指和手其余的部分。

第一个组块在手部的边上，从指节的边缘向下倾斜至腕部，在平的一侧，是从手腕到指节，从一侧到另一侧是从食指到小指。背面稍稍有些拱起。

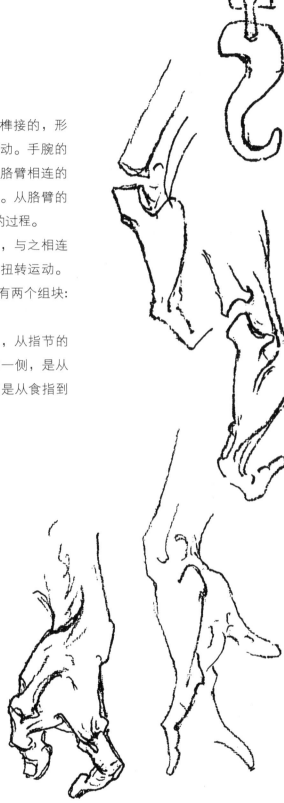

钩子

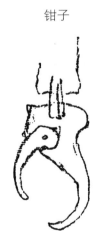

钳子

229

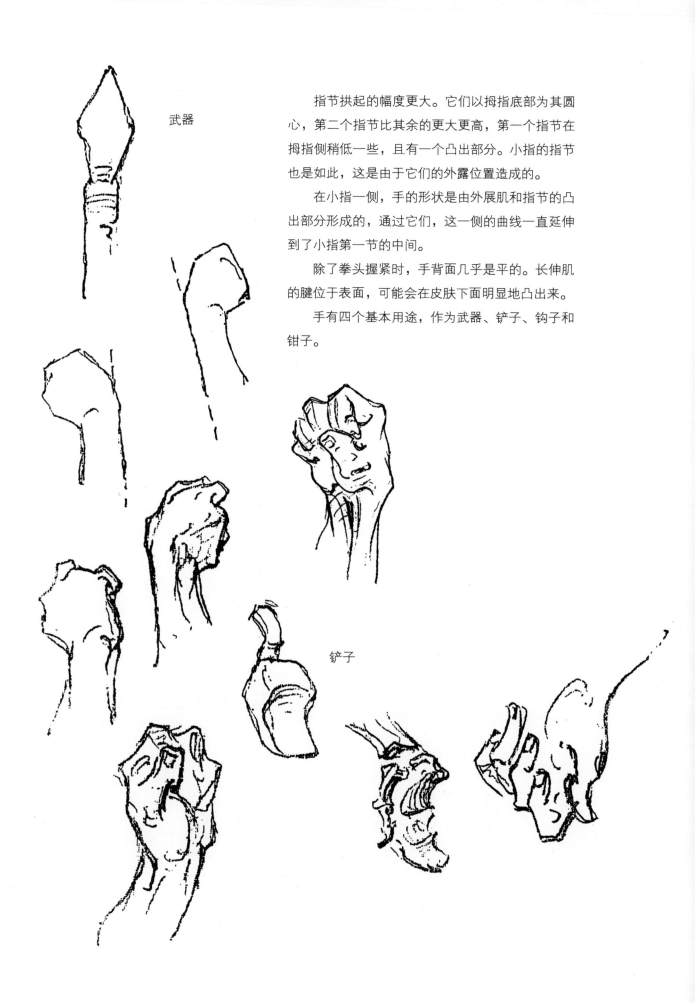

武器

指节拱起的幅度更大。它们以拇指底部为其圆心，第二个指节比其余的更大更高，第一个指节在拇指侧稍低一些，且有一个凸出部分。小指的指节也是如此，这是由于它们的外露位置造成的。

在小指一侧，手的形状是由外展肌和指节的凸出部分形成的，通过它们，这一侧的曲线一直延伸到了小指第一节的中间。

除了拳头握紧时，手背面几乎是平的。长伸肌的腱位于表面，可能会在皮肤下面明显地凸出来。

手有四个基本用途，作为武器、铲子、钩子和钳子。

铲子

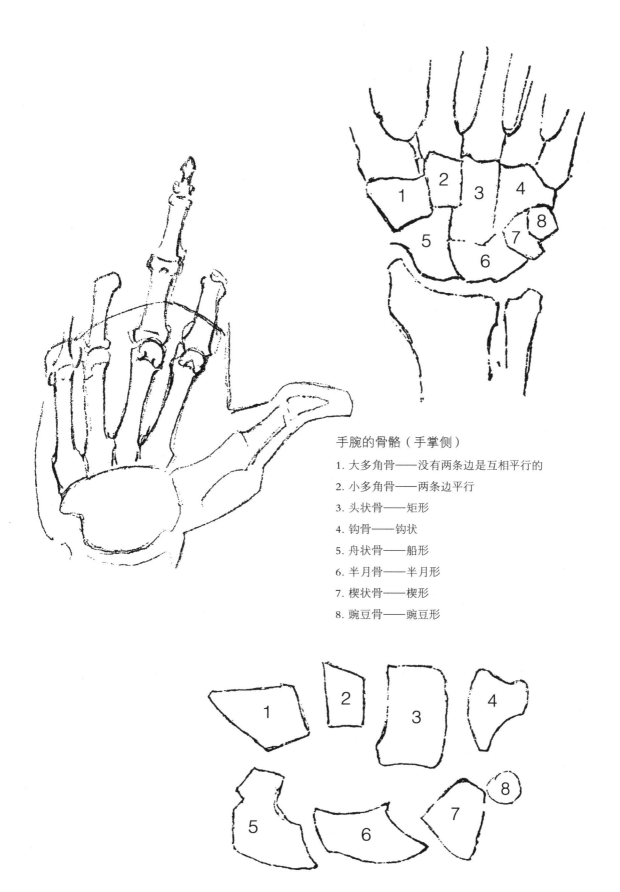

手腕的骨骼（手掌侧）

1. 大多角骨——没有两条边是互相平行的

2. 小多角骨——两条边平行

3. 头状骨——矩形

4. 钩骨——钩状

5. 舟状骨——船形

6. 半月骨——半月形

7. 楔状骨——楔形

8. 豌豆骨——豌豆形

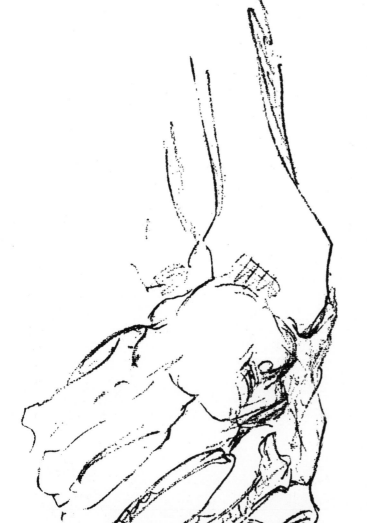

手和胳臂的机理

转动运动与旋转运动有所不同（旋转中的每一个部位都弯曲），这在手腕上不存在，是由前臂的桡骨或称之为前臂上的转动之骨而产生。手腕的运动局限于弯曲和伸展（大约一个90°）以及侧弯（对一般的手来说，比45°稍多一点点），这两项运动组合起来产生了某些转动运动。

在手腕到达极端位置的运动中，手几乎总是参加进去，这是由腱和肌肉协作的结果；在这些位置中，事实上总是手指的分离和勾紧的运动。

通过帮助桡骨转动的二头肌，手的运动一直达到了肩部。手腕可以单独完成除了转动的所有运动。转动至差不多两个直角的幅度，是由桡骨完成的。任何种类的更进一步的运动必须由肘部和肩部来完成。

肘部最重要的是铰链运动，这就是为什么尺骨或者铰链骨大，而桡骨小的原因。手腕最重要的运动是转动运动。因此，桡骨构成了关节的三分之二，而尺骨仅仅占三分之一。

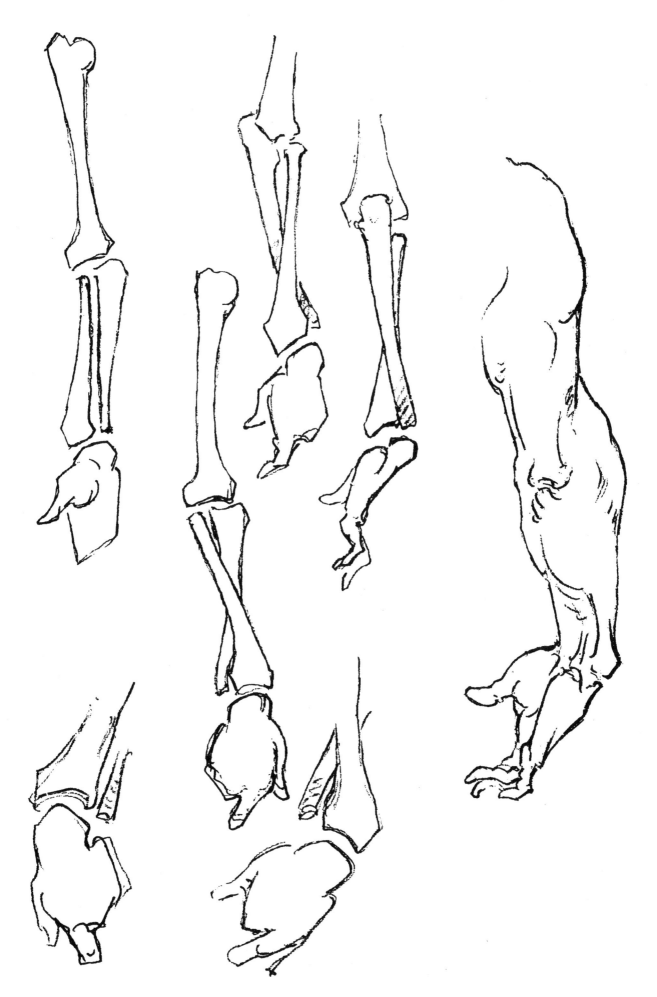

手的解剖

手掌与手指相连处有四块骨头，被称为掌骨。它们在背面被腱覆盖着；在前面被腱、拇指和小指的肌肉以及皮肤垫覆盖着。

有一个很微小的运动，就像是在这些骨头之间张开一把扇子。它们向着手腕的骨头聚集，几乎是稳固地合并在上面。手随着手腕而动。聚集在手部背面的腱比骨头更加明显。

手的肌肉短，仅仅跨越过一个关节，就是与手掌相连的指关节。它们可以分别活动每个手指，深深地长在掌骨之间，被称为骨间肌肉。它们分为两组，背面的和前面的，或者说手背的和手掌的。手掌的骨间肌肉是收缩器，将四指拉向中指。因此，它们附着在手指（除中指本身）的每个关节的内侧。手背的骨间肌肉是撑开器，将手指从中间拉开，因此它们附着在中指的两侧以及其他关节的外侧。在拇指和小指上的这组肌肉称为外展肌，由于它们处于外露的位置，因此稍稍大一些。食指上的肌肉在食指和拇指之间形成了一个凸出的鼓包；小指上的肌肉形成了一个长长的一直到手腕的肉块。

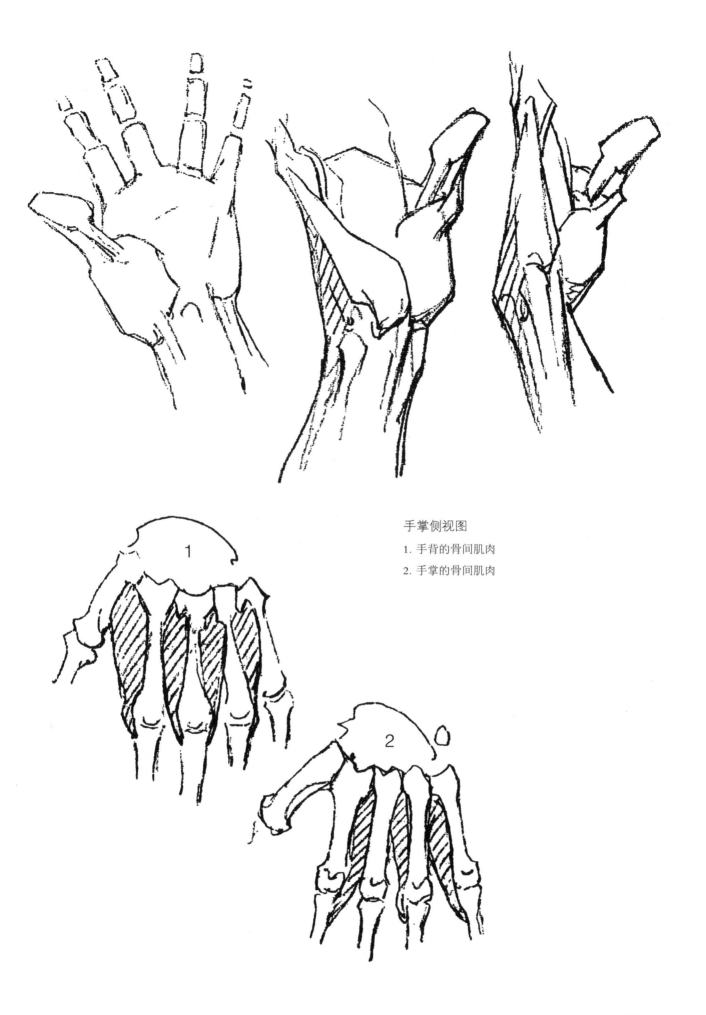

手掌侧视图

1. 手背的骨间肌肉
2. 手掌的骨间肌肉

手的肌肉（I）

手腕的四个角附着四块肌肉，其中有一角附着
两块（食指侧背面那一角）。

手的背部视图
1. 尺侧腕伸肌
2. 指总伸肌
3. 拇指长展肌
4. 拇指短伸肌
5. 桡侧腕短伸肌
6. 桡侧腕长伸肌

手的掌部视图
7. 肱桡肌
8. 桡侧腕屈肌
9. 长掌肌腱
10. 尺侧腕屈肌
11. 掌腱膜

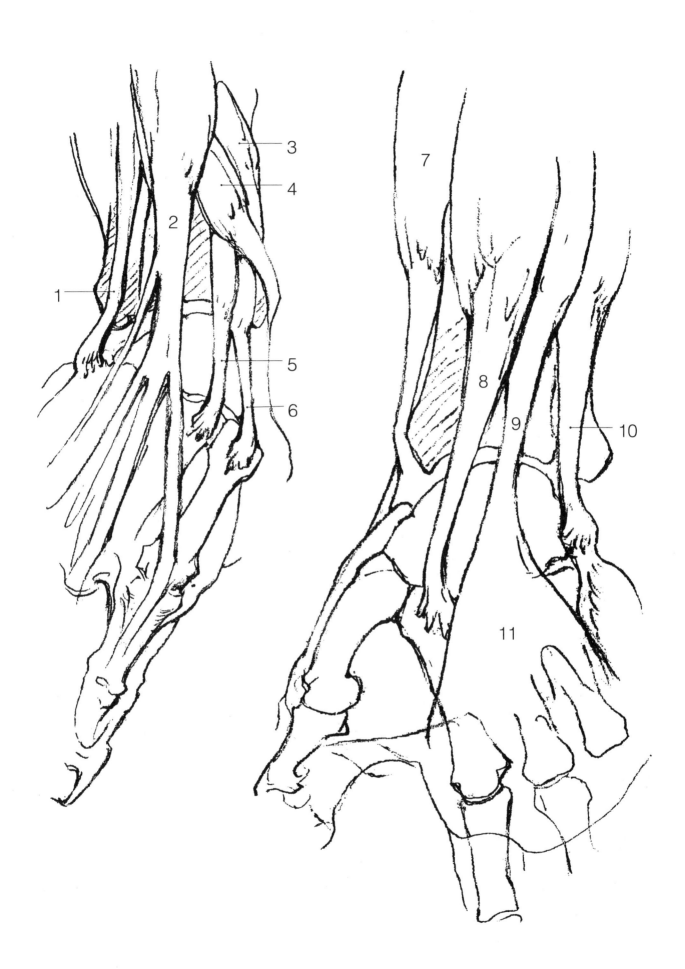

手的背部视图

手腕骨比前臂的端头要小，所以在两侧收小。

手腕骨位于相交叉的两层之中，在侧面形成一个钩状，指向背面，然后渐小至手背。在稍稍靠外侧处，由伸肌腱连接起来。

排列呈弓形的手腕骨指向背面。这个弓形的两个台柱凸出在胳臂前面的线条外。鱼际和小鱼际凸起以及手掌源于其上。

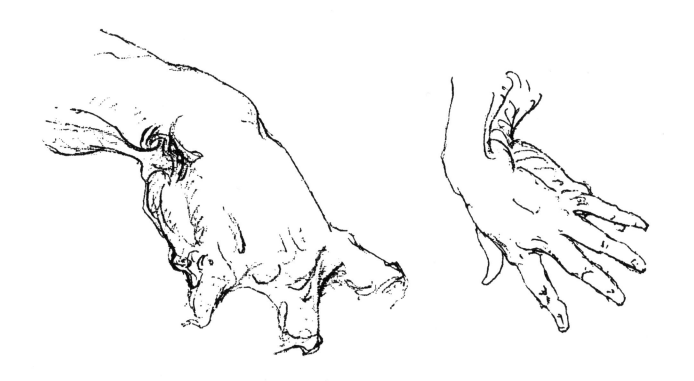

除了拇指和伸肌腱，手背是光滑的。从一侧到另一侧稍稍有些呈弓形。从指节到手腕是倾斜的，手背比手掌要窄。手的骨骼形状有些类似扇形。手背的组块，从手腕平滑过渡到第一和第二指节，然后在小指一侧变平、变薄。

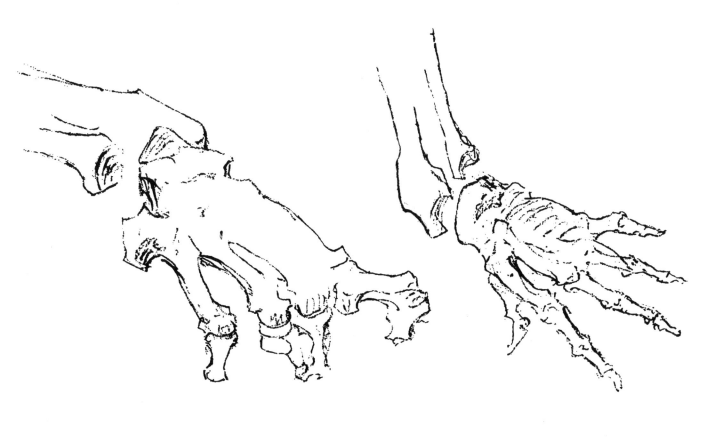

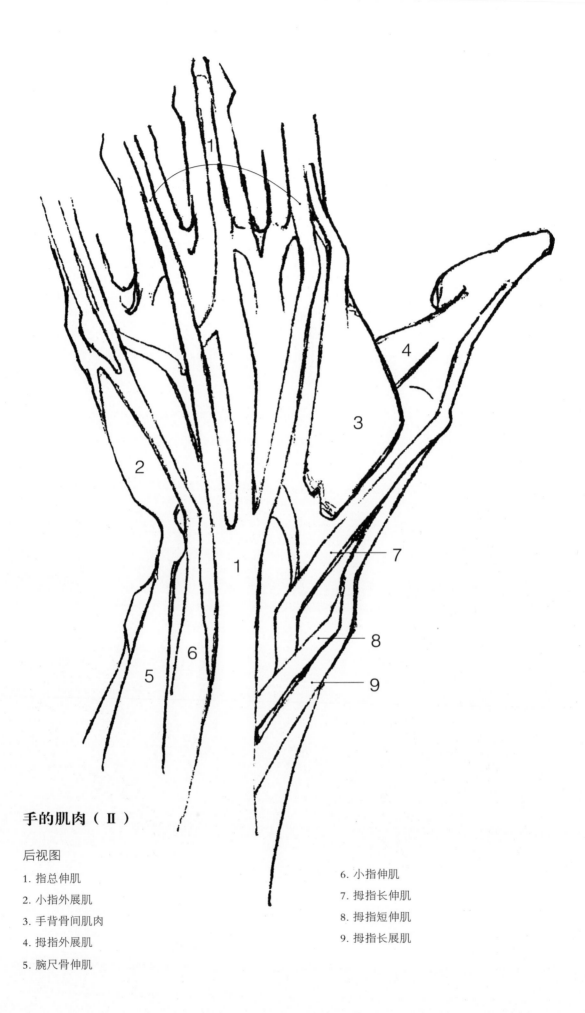

手的肌肉（Ⅱ）

后视图

1. 指总伸肌

2. 小指外展肌

3. 手背骨间肌肉

4. 拇指外展肌

5. 腕尺骨伸肌

6. 小指伸肌

7. 拇指长伸肌

8. 拇指短伸肌

9. 拇指长展肌

分布在后侧的，可以看到是伸肌腱。这些代表了混合在一起的两组，因此有重叠和各种连接带。延伸至拇指和小指的腱仍然各不相连。

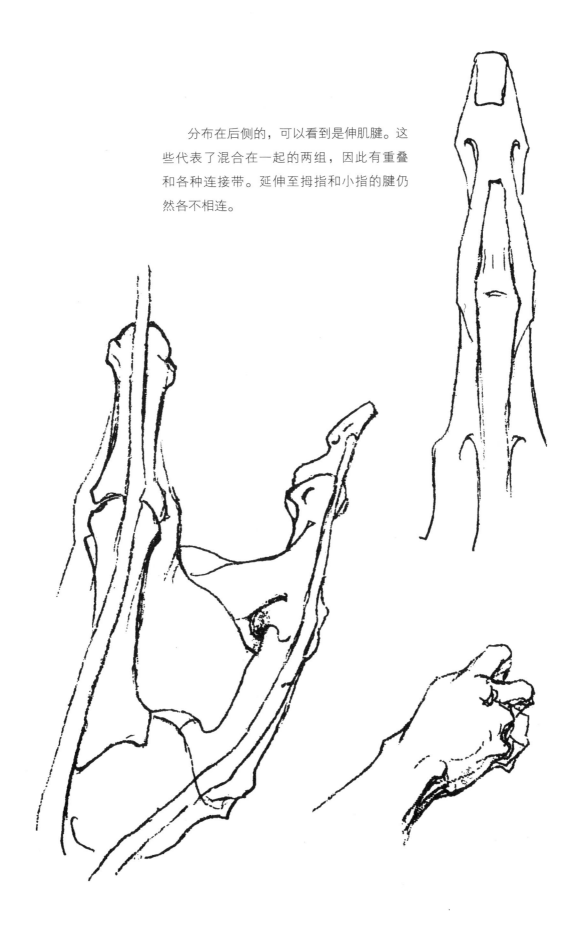

手背后视图

在手背侧的腱，高高地绕过了手腕。很显然，它不可能在两个方向使手腕呈弓形。而弯曲作为一个如此重要的功能，伸肌腱被迫向后向外远离运动中心。它们在手腕弓形的外下侧部分相会。它们在最弯曲的时候是拉紧的，这样手指不能被紧紧地合上。

手腕弓形的拇指侧更大一些，更高并且更向前凸出，支撑着拇指；它在手腕有一个更深的嵌入物，与足跟的内侧相比是方形的，而足跟的端头是个球形的豌豆骨。

在手腕的小指侧，在尺骨端和豌豆骨之间，或许可以看到一个"摇杆"——楔状骨。这是手腕弓形紧邻豌豆骨的部分——它的外侧端。当手弯曲到相对一侧或者做拉的运动时，它是凸出来的。当手支撑在一侧的时候，它几乎与尺骨成为一体。

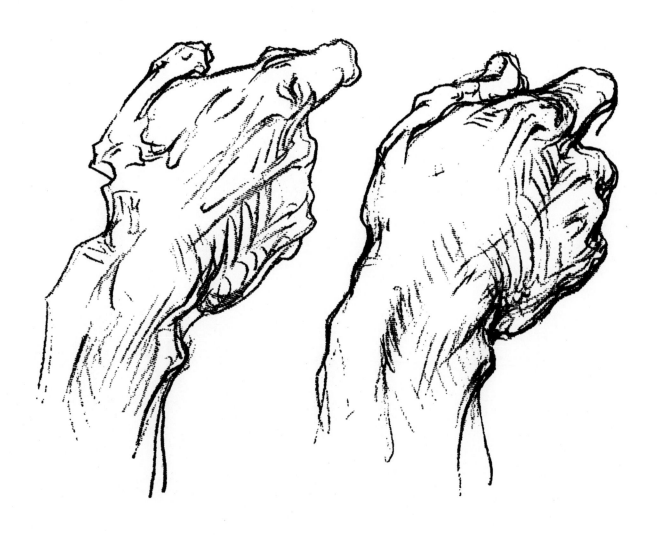

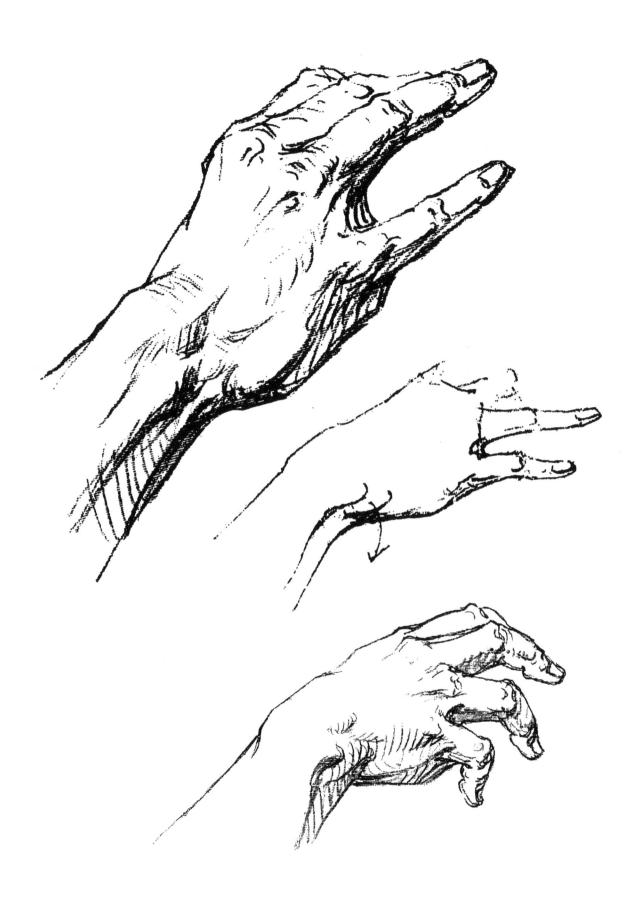

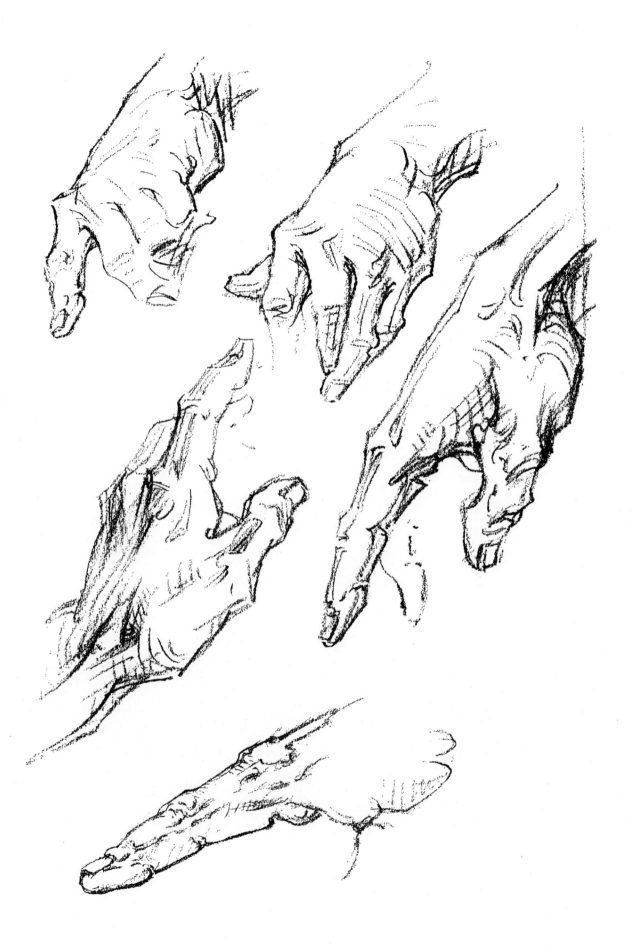

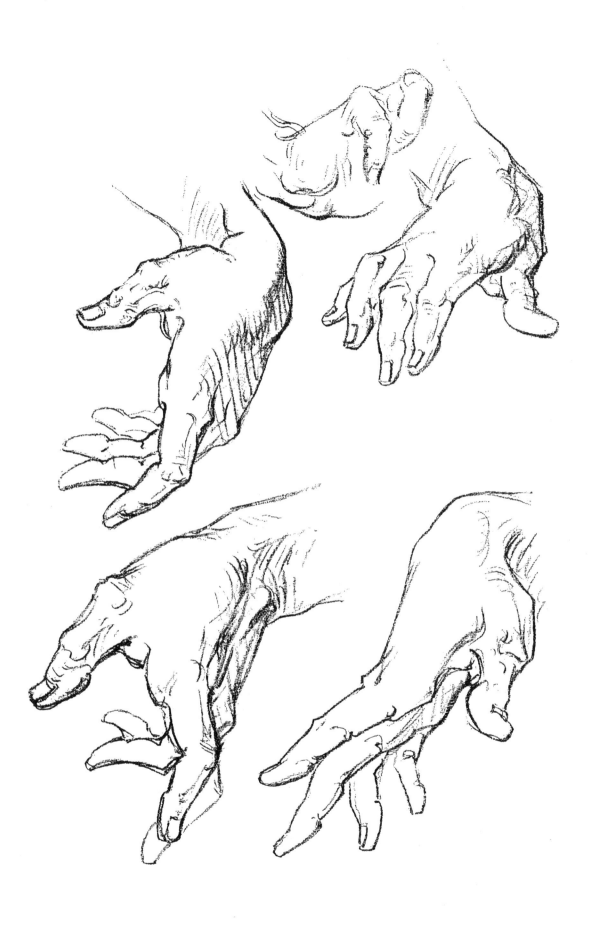

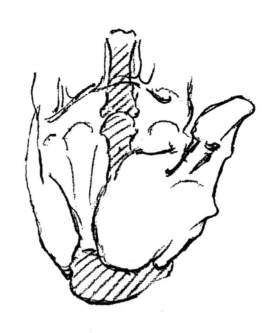

手掌视图

　　手掌与手腕之间有一点点重叠，手掌弯曲到手指的第一关节处。它由三部分组成，中间是手掌心。在拇指一侧是这几部分中最大的部分——鱼际，与之相对的是小鱼际，而在指节下面贯穿两部分的是第三部分，即手掌的小丘。

　　鱼际是高高的，肥厚而又柔软的。它包含了拇指短肌，并且是与拇指的骨头即第一节三角骨所形成的。小鱼际更长一些，位置更低、更坚硬，并且更加接近三角形。它包含了小指的一些肌肉，由于这个手指和掌斜肌所处的外露位置，因此它较大。它最远伸到了小指底部，与那里的一排小丘交织起来。手腕处以一个沉重的类似足跟的纤维垫覆盖住了豌豆骨。

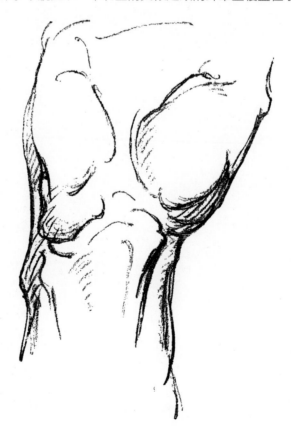

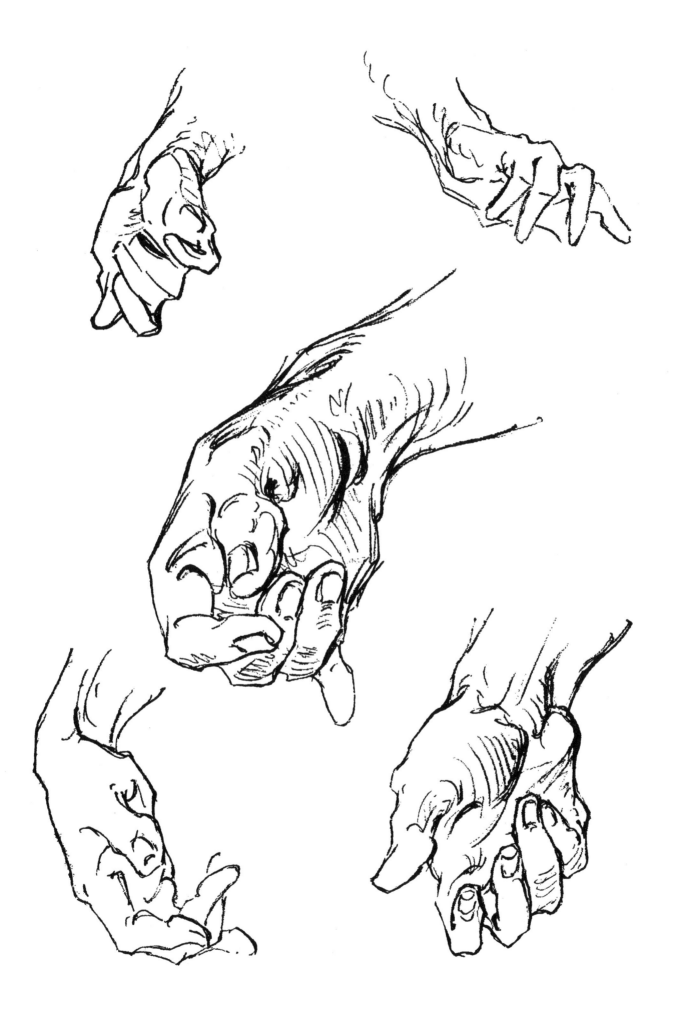

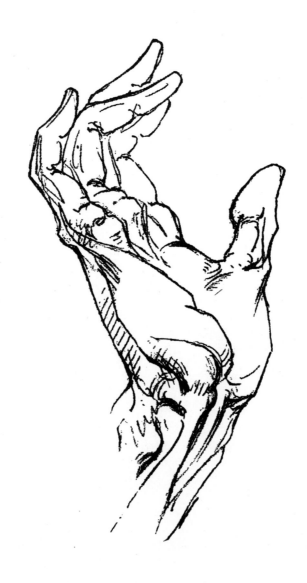

手的构造

手掌视图

　　手和人体其他部位一样，有一侧处于运动状态，另一侧处于静止状态。角度最大的一侧是运动侧，相对的就是非运动侧或者直侧。

　　随着手被放下（旋前）和被拉向身体，拇指侧就是运动侧，小指侧是静态侧。静态侧与胳臂成直线，而拇指侧几乎与它成直角。

　　静态一侧的构造线是从胳臂向下贯穿到小指底部的直线。动态一侧的构造线从胳臂向下贯穿到手腕的拇指底部，从那里向外到了中间关节，位于手最宽的部分。然后到了第一手指的关节，接着是第二个手指，最后与小指处的静态线连起来。

　　手向前伸离身体时，拇指侧就成了静态侧，并且与身体成直线，而小手指几乎与它成直线了。静态构造线向下贯穿到拇指的中间关节，而作用线向下贯穿到手腕的小指侧，然后到第一关节，等等。

　　六条动态构造线，被拉近或者拉远，当手掌向上翻转时，都是一样的。它们确定了手指的位置，并且表明了手的运动和比例关系。

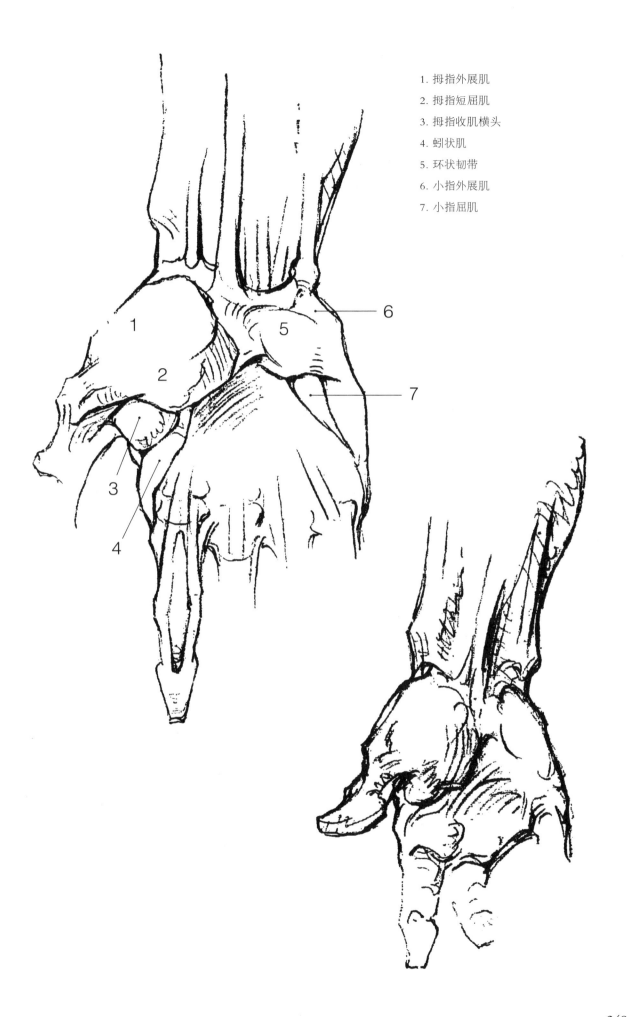

1. 拇指外展肌
2. 拇指短屈肌
3. 拇指收肌横头
4. 蚓状肌
5. 环状韧带
6. 小指外展肌
7. 小指屈肌

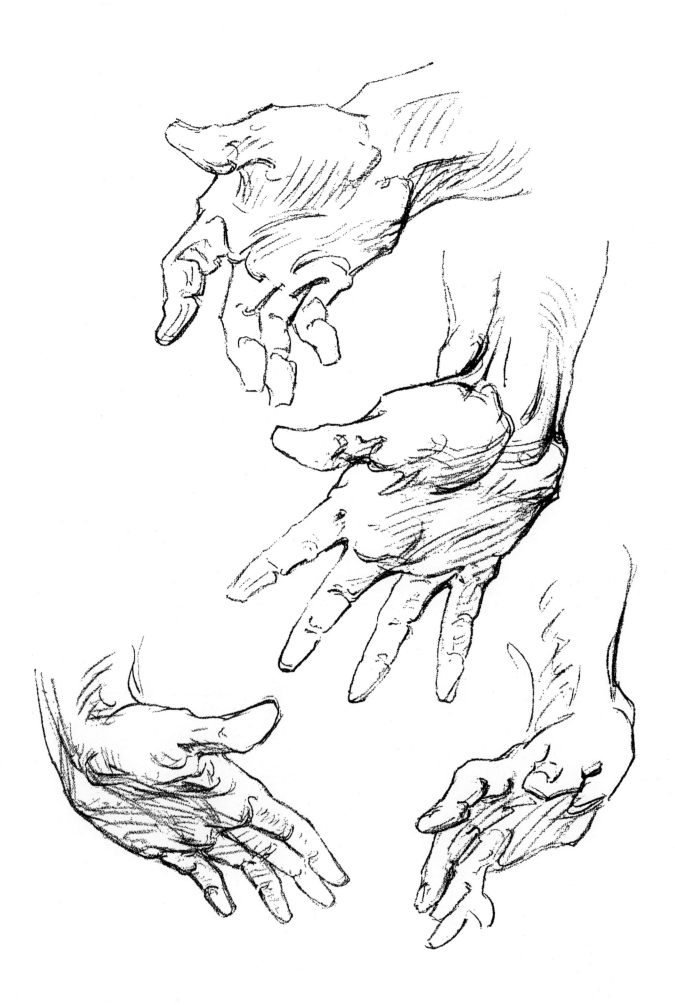

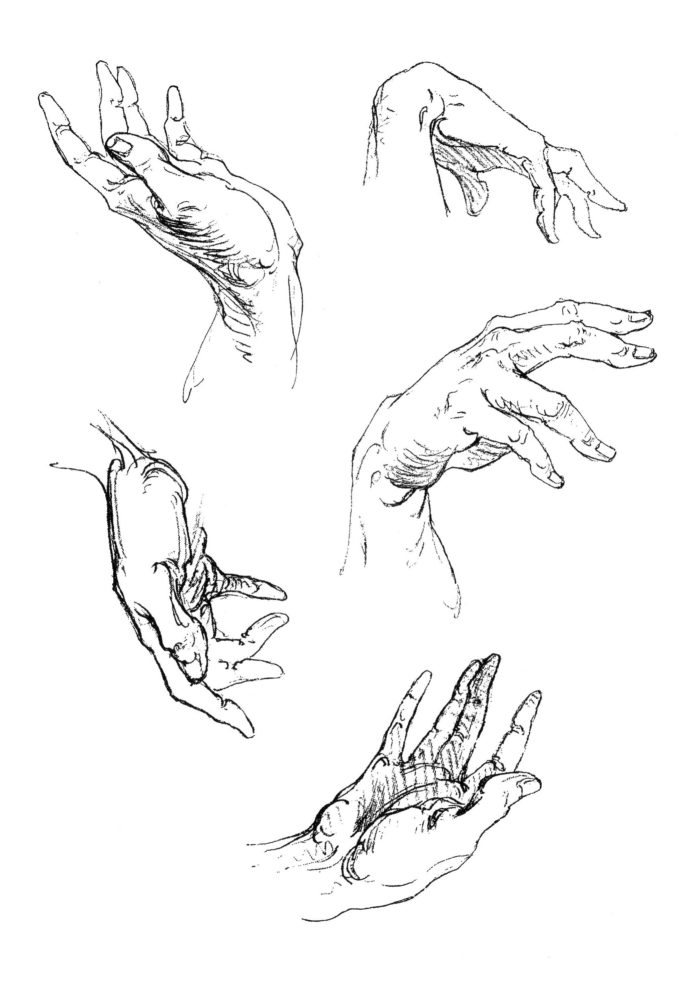

手掌的拇指侧

在食指和拇指关节中间是一个宽的块面。这是第一块骨间肌肉，它是手部上的一块大肌肉。因为它处于食指的外露位置，同时还由于它辅助拇指的缘故。抓握的时候，它与拇指垂直，与关节呈倾斜角度。它连接在关节处的指骨上，连到拇指（第一节）的整个侧面和掌骨的底部。

它的边缘是一层皮肤，当拇指变换其位置时，有时呈半月状，充满凹坑和皱褶。

沿拇指的长度方向到最后一个关节，在其背面可以看到伸肌腱总是指向手腕的上部。在拇指的根部可以看到另外一根腱，这就是短伸肌，总是指向手腕的下部。这两块肌肉在第二关节处交会。在手腕处，它们之间是一个凹陷部位，当手指伸开的时候是很深的。

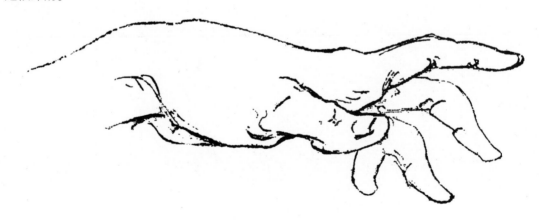

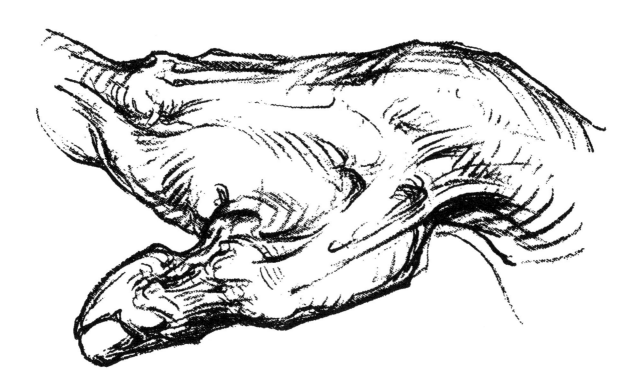

短伸肌的腱标明了拇指掌骨的前边界。在它前面凸出的是大多角骨，标明了手腕弧拱的一端，然后是鱼际凸起至拇指的大关节。有时，拇指的基部关节比这个凸起的地方还要突出。

手的块面与前臂的末端形成了一个角度，而拇指的块面与手的底面形成了一个角度。

拇指的肌肉

1. 拇指的长伸肌
2. 拇指的短伸肌
3. 拇指的长外展肌

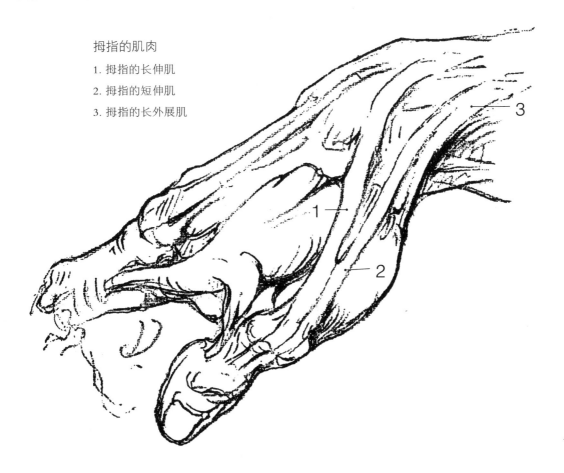

　　拇指的力量主要取决于它的短肌肉。肌肉必须长，以便与它们要收缩的距离成比例。因此手指和拇指末端的肌肉很长，一直达到肘部。拇指第一节和中间节（后者的活动很少）的肌肉都很短，只长到指关节和手掌，它们的作用是与骨头的运动成直线。肌肉运动产生的力决定于它所施加在上面的杠杆率和角度。长肌肉的运动幅度小于90°，且具有速快力弱的特点。

　　这些成直线的短肌肉产生的力量很大，但是速度慢。因此，拇指的最快运动比其他手指的最快运动要慢。相应的，它的力量要大一些。

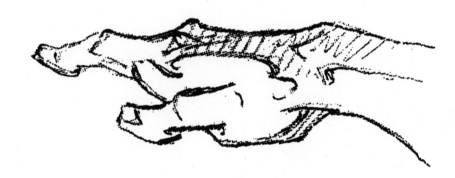

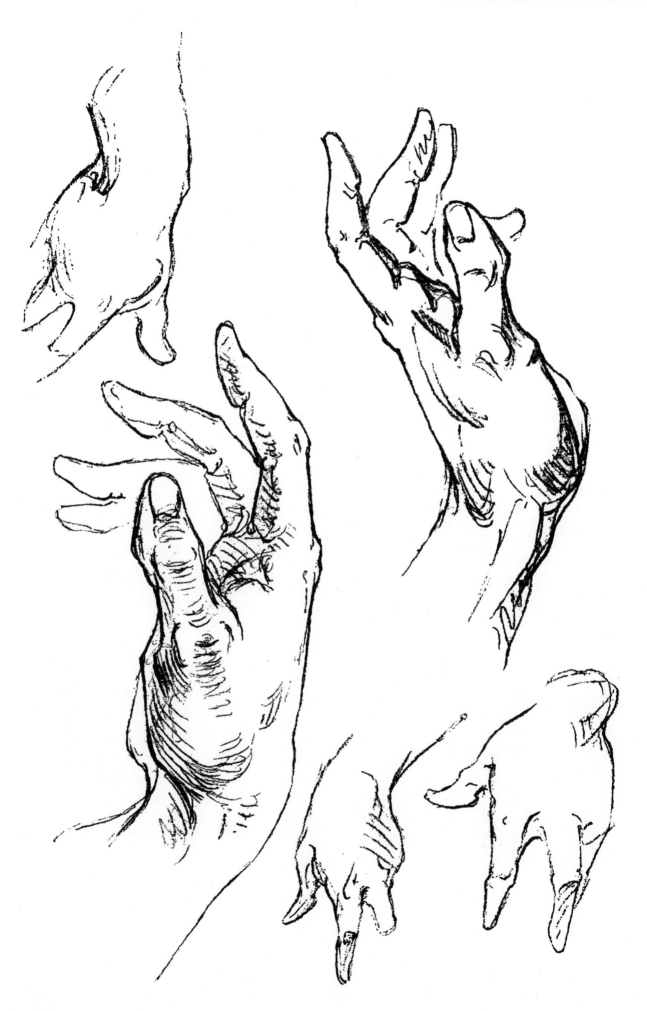

在拇指（手掌侧）皮肤下面有三块可以明显看出来的肌肉，有时是四块。从后往前依次是：粗壮的对掌肌，用于缚紧骨头；宽大的外展肌，形成块面的外凸部分；单薄的位于里层的短屈肌。更深的，横穿过手的是外展肌，当拇指向后放平时，它使手掌的皮肤向后聚集，形成一个鼓出的皱褶。

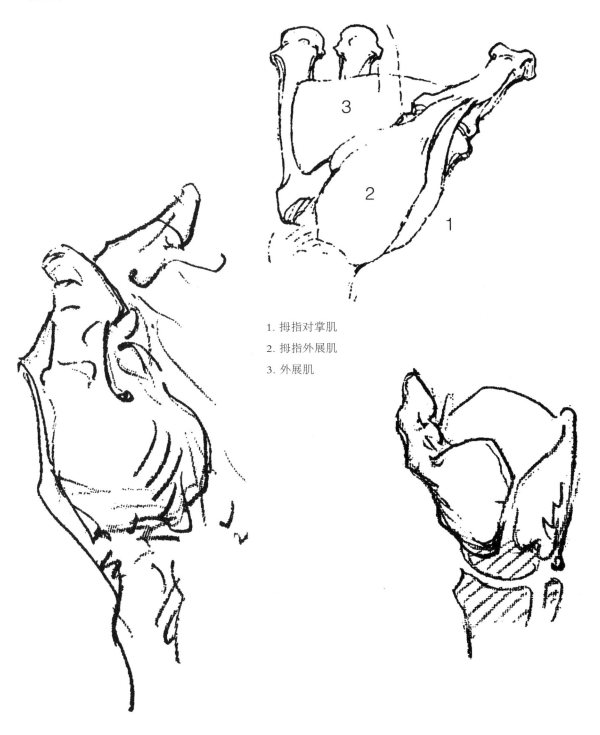

1. 拇指对掌肌

2. 拇指外展肌

3. 外展肌

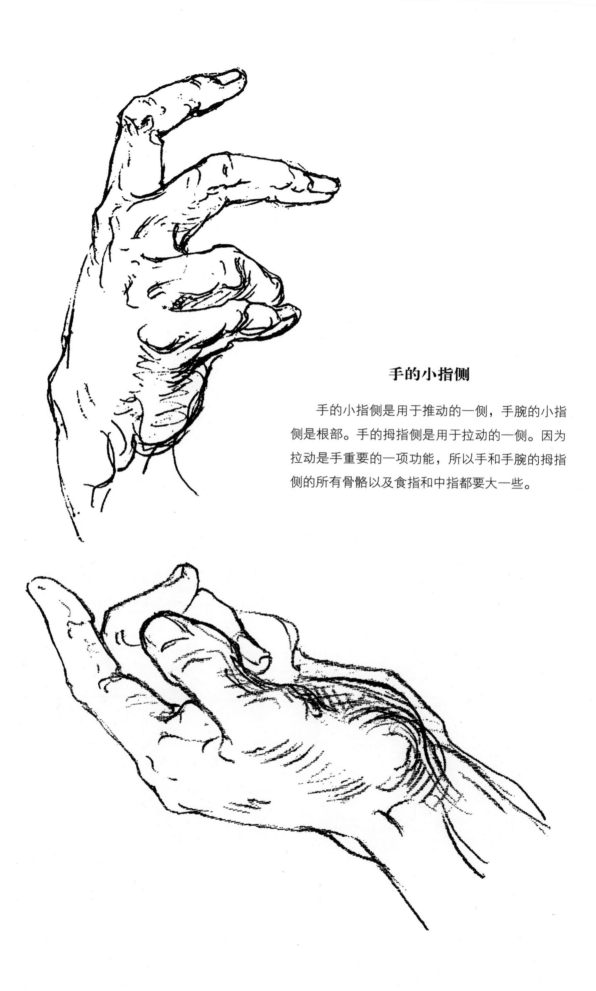

手的小指侧

  手的小指侧是用于推动的一侧，手腕的小指侧是根部。手的拇指侧是用于拉动的一侧。因为拉动是手重要的一项功能，所以手和手腕的拇指侧的所有骨骼以及食指和中指都要大一些。

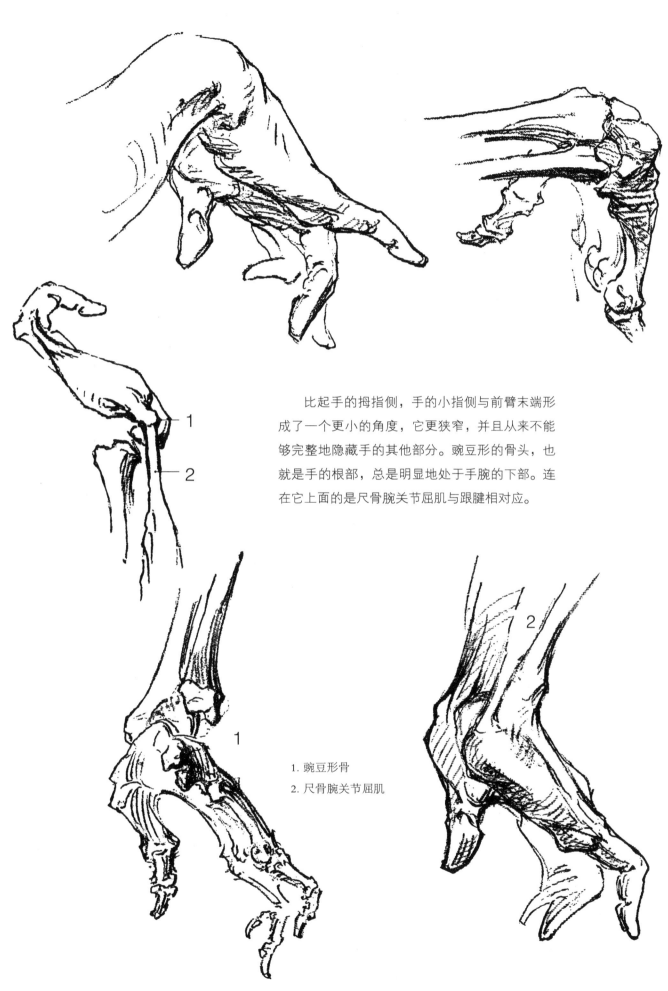

比起手的拇指侧，手的小指侧与前臂末端形
成了一个更小的角度，它更狭窄，并且从来不能
够完整地隐藏手的其他部分。豌豆形的骨头，也
就是手的根部，总是明显地处于手腕的下部。连
在它上面的是尺骨腕关节屈肌与跟腱相对应。

1. 豌豆形骨
2. 尺骨腕关节屈肌

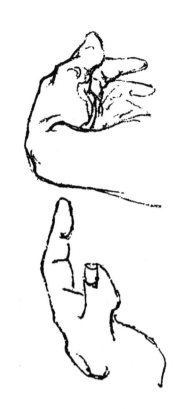

手腕放在桌上处于放松状态时，其重心应当落在豌豆骨上，本能地保护处于腕弓拇指一端的更为脆弱的钩骨。

在这个位置上，由于屈肌腱长度短，手指总是蜷曲或者呈弓形。

1.豌豆骨

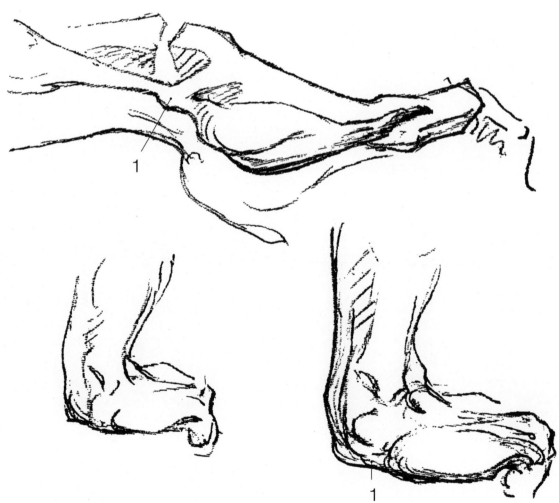

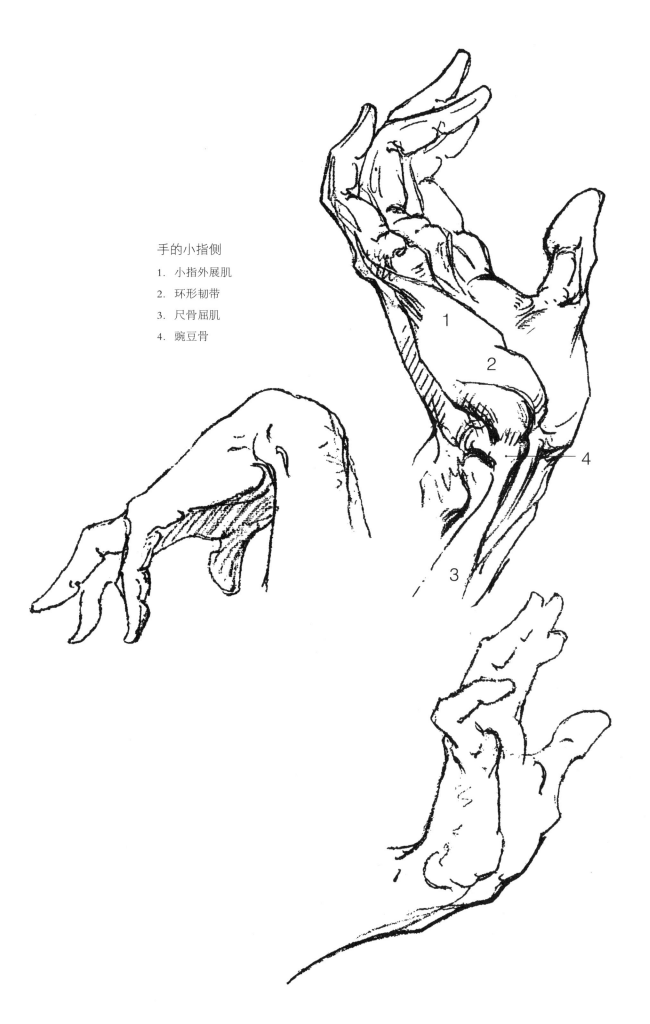

手的小指侧

1. 小指外展肌
2. 环形韧带
3. 尺骨屈肌
4. 豌豆骨

拇　指

　　对手指来说，手掌和前臂的训练大师是拇指。

　　手指聚集到一起形成一个冠状物。伸开来，它们从它们的根部这个共同的中心辐射出去。手指尖的连线形成了一条曲线，它们的中心是同一点。对各排关节（与手相接的指关节）也是如此。

　　手指在任何位置弯曲或抓握都形成弓形。每一个手指都以拇指为共同基点。握紧的时候，每个关节形成了一个有共同中心的弧形。

　　拇指的块面支配手。甚至前臂的设计和运动也是为了给拇指提供最自由的运动范围。然而，通过二头肌可以看到，它的运动实际上是从肩部开始的。

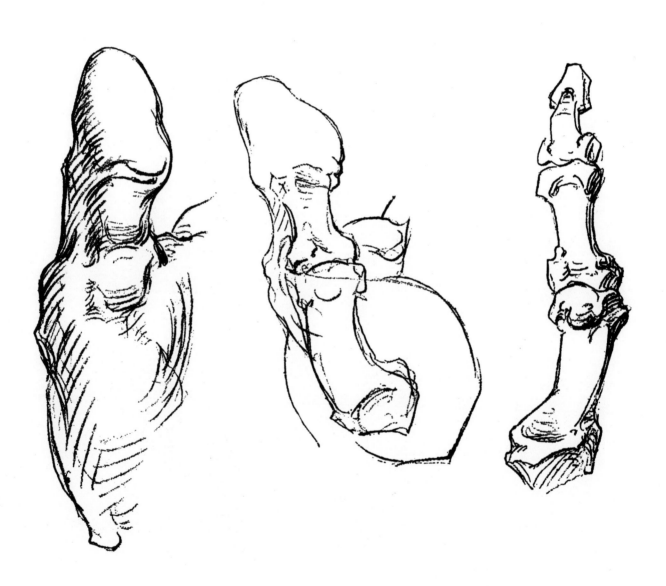

263

拇指伸开时，半对着前面；弯曲时，它朝向手掌，也可能由于压力而稍稍地向手掌弯曲。

它可能碰到食指的侧面，然而却不能碰到掌背。它与其余手指相碰是因为它们向下弯曲所致。

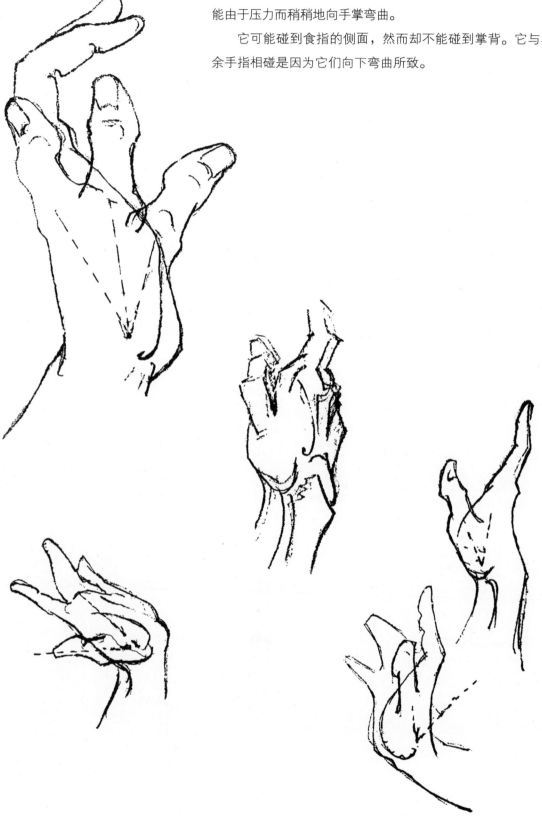

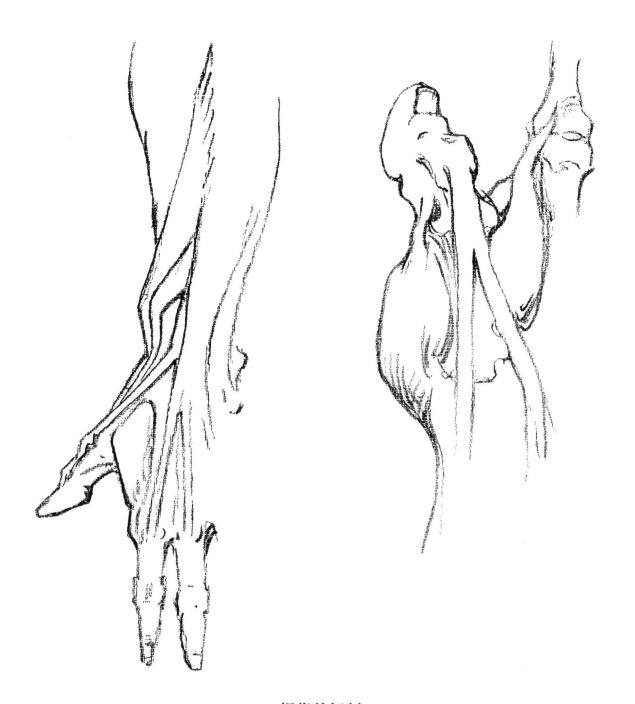

拇指的解剖

拇指有三段，并且有与其余四指同样多的关节。拇指的骨头比其他手指要大一些，其关节也更粗壮。

它的最后一节有指甲和一个厚皮垫。中间一节只有腱。底部的一节是一个锥形肌肉块，一直延伸到手腕、手掌的"生命线"和食指根部。

这个块面的表层肌肉包括一块肥实的、一块宽大的和一块细小的肌肉。肥实的肌肉（对掌肌）附着在骨头上，宽大的肌肉（外展肌）形成锥体的大部分，细薄的肌肉（短屈肌）处于里面，指向食指。

拇指和食指之间的皮肤隆起成一个凸起的网，特别是当拇指外展肌放平的时候。

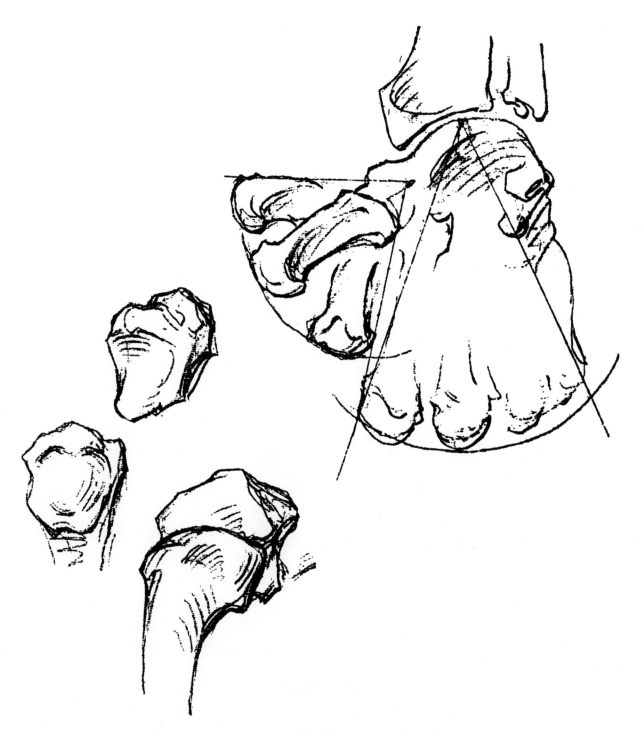

马鞍状关节

　　拇指的运动范围较小——在底部关节呈半个直角，在中间关节其运动角度更小，在最后一个关节是呈直角。

　　底部关节是马鞍状关节，允许有半个直角的侧向运动。而向前和向后的运动弧度就更小了。与其他关节相比，因中间关节处于外露位置，故特别大，并允许稍许的弯曲和轻微的扭转。它的特点是提供能量，而不是运动。最后一个带长肌肉的关节一直到达肘部，它具有直角运动。（这个长肌肉必须绷紧其他关节，也包括腕关节。）

拇指的块面

    拇指的底部是锥形，中间窄，末端是梨形。指肚朝向前面而不是侧面，伸及食指的中间关节。

    最后一节明显向后弯，长有指甲。它的皮肤垫在底部宽厚，使其无不类似于脚的外形，表明了它具有承受压力的功能。

    中间一节呈方形，有圆润的边缘，比其他两节小，有稍小的垫。

    底部一节是圆形的，除了其背部浅表的骨节，其余的向各个方向都突出。

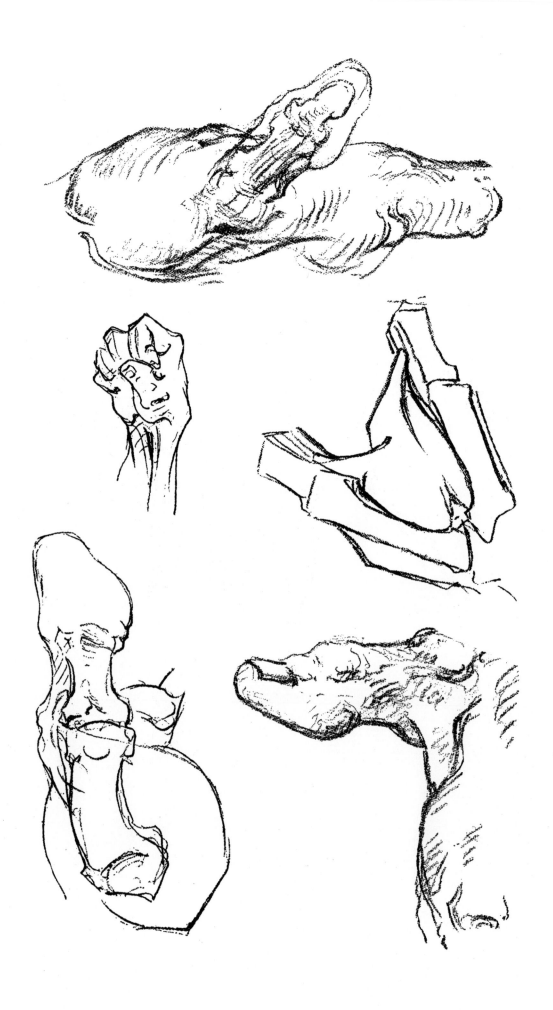

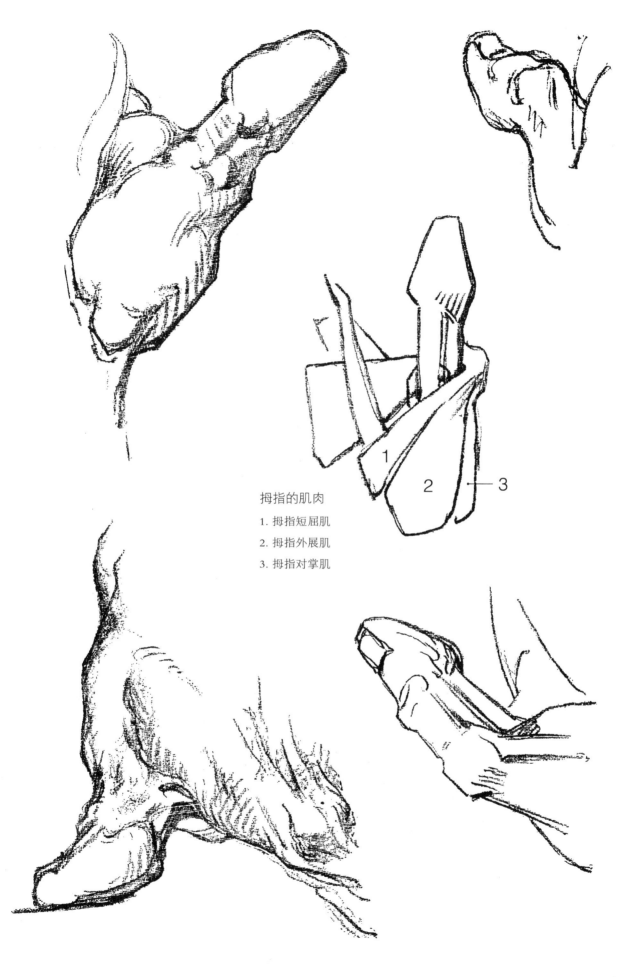

拇指的肌肉

1. 拇指短屈肌

2. 拇指外展肌

3. 拇指对掌肌

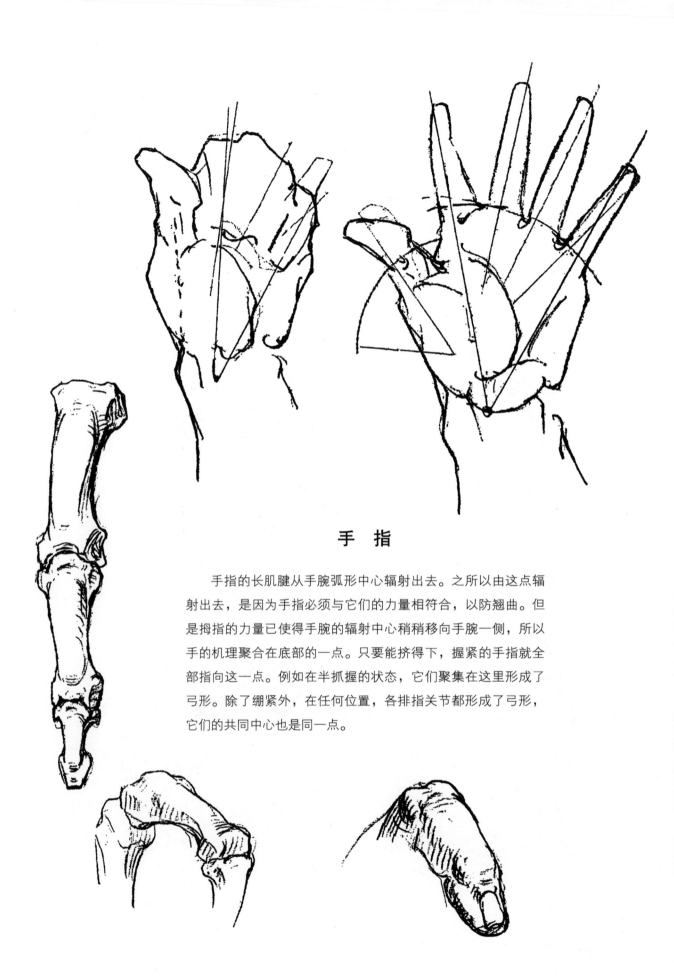

手 指

　　手指的长肌腱从手腕弧形中心辐射出去。之所以由这点辐射出去，是因为手指必须与它们的力量相符合，以防翘曲。但是拇指的力量已使得手腕的辐射中心稍稍移向手腕一侧，所以手的机理聚合在底部的一点。只要能挤得下，握紧的手指就全部指向这一点。例如在半抓握的状态，它们聚集在这里形成了弓形。除了绷紧外，在任何位置，各排指关节都形成了弓形，它们的共同中心也是同一点。

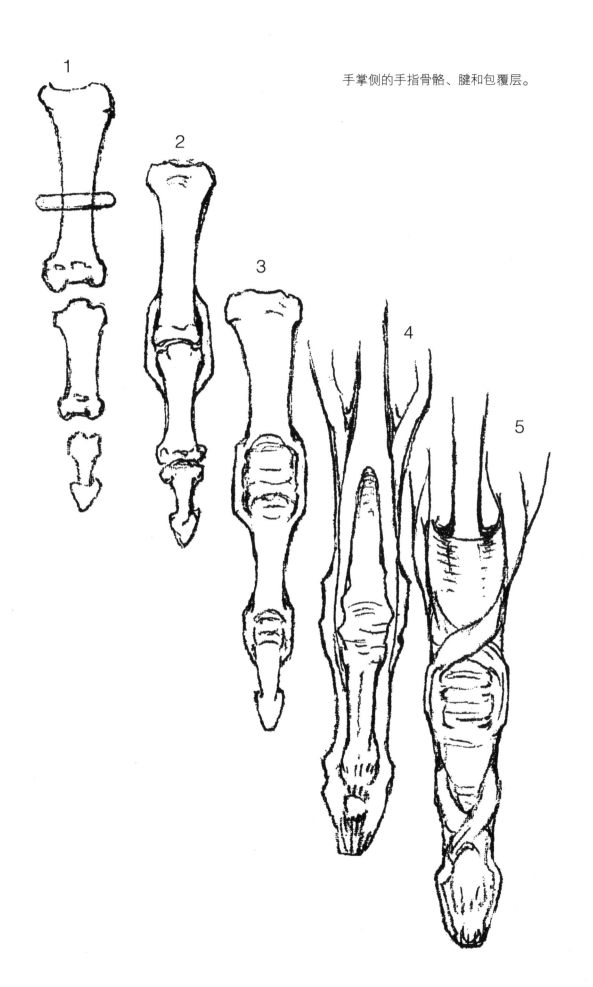

手掌侧的手指骨骼、腱和包覆层。

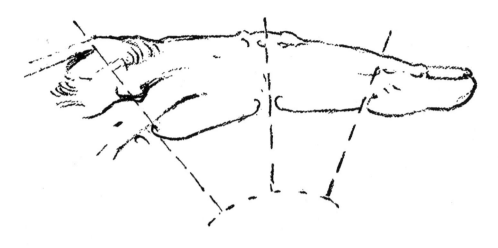

手指的解剖

我们除拇指外的四个手指，每一个都有三块骨头（指骨）。每节指骨在其上一节的基础上活动，并使得上一节指骨的末端暴露出来。指关节的下面没有肌肉，但是腱从手指的背面穿过，手指的前面由腱和皮肤垫覆盖着。

中指是最长和最大的，处于抓握状态时，它与拇指正对，用以承受主要的负载。小指是最小和最短的，由于相反的原因，它最灵活，它可以向后伸得比其他手指更远，并且常常保持这种状态。这出于两个原因：一个是手常常"坐"在小指的根部上；另一个是与拇指成对角，在任何向外扭转的运动中，它向后扭得更多一些，因此也常保持这一姿态。

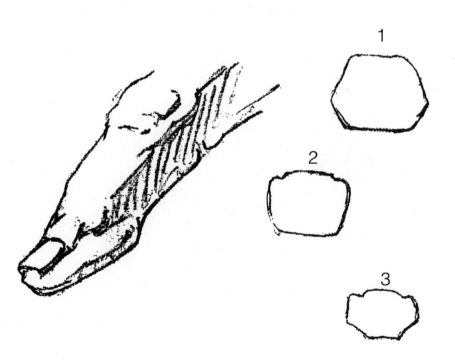

截面图
1.手背和第三关节之间的食指
2.第二和第三关节之间
3.指甲所在的最后一节

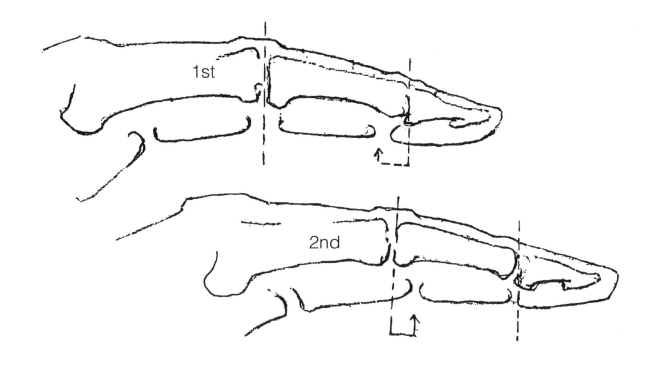

皮肤垫的长度差不多是一样的，这在手指紧紧闭合的时候是十分必要的，但是指节的长度是不一样的，所以皱褶不是正对关节的。

在食指上，皱褶超越了指节，正对着中间的关节，未及最后一个关节。在中指上，皱褶超出了手背和中间的关节，大约正对最后一个关节。在无名指上，皱褶超出了手背和中间的关节。在其他的位置上，情况因人而异。

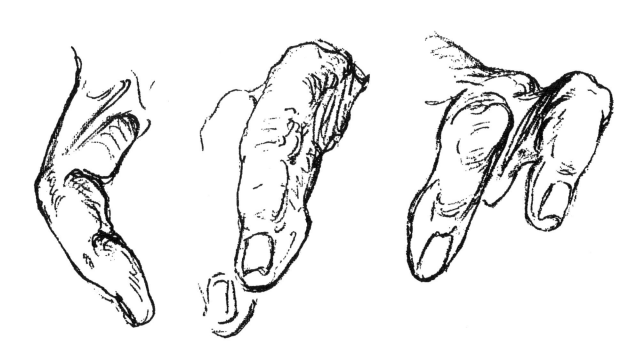

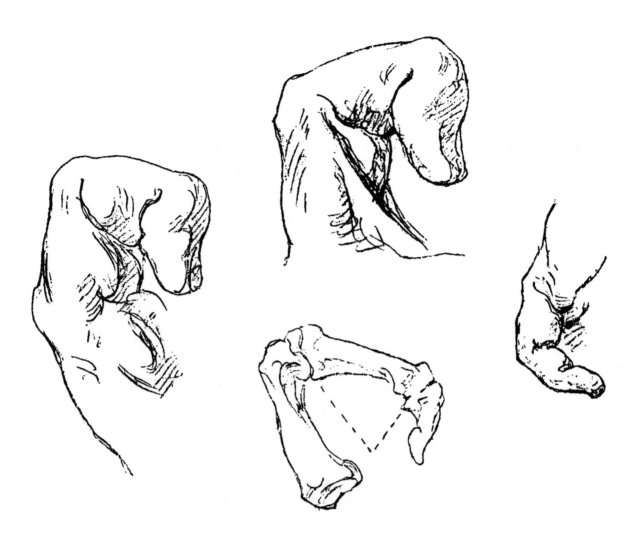

手指的关节长得像浅鞍状，也就是说，一个向上达到了侧面，另一个向下达到了前面和后面。
所有情况都是最远的骨头牵动稍近骨头的凸端，使得后者的末端露出来呈弯曲状态。

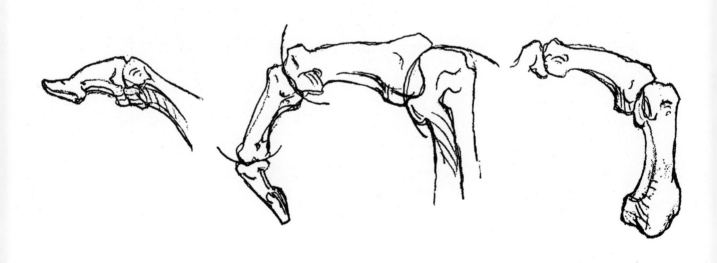

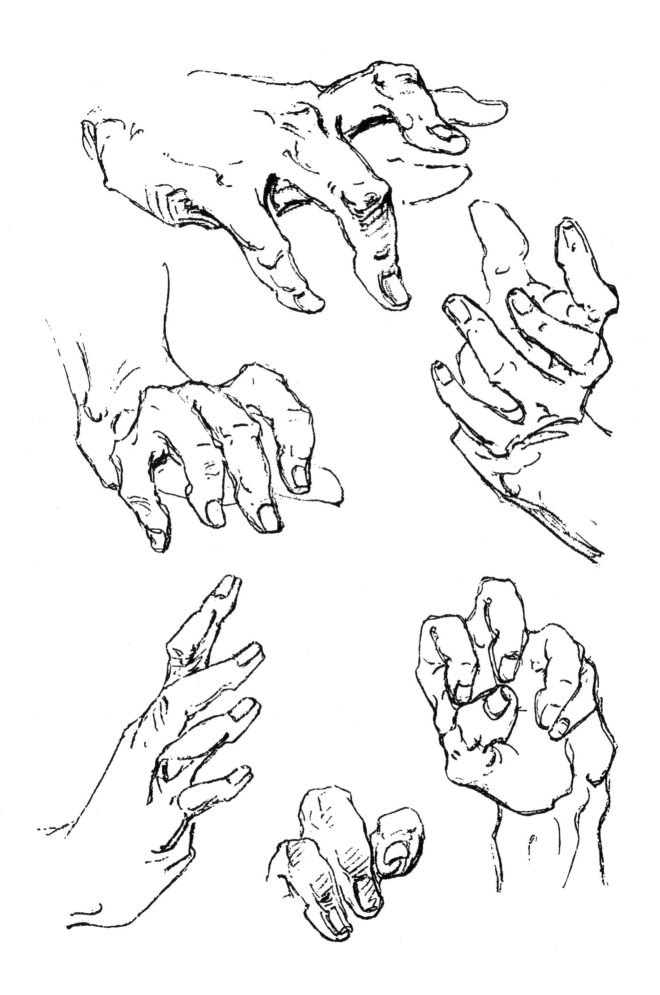

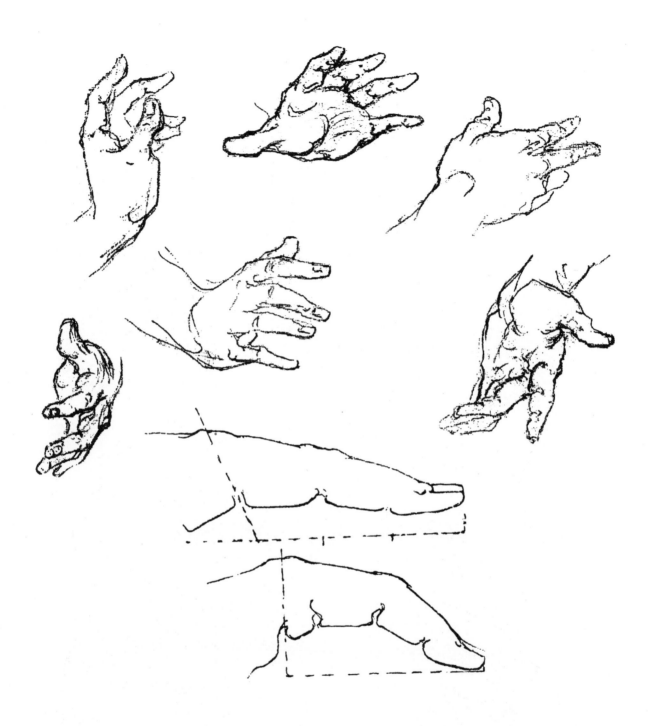

　　在掌心面，当手指伸直的时候，手掌超过了指关节，至下一关节的一半。但是当手指弯曲的时候，一部分随手指而弯曲，并且附属于手指。所以，当弯曲手指时，手掌处的指节先弯曲。

　　当手指处于握紧状态的时候，指尖刚好盖住其第一指骨的顶端。也就是手指尖贴在手掌处的指骨上，顶着它。这是手指准备做握拳动作的条件反射的过程。

　　这样，上面两节手指比第一节长，但是，当从指骨背面测量时，第一节的长度与后两节相等。

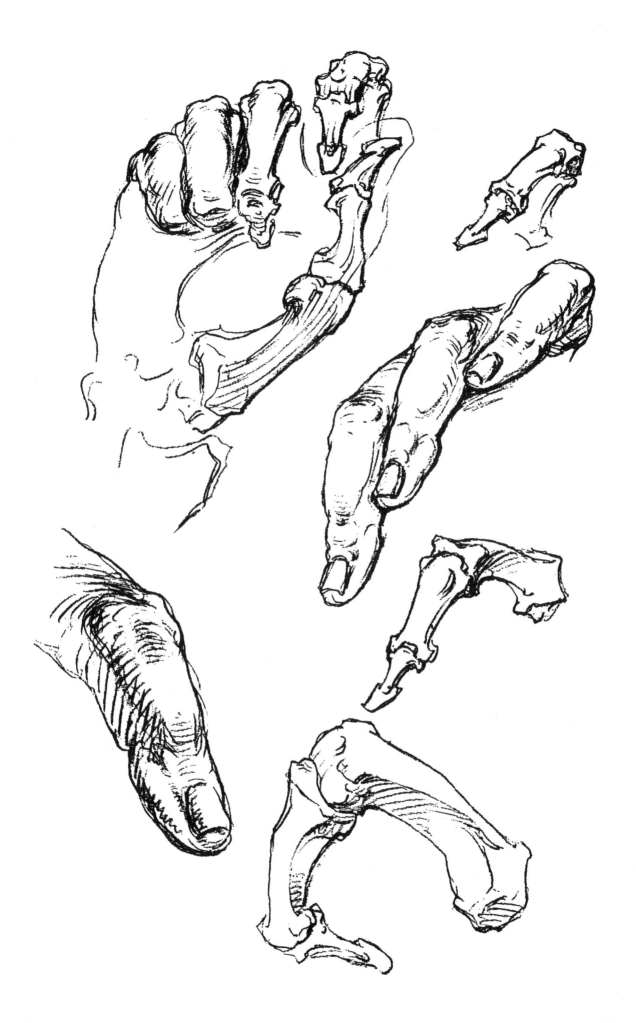

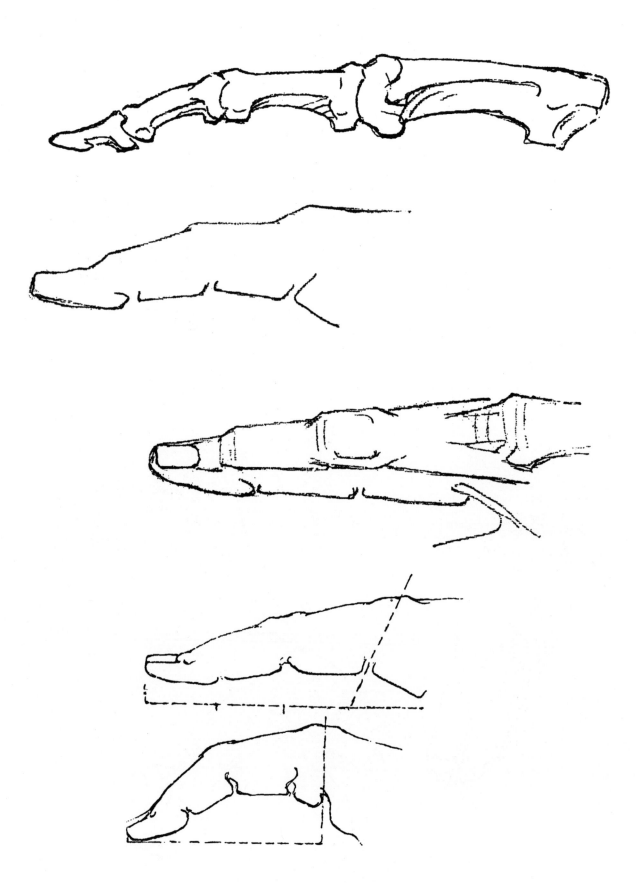

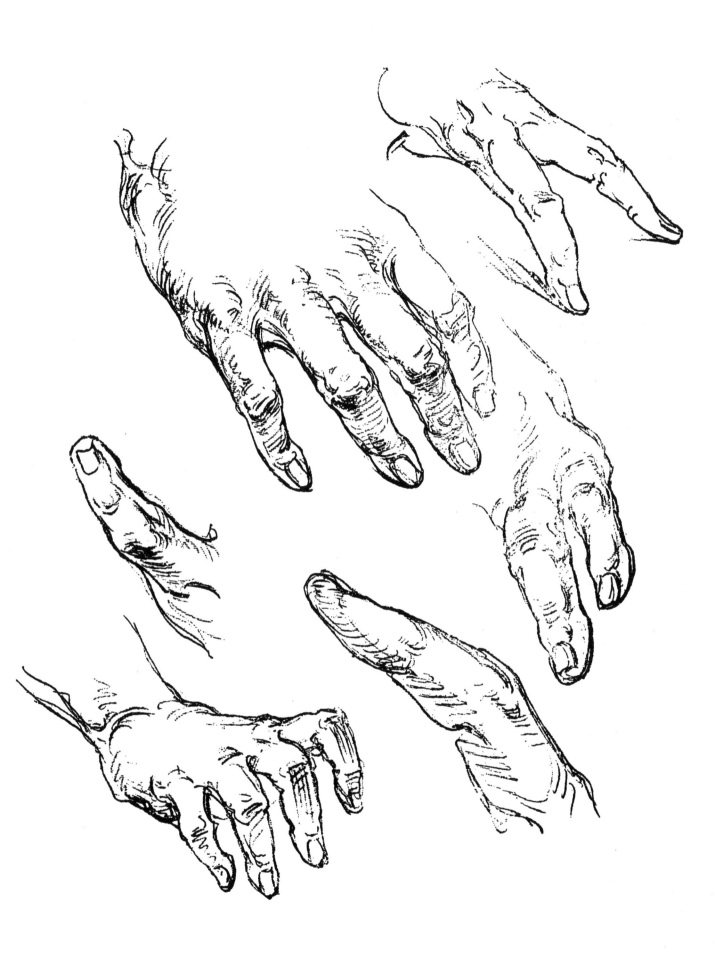

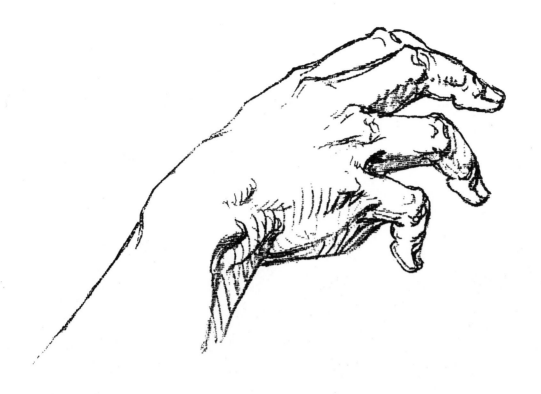

　　正对三块手指骨的是四块皮肤垫。所以，皮肤垫要小些。

　　从指骨的背面测量，第一指节和后面两个指节差不多长度相等（尽管骨头本身短一些）。当三个指节弯成一个正方形的三条边时，四块垫处于这个正方形的内部。它们之间的三条沟是斜纹的，其他两条沟不规则地排列着。

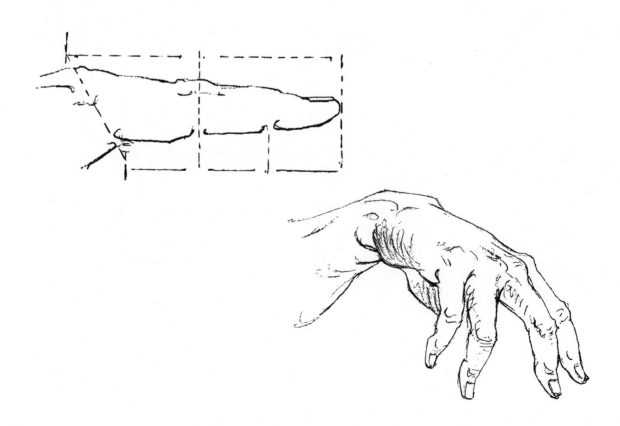

拳 头

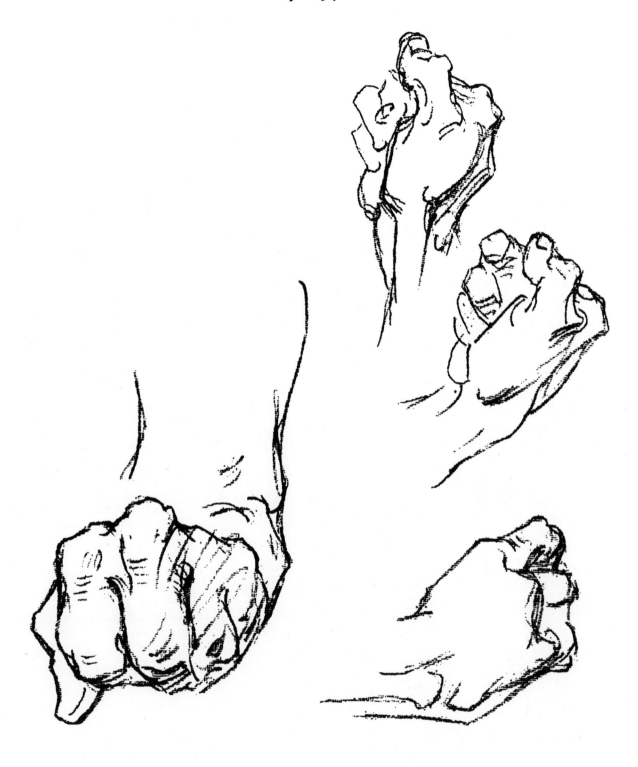

　　出拳打击时，力量落在中指的指节上，它最长、最有力，与桡骨在一条线上。拳头攥得越紧，指节所形成的弓形幅度便越大。第二排骨头处于同一平面内。拇指贴靠在食指上，或者落在中指上。

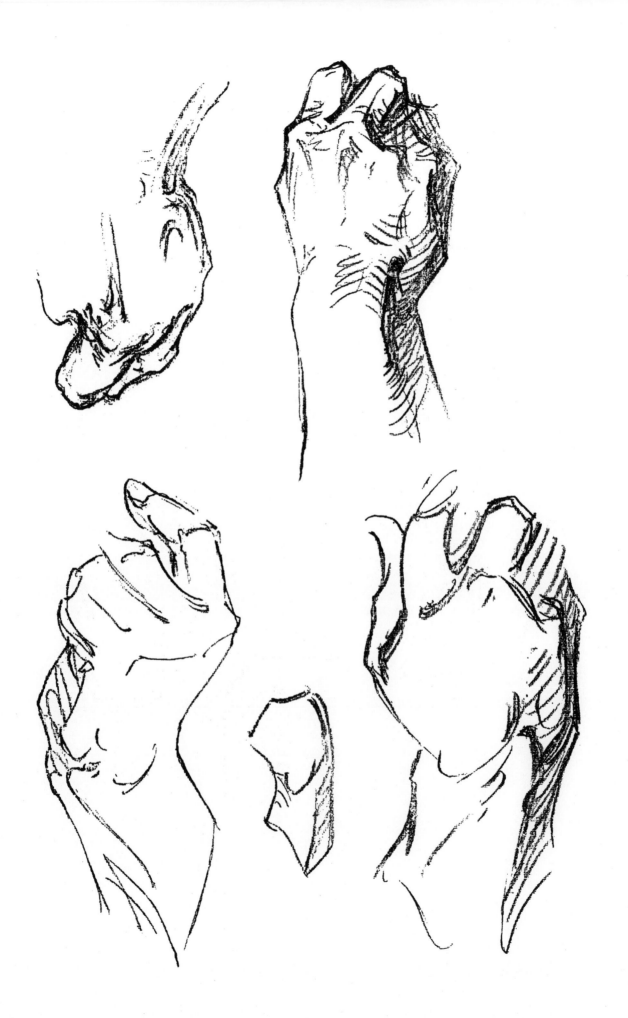

手，当它张开的时候是工具。

手，当它握紧的时候是武器。

当手出击的时候，第二个指节是最凸出的一个，成为了撞击点。但是当握紧的时候，它由整个拳头、骨头、腱和指关节支撑。

如果需要重拳则直接往前出击，第二个指节与手腕和桡骨在一条线上，形成一个笔直的攻击锤。

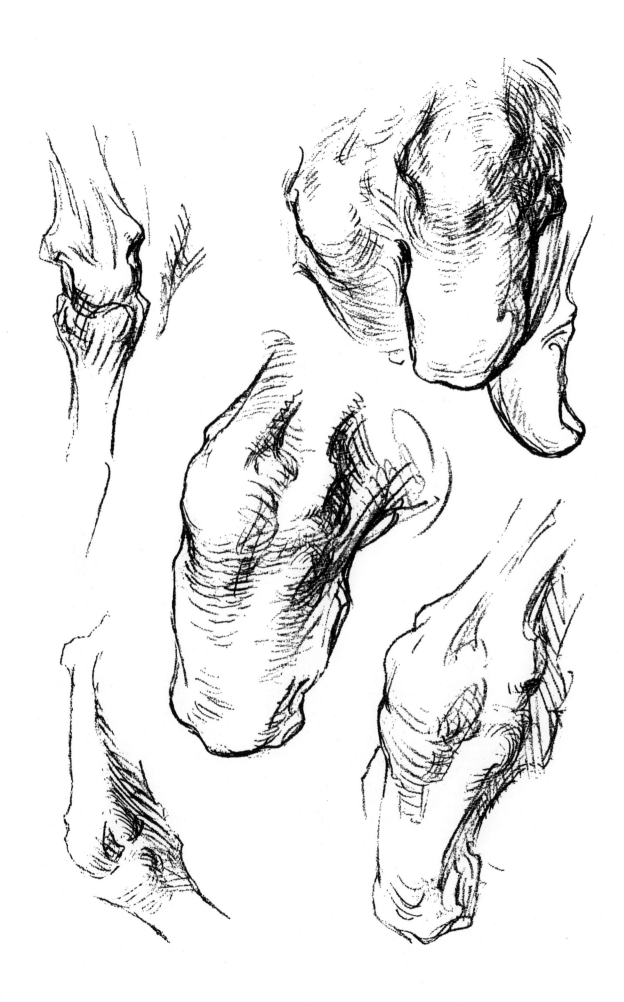

与手相接的指关节

指节没有肌肉的包覆，只有将其半包覆着的腱以及粗糙的皮肤。

在握紧的时候，这块皮肤被紧紧地撑开，由于与其他物体的接触，它变得坚硬。因此，在处于其他位置时，它会起皱纹。

掌骨末端是一个圆拱形，被第一节指骨的臼窝所包覆。圆拱的四周有凸出的方形凸缘起保护作用，它与臼窝的边缘相匹配。它们在第一指的组合中稍稍有些斜。所以，指骨有些悬垂，用于在侧向冲击中保护关节。

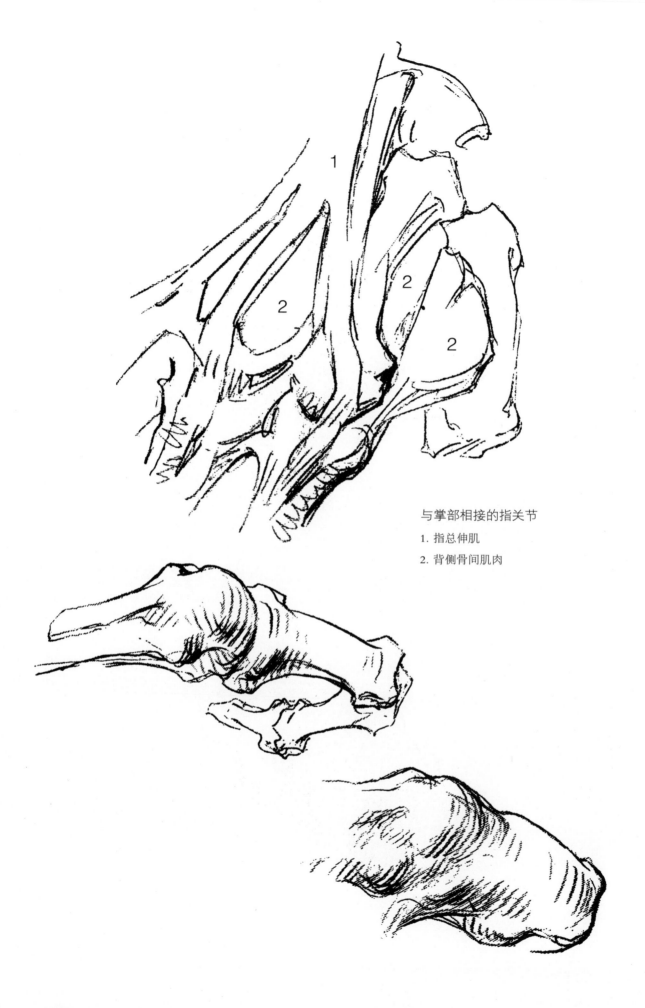

与掌部相接的指关节

1. 指总伸肌
2. 背侧骨间肌肉

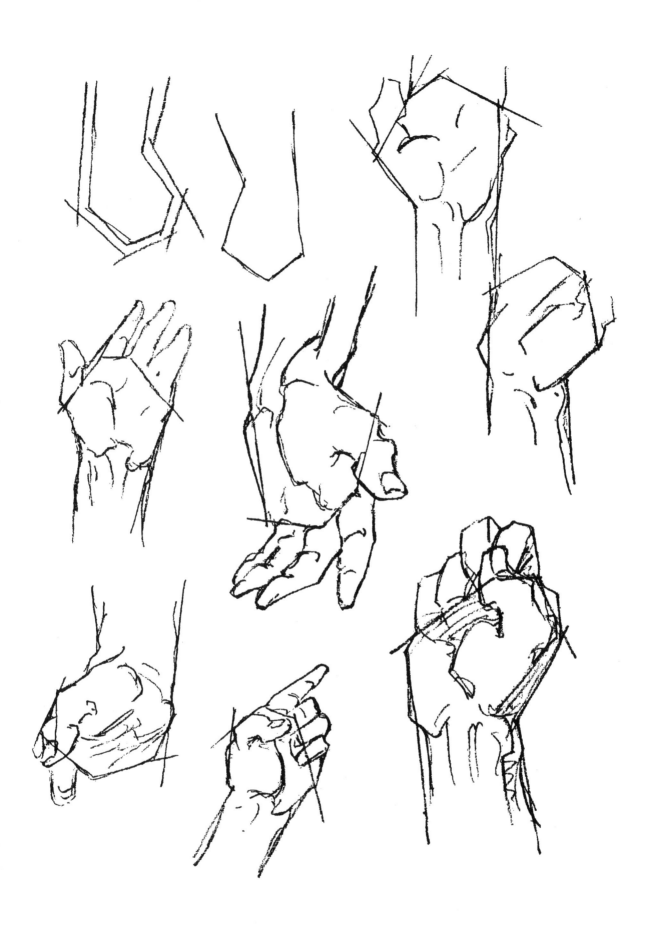

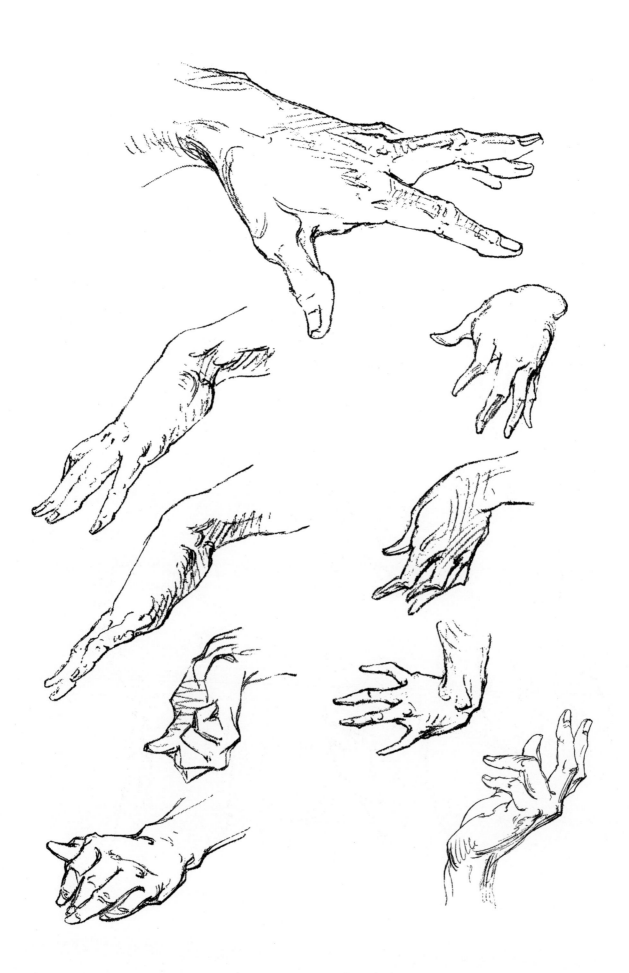

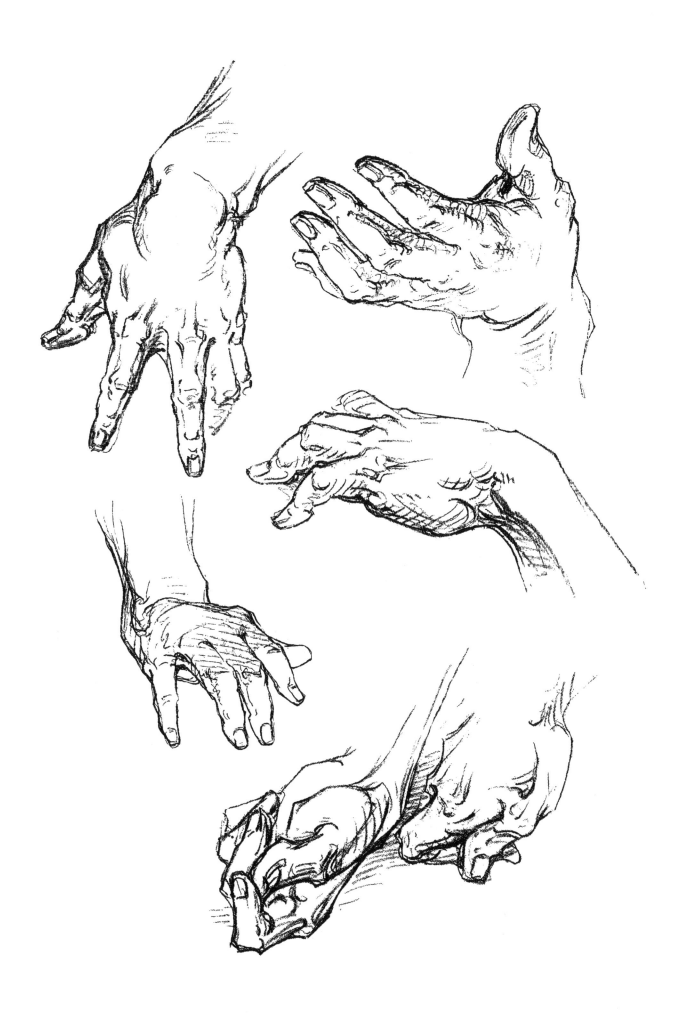

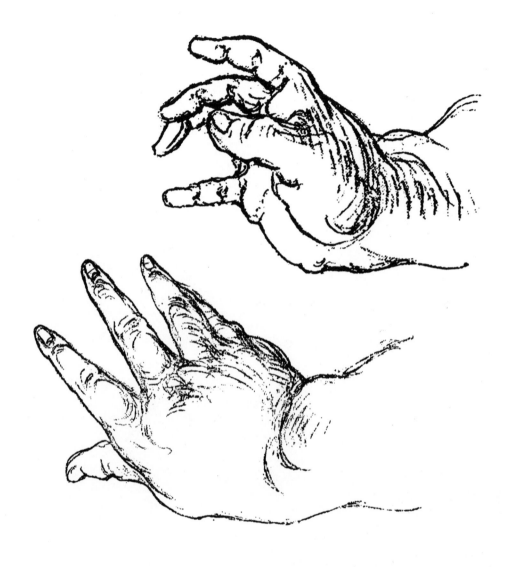

婴儿的手

　　在婴儿的手上，解剖学特征和机械学特征都不明显，但是隐藏在光滑的皮肤和柔软的肉下面，仍然是一样的。事实上，解剖学特征和机械学特征还都未明显地显现出来，骨头还有部分是软骨，骨节还很小，肌肉还没有成形，也就没能使皮肤显现出其形状。

　　与成人的手的比例相比较，婴儿的手腕很大。同样的，婴儿的手指很短并且均匀地逐渐变细。没有膨出的关节，我们看到肉是收紧的，在手背和其他指关节的背侧，没有皱褶，可以看到小凹坑。手腕明显地有一个双皱褶。手指的第一节，由于肉的膨出和凹坑，看上去很短。另一方面，拇指的中间关节与其他关节一样小，最后一个关节看上去很长，并且整个拇指都有流径线。

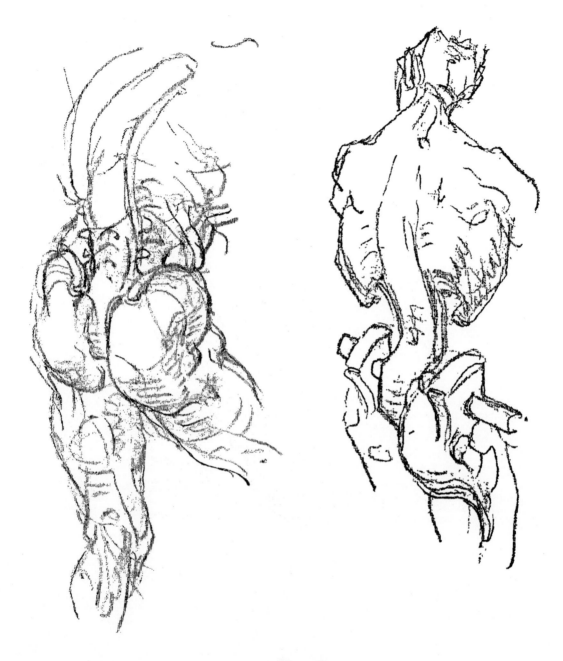

骨　盆

　　骨盆是由髂骨、坐骨及耻骨（保护性）联合组成的不规则骨骼。

　　骶骨是楔形的，大约手那么大，但是，更确切地说，其形状像一只半弯曲的手，捧着一个很小的有拇指最后一个关节那么大的骨尖（尾骨）。它形成背部的中间部分，先是向后弯，然后向下，再向下，向里弯。

　　髂骨和坐骨的骨头组成的形状类似于两片螺旋桨，两片三角形的叶片，向相反的方向扭转。上面叶片的后部边角与骶骨在后部相接，下面叶片的前部边角与耻骨联合在前部相接。髋部本身形成了躯干的中间点，两块叶片处于相互垂直的位置。

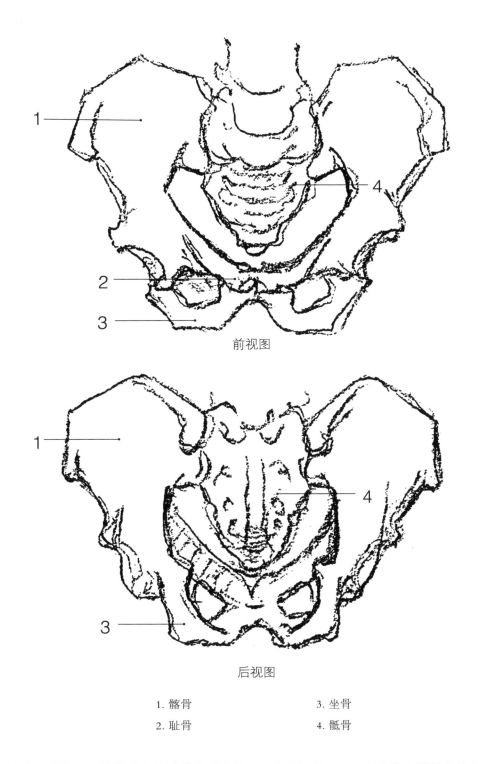

前视图

后视图

1. 髂骨   3. 坐骨

2. 耻骨   4. 骶骨

上部的叶片称为髂骨，下面的称为前耻骨和后坐骨，二者中间是开口。仅有的表面部分是上叶片（髂骨嵴）的上部和下部（耻骨会合）的前面尖端。

骨盆的大小决定于它作为身体机械转轴的位置，它是躯干和腿部肌肉的支点，在比例上较大。它的块面稍稍向前倾，与上面的躯干相比有些方正。

侧面的嵴称为髂骨嵴。它是横向肌肉的支点，由于这一原因，它常向外凸出很多，前面比后面还要凸出得多。

在边缘上，是属于腹壁的一卷肌肉。紧贴其下是一个沟或者凹陷，这是由于髋部肌肉下垂造成的，当这些肌肉处于运动收缩状态就消失了。

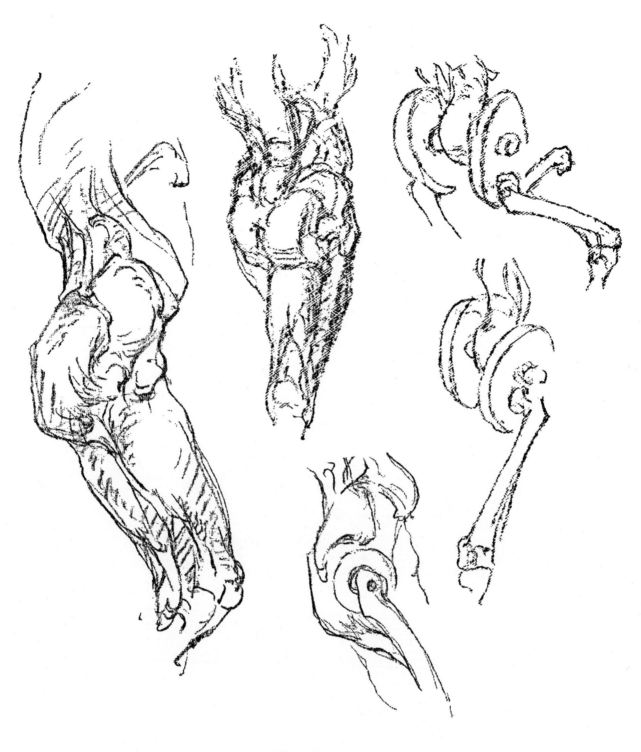

骨 盆

    如图所示，人体大部分运动是基于骨盆的。它前面的骨盆支撑腹部的肌肉块。在后面，一圈骨头形成了侧部的末端，其中骶骨是最重要的一块。

    可以看到的肌肉全部位于后面，形成了臀部区域。其中只有两块最凸出，它们是：臀大肌和臀中肌。把骨盆作为底部，这两块肌肉作用在股骨上，其运动相当于一个曲轴。股骨的上端是弯曲的杠杆形状，支撑着整个身体。

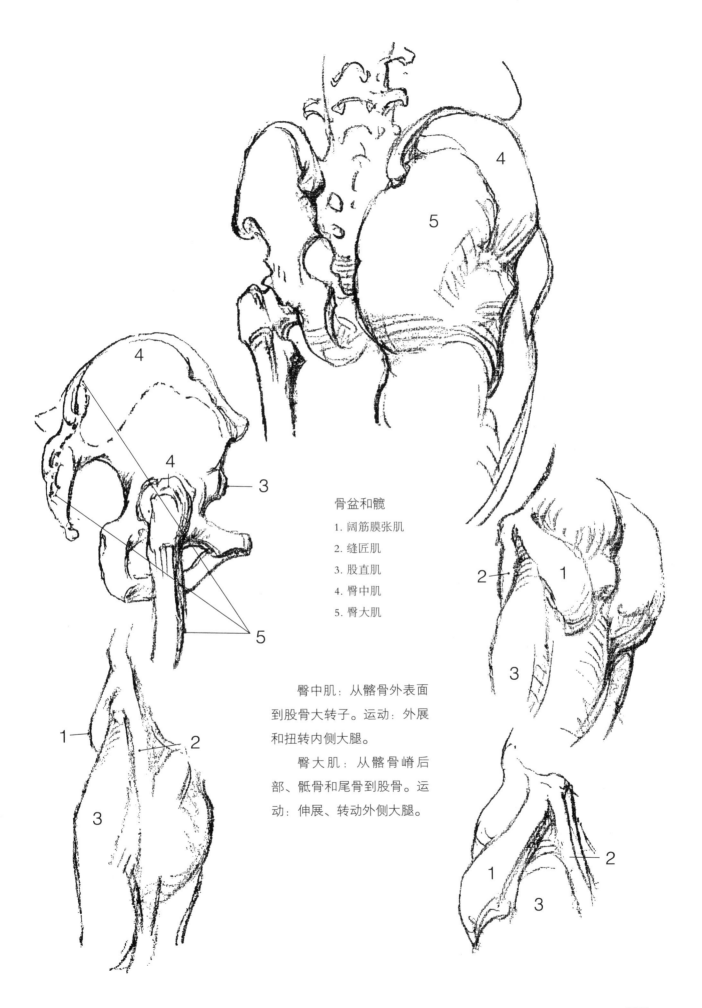

骨盆和髋

1. 阔筋膜张肌

2. 缝匠肌

3. 股直肌

4. 臀中肌

5. 臀大肌

臀中肌：从髂骨外表面到股骨大转子。运动：外展和扭转内侧大腿。

臀大肌：从髂骨嵴后部、骶骨和尾骨到股骨。运动：伸展、转动外侧大腿。

髋　部

髋部处于不同位置的时候，肌肉的表面形状变化很大，髂骨嵴就成为了一个保持不动的界标。它是个曲线，但是向后倾斜，其侧视图呈现出两个线条，在上部，它们之间几乎呈现出一个角度。

后面的线条以两个连接骶骨处的凹坑为标志，线条一直持续向下，伸入臀部的皱褶。从整个线条来看，臀大肌的肌肉向下、向前，一直到股骨头之下。形成了臀部和髋部的肌肉块面。

在这前面，臀中肌的肌肉从骨嵴的上端向下行，形成了一个楔形，其顶点位于股骨头处。这两块肌肉之间，是大腿的凹坑。

臀中肌肌肉只有一部分位于表面，它的前部被阔筋膜张肌覆盖着。阔筋膜张肌源于骨嵴的前面线条的边缘，向下与臀大肌形成臀中肌的楔形块。这两块肌肉被束缚在防护大腿外部的紧密的筋膜板（髂胫带）上。这块肌肉总是很凸出，当髋部处于不同位置时，其外形有很大的变化，当大腿完全放松的时候，它形成了一个U形的凹坑。

在骨嵴的前端头是一个小结，从这向下形成全身最长的缝匠肌。它位于大腿内侧的槽内，一直达到膝关节下面，形成了优美的曲线。

紧挨着这个小结下面，被缝匠肌覆盖着的，有一块向下的股直肌，直通往膝盖。从这个小结，线条持续向下会合，标明了腹部和大腿的界限。

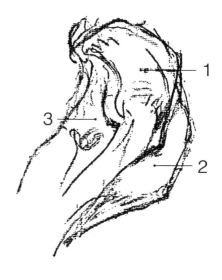

1. 臀中肌
2. 臀大肌
3. 阔筋膜张肌

髋部肌肉

　　大自然提供了索状组织和肌肉可以附着的完美的柱、杠杆和滑轮系统。当产生收缩运动的时候，这些肌肉及其腱拉扭或者转动可动的骨头。髋关节是一个类似机械的严谨设计。在髋部连接设计了一个球窝关节，在膝部有一个铰链关节。髋部肌肉产生类似车轮的运动。那些延伸到膝部与股骨平行的肌肉用于屈膝。

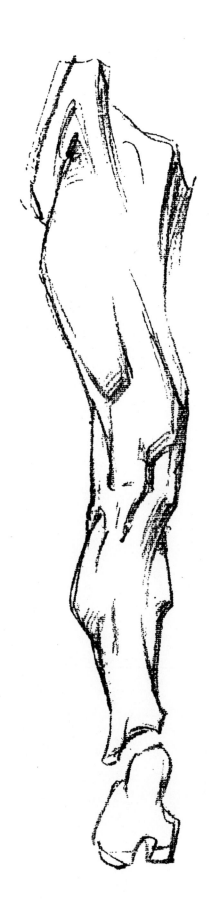

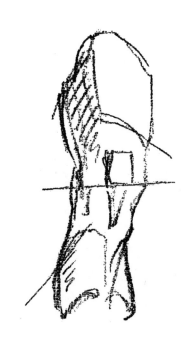

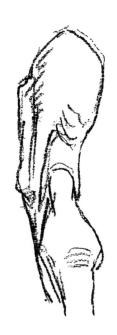

下　肢

　　下肢分为三部分——大腿、小腿和足。这些部分与上肢的胳膊、前臂和手相对应。大腿从骨盆延伸到膝，小腿是从膝到足。

　　最长和最结实的骨是股骨（大腿骨）。它在髋关节窝处，通过一个长颈部与骨盆相接，它自己带有超出骨嵴最宽部分的轴。两条股骨（大腿骨）在由此通往膝部的过程中逐渐聚集，使得膝部处于髋关节窝下面。在膝部，股骨靠在小腿的主要骨骼（胫骨）上，并且形成了一个铰链关节。胫骨向下形成内踝关节。此外，未及膝部的骨头是小腿的第二骨骼（腓骨），它向下形成外踝关节。它位于外侧，在顶部和底部附着在胫骨上。这两块骨头几乎是平行的。在股骨和胫骨的接合处生有膑骨（膝盖骨）。这是一块近似三角形的小骨头。它的下面是平的，上表面是凸的。

　　股骨的大转子是到达胫部接合处以外的骨体的上端头。

　　股骨的下半部变宽，形成两个铰链突，称为粗隆。它们分别位于外侧和里侧，并且都可见。

大腿和小腿

从股骨头（大转子）到膝部外侧有一条腱，称为髂胫带。它形成了从股骨头到膝部外侧的直线。

从髂骨嵴到膝盖骨，股直肌呈现稍微膨出的直线。在后者的两侧，各有一对肌肉组块。外部的（外股肌）形成一个组块，并且稍稍悬垂在髂胫束外面。内部的（股中间肌）只在大腿的下三分之一部分膨出，在内侧悬凸在膝部上。

在这后面和里面，大腿沟处的缝匠肌是从上部的髂骨到下面的后膝部。

大腿沟后面是厚实的内收肌肌肉块面，它向下一直达到大腿的三分之二处。

大腿沟和内收肌后面，围绕大腿后侧，到髂胫束的外面是腘绳肌内块面，这一肌群的腱可以在后膝部两侧看到。它是一对肌肉，在膝后部菱形的腘窝上部分开，腘窝下部一角是由腓肠肌肌肉形成的，也同样是分开的。

与大腿骨端头宽度一样的是胫骨头，紧挨其下骨体在两侧变窄，但在外部，稍靠后的地方，是腓骨头（与前臂的尺骨相对应），大大地弥补了变窄的那一侧。

胫骨嵴一直沿小腿前侧向下，向外的一侧有一个锐边，向内一侧有个平面，在踝关节处向内弯，形成了内踝骨。

前小腿骨（腓骨）靠外的骨头不久就被一块优美的膨出的肌肉块覆盖着，重新显露出来后成为外踝骨。

小腿后侧是两块肌肉。在下方的是低、平而且宽的比目鱼肌；上方是有两个鼓起的腓肠肌盖住了小腿的上半部，并且穿过了上面的膝关节，形成了那里的两个结。这两块肌肉联合起来，形成了足跟的跟腱。

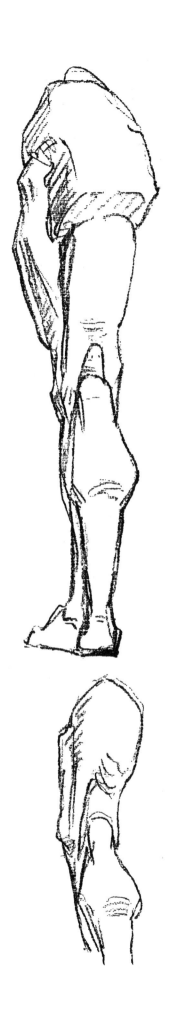

301

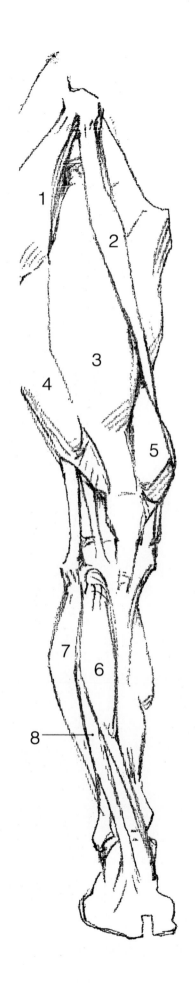

阔筋膜张肌：从髂骨嵴前端到阔筋膜或者髂胫束。作用：拉紧筋膜，向内转动大腿。

缝匠肌：从脊柱到前髂骨再到内部的胫骨。作用：弯曲、外展和向内转动大腿。

股直肌：从髂骨嵴到膑骨总腱。作用：伸腿。

股外肌：从股骨外侧到膑骨总腱。作用：伸腿和向外转腿。

股内肌：从股骨内侧到膑骨总腱。作用：伸腿和向内转腿。

骨骼

髋部——骨盆

大腿——股骨

小腿——胫骨和腓骨（外部）

肌肉

前视图

1. 阔筋膜张肌

2. 缝匠肌

3. 股直肌

4. 股外肌

5. 股内肌

6. 胫骨前肌

7. 腓骨长肌

8. 趾长伸肌

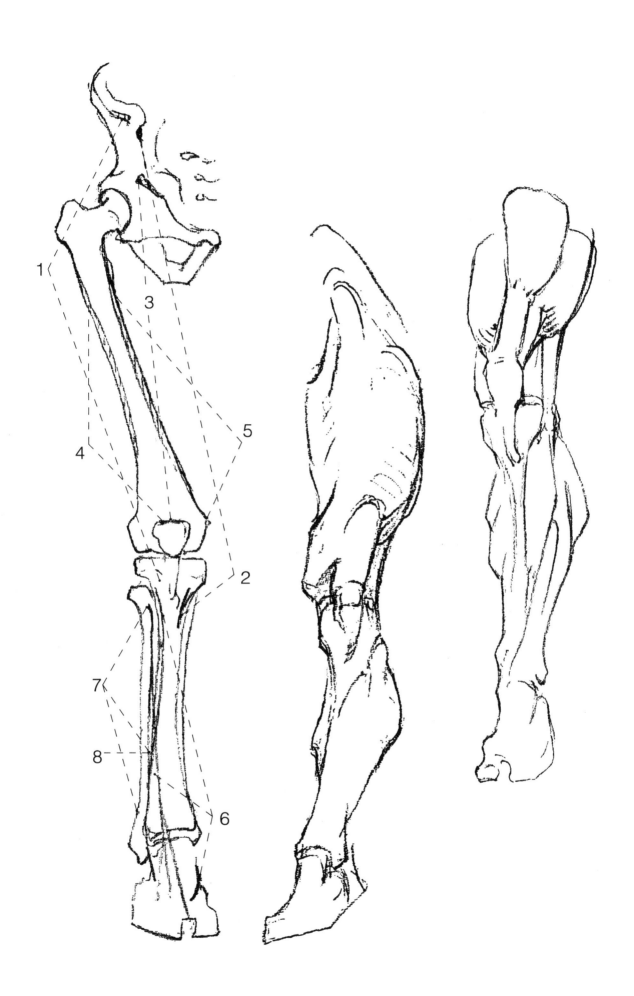

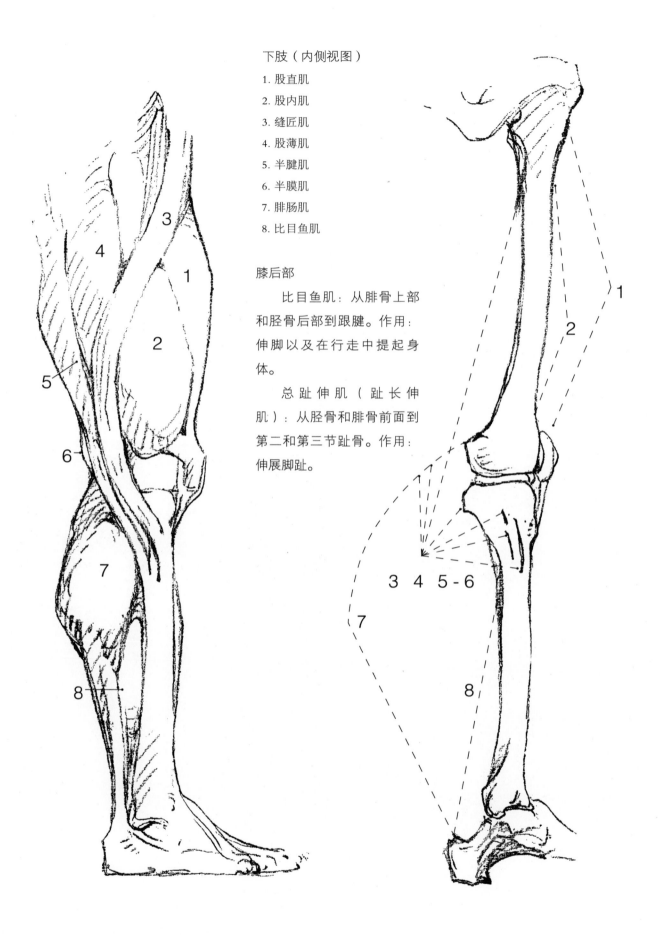

下肢（内侧视图）

1. 股直肌

2. 股内肌

3. 缝匠肌

4. 股薄肌

5. 半腱肌

6. 半膜肌

7. 腓肠肌

8. 比目鱼肌

膝后部

　　比目鱼肌：从腓骨上部和胫骨后部到跟腱。作用：伸脚以及在行走中提起身体。

　　总趾伸肌（趾长伸肌）：从胫骨和腓骨前面到第二和第三节趾骨。作用：伸展脚趾。

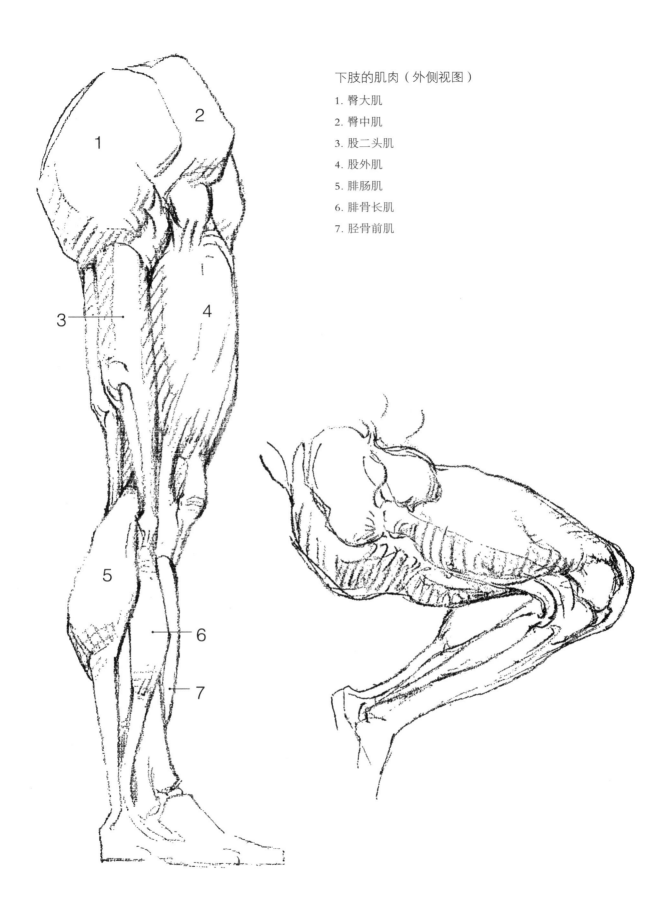

下肢的肌肉（外侧视图）

1. 臀大肌

2. 臀中肌

3. 股二头肌

4. 股外肌

5. 腓肠肌

6. 腓骨长肌

7. 胫骨前肌

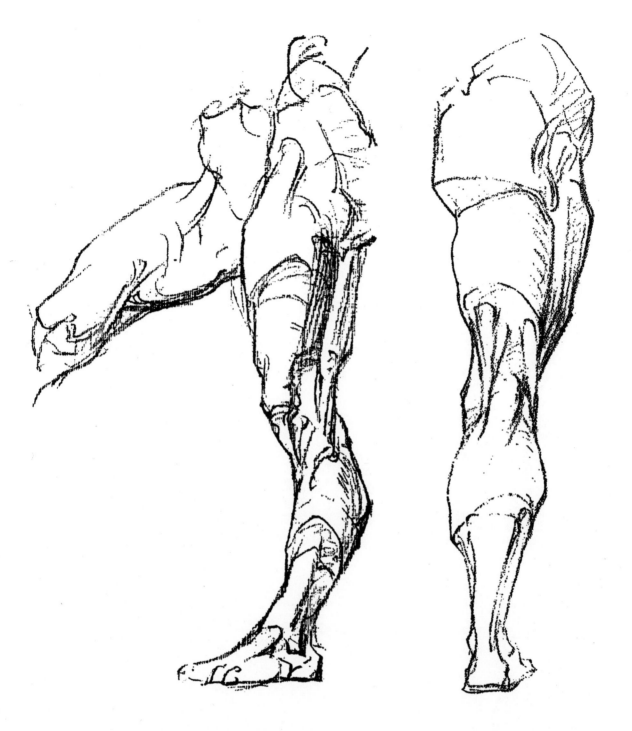

　　大腿和小腿的腿干向下至足部渐细。从任何方向看，它也具有一条展示其全部长度的向后回转的曲线。

　　在任何一侧，都有一个向下的楔形覆盖在大腿的圆形部分，同时也覆盖在方形膝关节上下两侧的方形部分，小腿在腓肠肌的部分是三角形的，在脚踝部分是方形的。

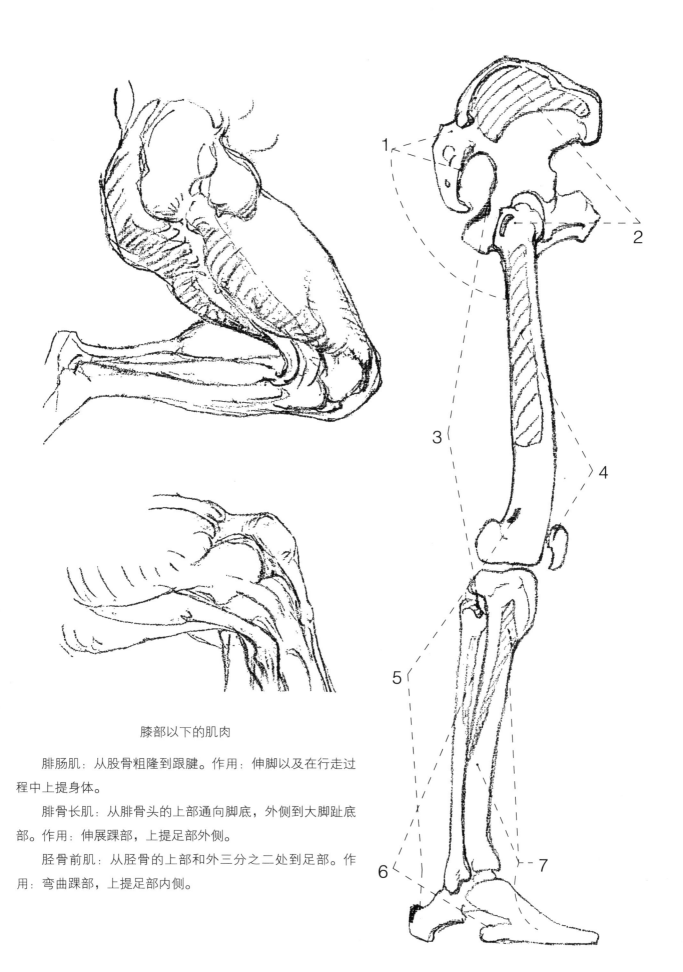

膝部以下的肌肉

腓肠肌：从股骨粗隆到跟腱。作用：伸脚以及在行走过程中上提身体。

腓骨长肌：从腓骨头的上部通向脚底，外侧到大脚趾底部。作用：伸展踝部，上提足部外侧。

胫骨前肌：从胫骨的上部和外三分之二处到足部。作用：弯曲踝部，上提足部内侧。

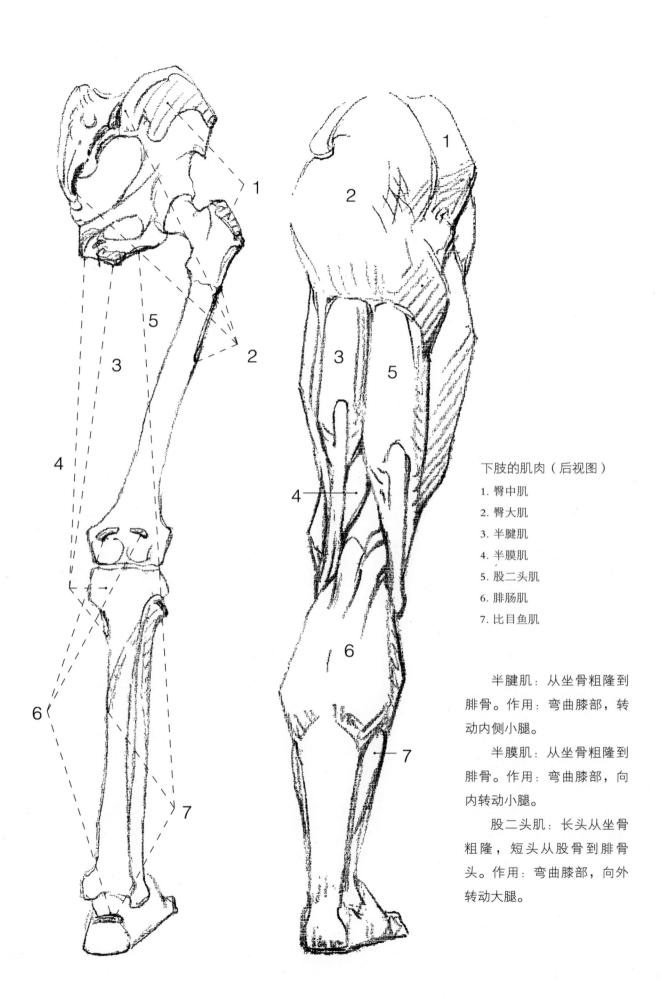

下肢的肌肉（后视图）

1. 臀中肌

2. 臀大肌

3. 半腱肌

4. 半膜肌

5. 股二头肌

6. 腓肠肌

7. 比目鱼肌

半腱肌：从坐骨粗隆到腓骨。作用：弯曲膝部，转动内侧小腿。

半膜肌：从坐骨粗隆到腓骨。作用：弯曲膝部，向内转动小腿。

股二头肌：长头从坐骨粗隆，短头从股骨到腓骨头。作用：弯曲膝部，向外转动大腿。

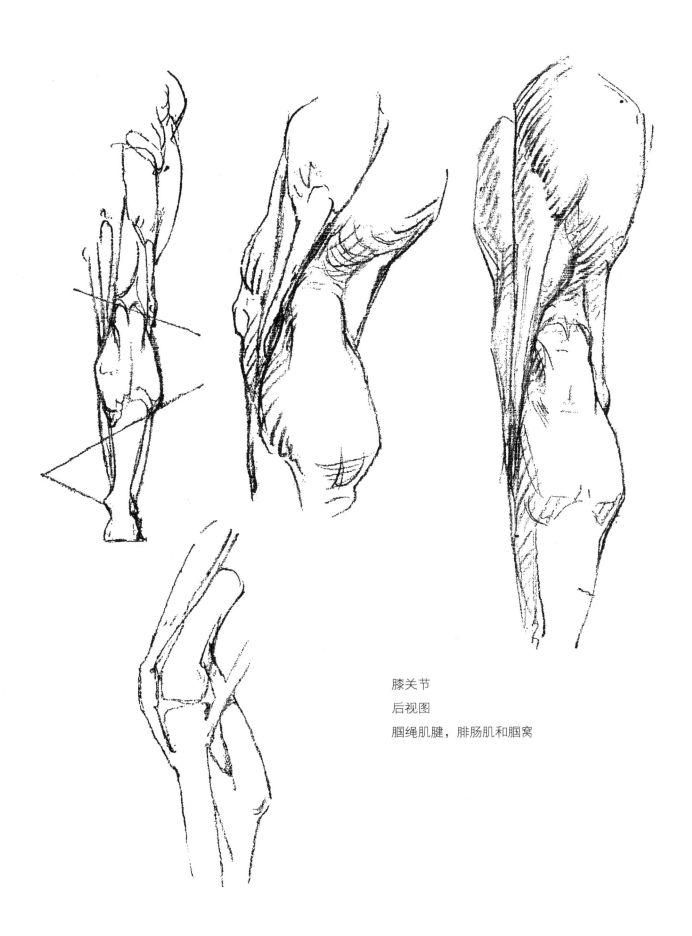

膝关节
后视图
腘绳肌腱，腓肠肌和腘窝

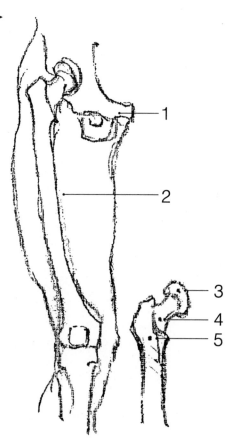

Ⅰ

大腿（前视图）

（Ⅰ）骨骼

1. 耻骨：属于骨盆

2. 股骨：大腿骨

3. 股骨头

4. 股骨颈

5. 大转子

（Ⅱ）肌肉

 1.股直肌：自骨盆的两个腱汇入位于膝部上面一点的股三头肌总腱。

 2.长大收肌：从骨盆的耻骨和坐骨处插入股骨内侧的范围内。

 3.股外肌：从股骨的大转子，沿骨体后面一线汇入膝部上方的总腱。

 4.股内肌：从股骨的前内侧到接近骨体全长的地方，然后插入膑骨和总腱的侧面。

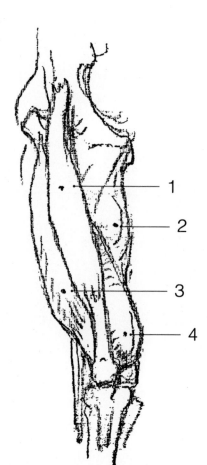

Ⅱ

（III）股三头肌构成了股直肌、股外肌和股中间肌，以及处于深部的股间肌，这四块肌肉合在一起称为伸展四头肌。它们全都在膝部上面汇集到总腱中，总腱又插入膑骨，继而通过韧带到达胫骨结节。

当股直肌从阔筋膜张肌和缝匠肌中间露出来时，可以看到它从这里沿大腿表面垂直向下汇入膝部上方的腱里。比起两侧的肌肉，股直肌向外膨出很高。外侧的肌肉以一个三角形的腱为其末端，三角形的腱进入膝部上方的膑骨。内侧肌肉位于大腿很低的位置，在大腿的下边界可以明显地看到。它绕过膝部内侧，到达与膑骨的接合处。

（IV）人体本身有杠杆和滑轮系统，通过它们，肌肉可以牵动活动的骨骼。大腿可以向前和向后摆动。当它处于运动的时候，所有围绕髋关节的肌肉都被发动起来，进入运动状态。大腿的三头肌类似胳臂的三头肌，也是由三块可以协作运动的肌肉组成的。当它们牵拉的时候，可以伸展小腿。

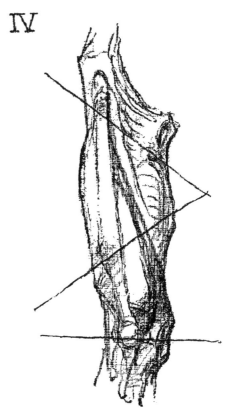

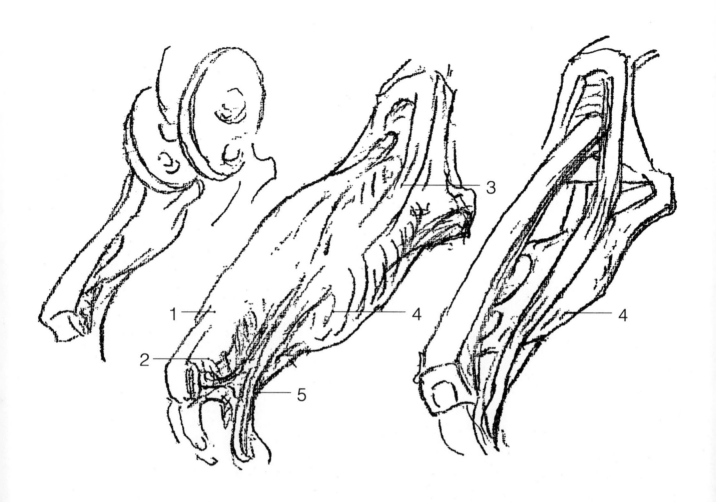

大腿骨是所有杠杆中最完美的，由从大腿骨"曲杆"到骨盆的肌肉来保持平衡。这些肌肉相互作用，来转动在臼窝中的圆滑的股骨头。与骨体平行的肌肉控制膝关节的运动。当向上拉大腿时，小腿的伸展肌肉处于前面或上面，而大腿处的那些弯曲小腿的肌肉处于后侧。

缝匠肌从髂骨嵴沿正弦曲线掠过大腿，进入一个扁平腱，并卷绕在膝部的内侧表面再伸入胫骨。

内侧视图

1. 股直肌

2. 股内肌

3. 缝匠肌

4. 内收肌

5. 绳肌腱

外侧视图

1. 绳肌腱（半腱肌）

2. 股直肌

3. 股二头肌

4. 股外肌

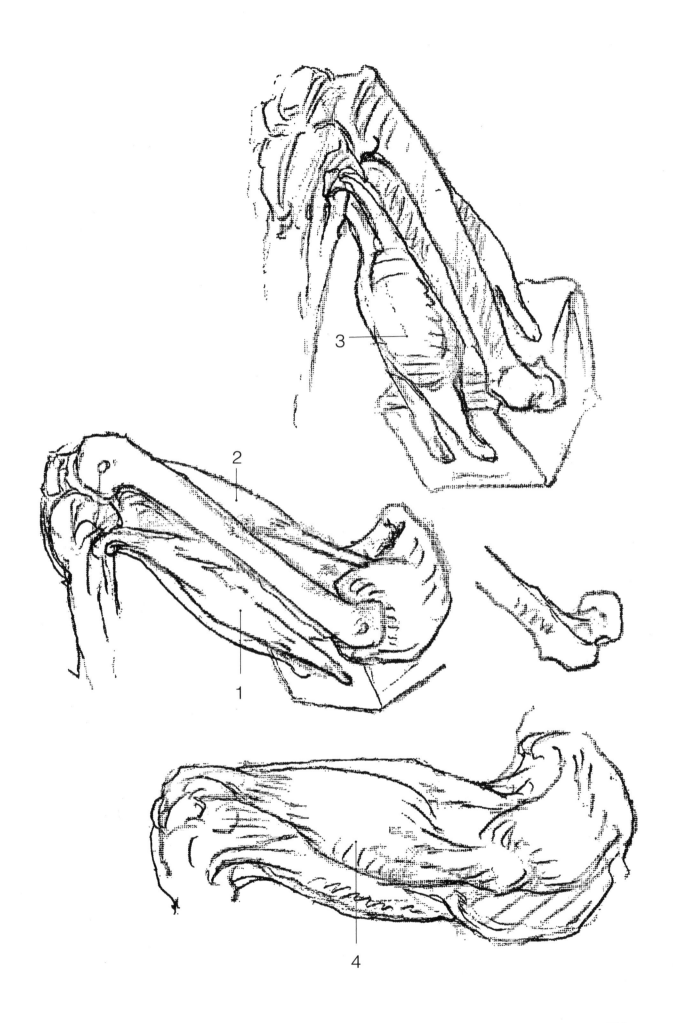

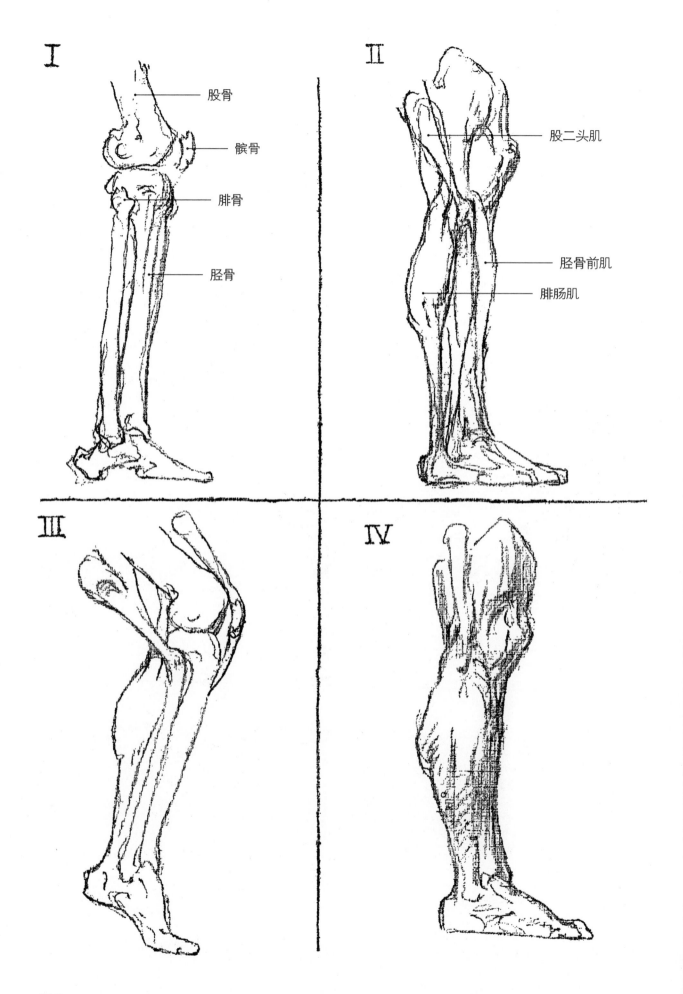

I

股骨

髌骨

腓骨

胫骨

II

股二头肌

胫骨前肌

腓肠肌

III

IV

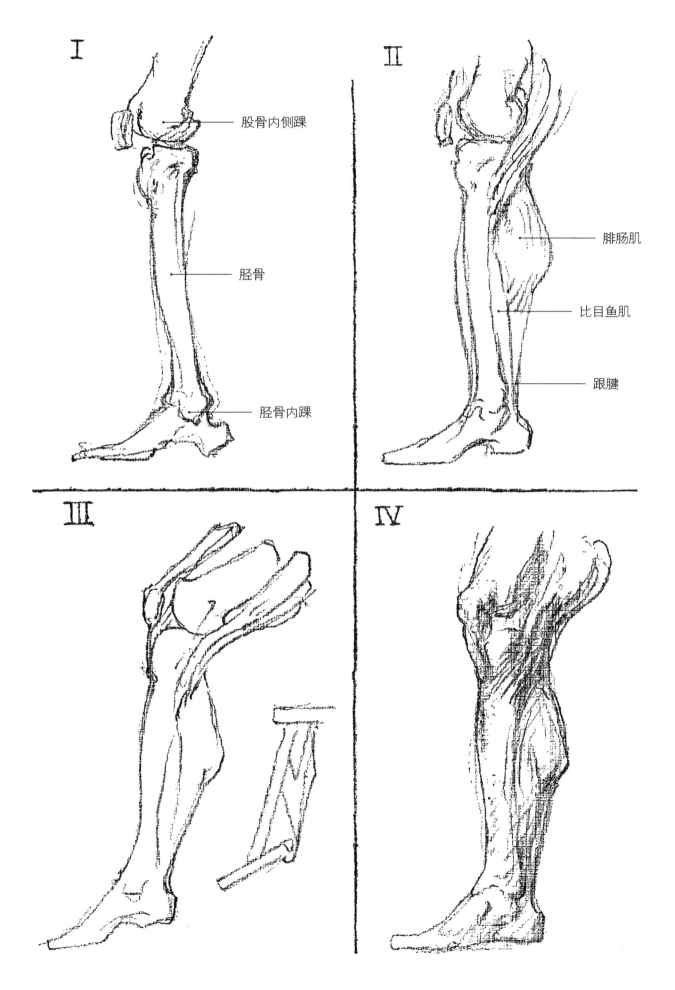

Ⅰ

股骨内侧踝

胫骨

胫骨内踝

Ⅱ

腓肠肌

比目鱼肌

跟腱

Ⅲ

Ⅳ

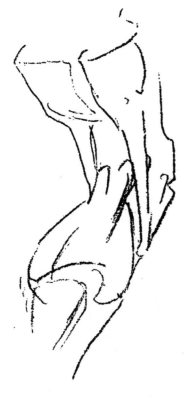

膝 部

　　可以把膝部想象为一个方形，四周向前倾斜，后部稍有些凹，前面是膝盖骨。当膝部伸直时，它的囊（水垫）在膝盖骨和腱之间转角处的两侧，正对着关节本身各形成了一个鼓包。膝盖骨总是在关节平面的上面。膝部后侧，当弯曲的时候，两侧的腘绳总腱形成了一个凹坑。当伸直的时候，它们中间的骨骼变得很凸出，通过这些腱，形成了三个结。膝部内侧比较大，整个膝部向着另外一个膝部弯凸。

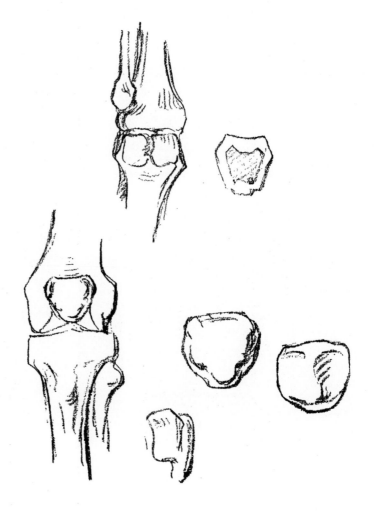

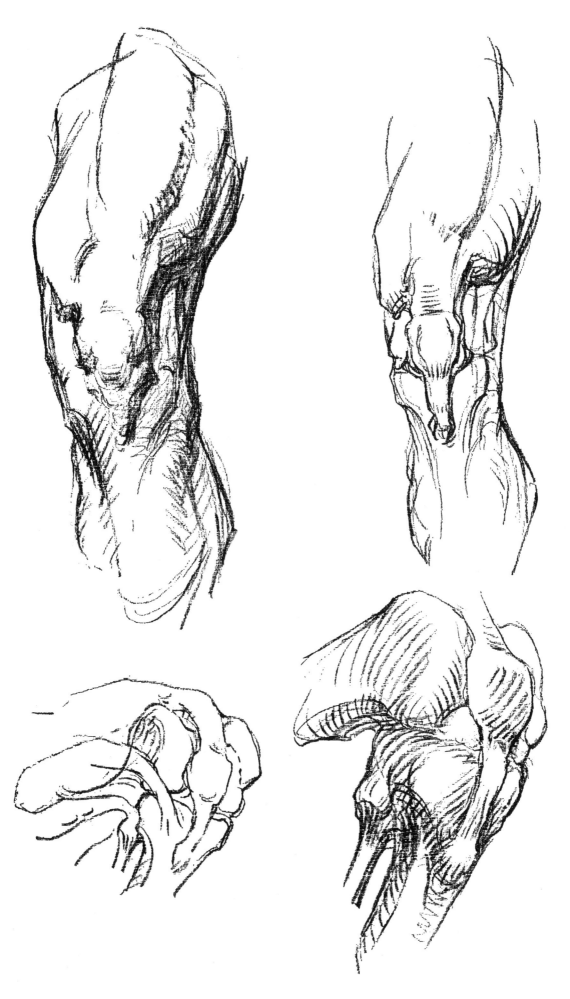

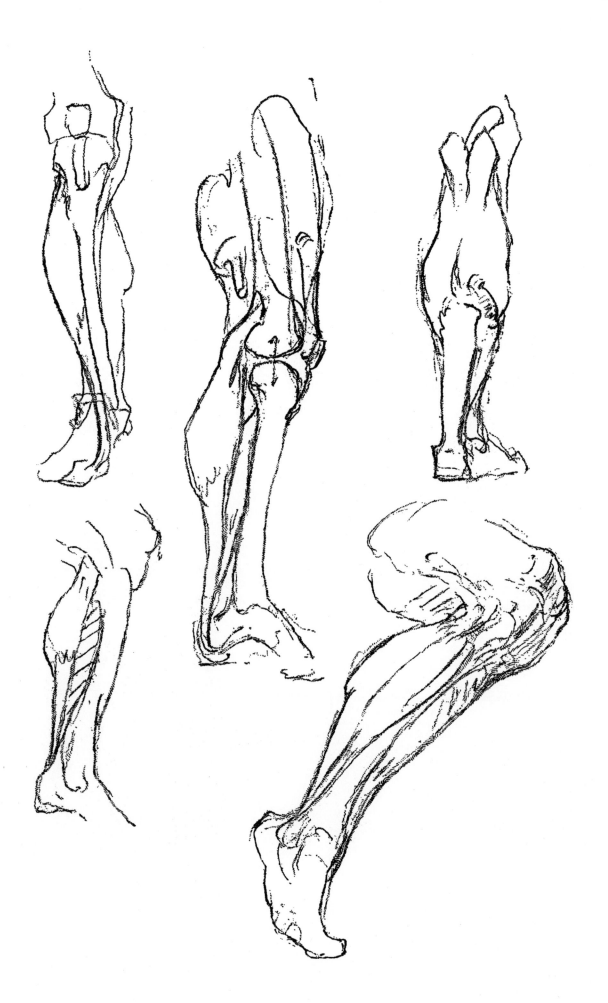

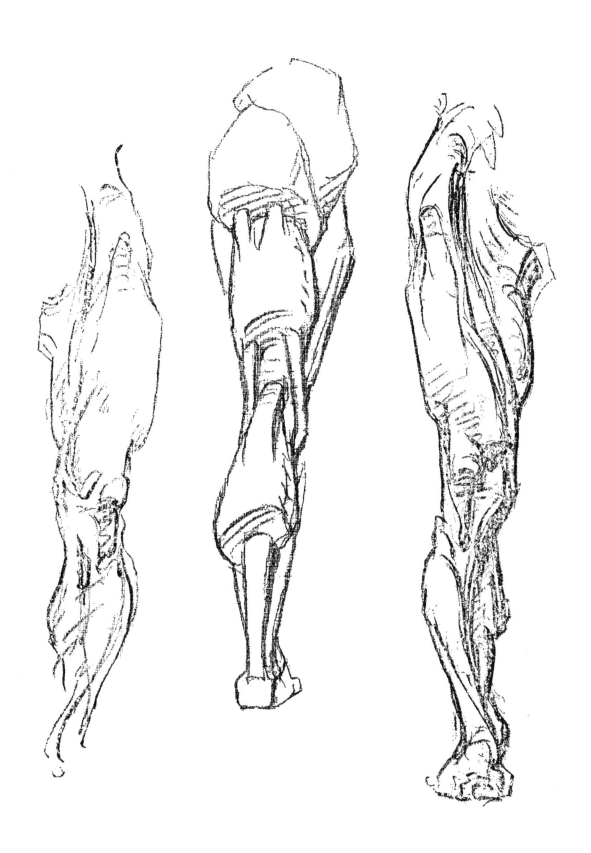

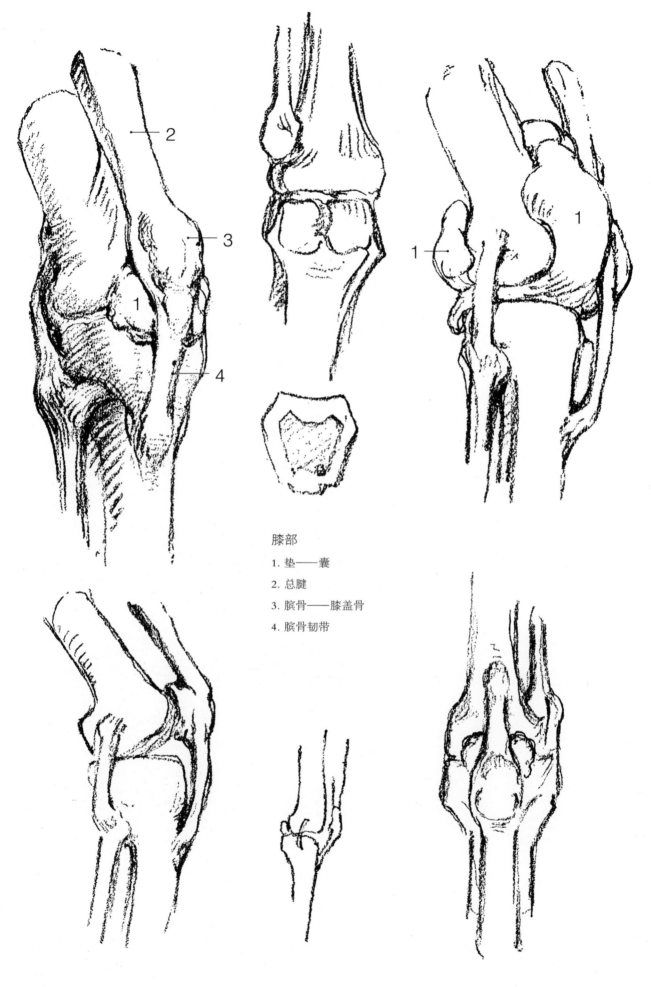

膝部

1. 垫——囊
2. 总腱
3. 膑骨——膝盖骨
4. 膑骨韧带

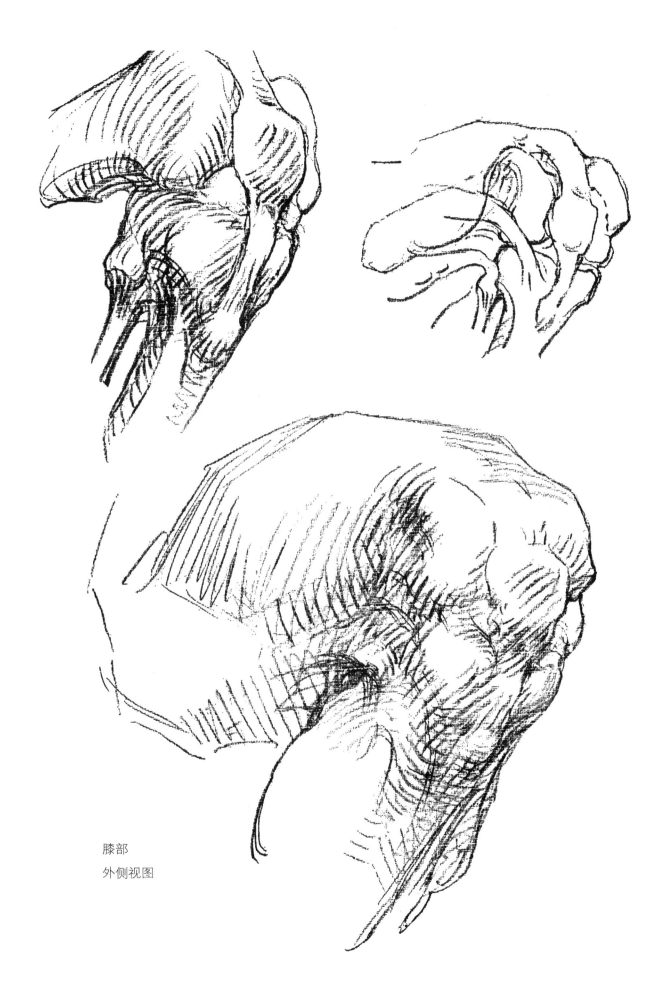

膝部
外侧视图

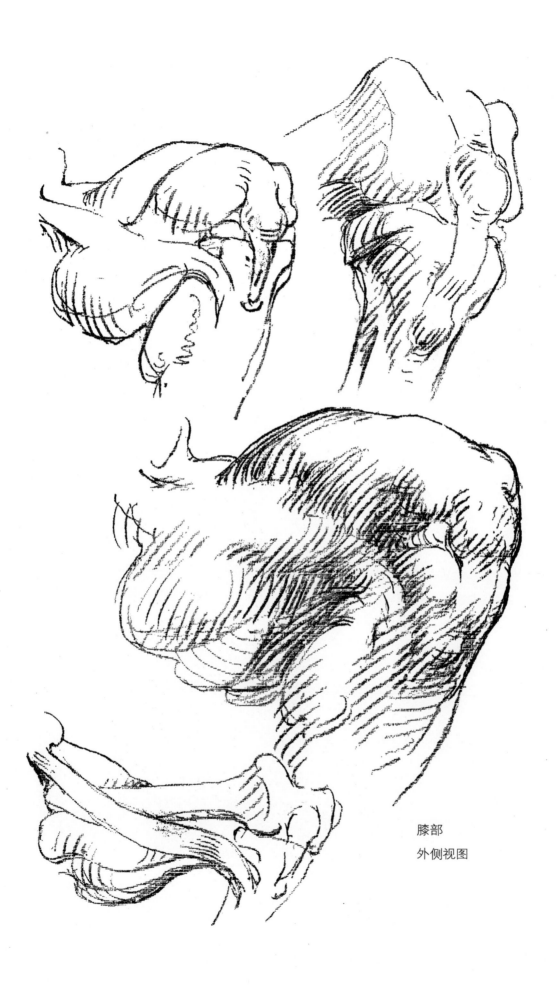

膝部
外侧视图

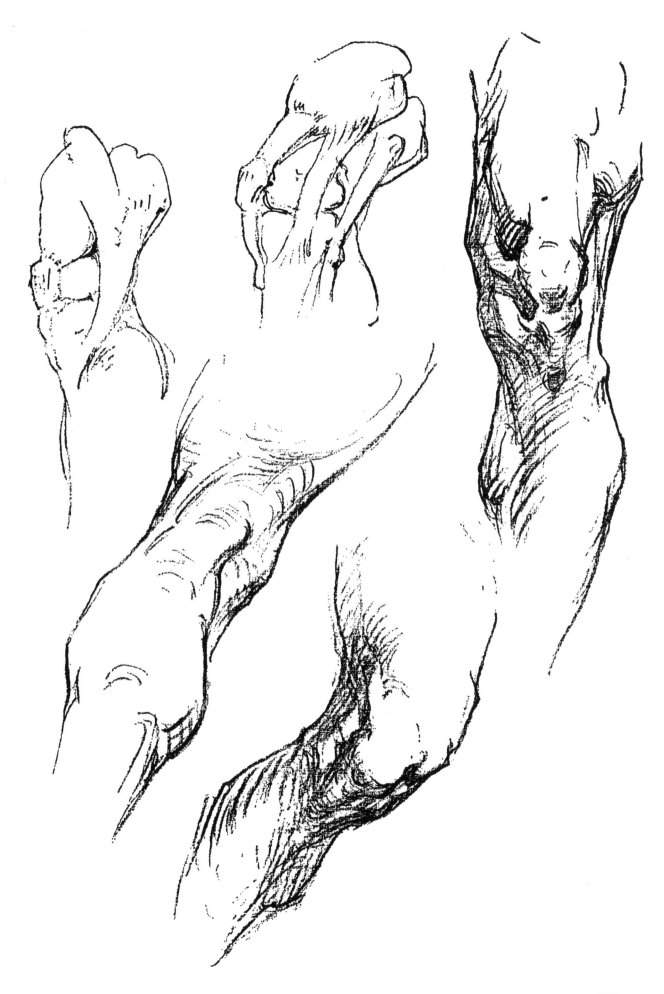

足 部

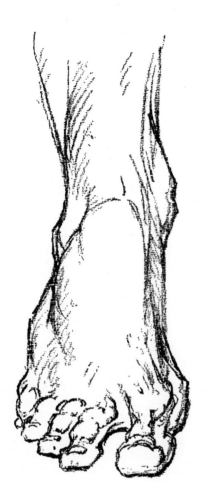

就如小手指一侧是手的根部，足部的外侧也是足跟侧。足部外侧包括足跟在内是平的，它比内侧短而低，外踝骨也低而短。

就好像被大脚趾和脚趾腱抬起来一样，内侧稍高一些。脚踝前部的结节与大脚趾底部相对应，在外侧与之相对的，是一个类似的结与小脚趾的底部对应。

足部的这种对称适应其负重的功能，并且发展成一系列完美的弓形。脚的五个弓形汇集到足跟，脚趾成为其外张的几个支墩，足跟的球形成一个反向的弓形。内足弓逐渐升高，形成反向弓形的一半，另一半是由另一只脚补充完整的。这个弓形的运动逐渐向脚踝展开，直到小腿的两个柱形结构和其间的弓形，为此，小腿位于足部中心线稍稍靠内侧的地方。

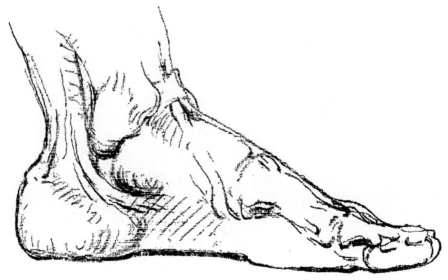

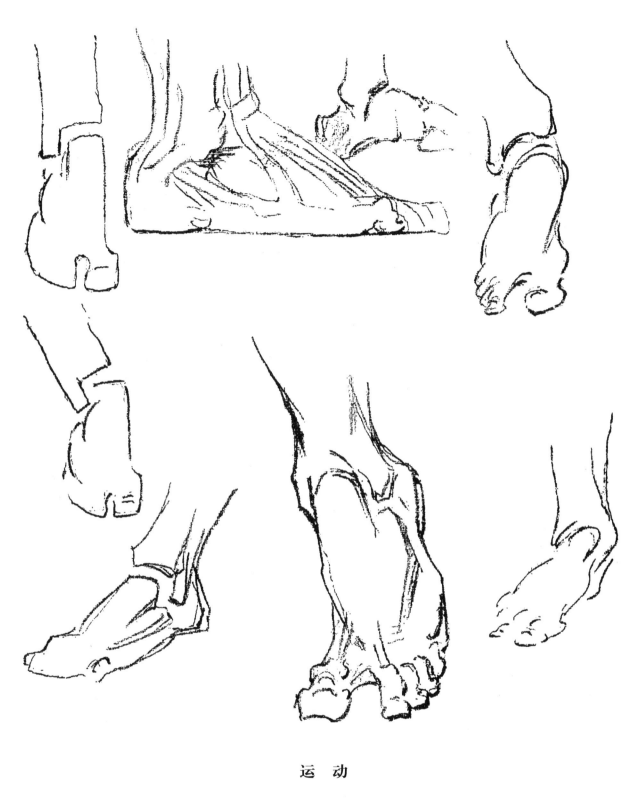

运　动

　　足部在任何位置都试图保持与地面平面接触，因此，足弓也相应地发生变化。在运动中，足部几乎与小腿成一条直线，但是落地的时候，外侧或者足跟先着地，随之整个足部向内侧落下。

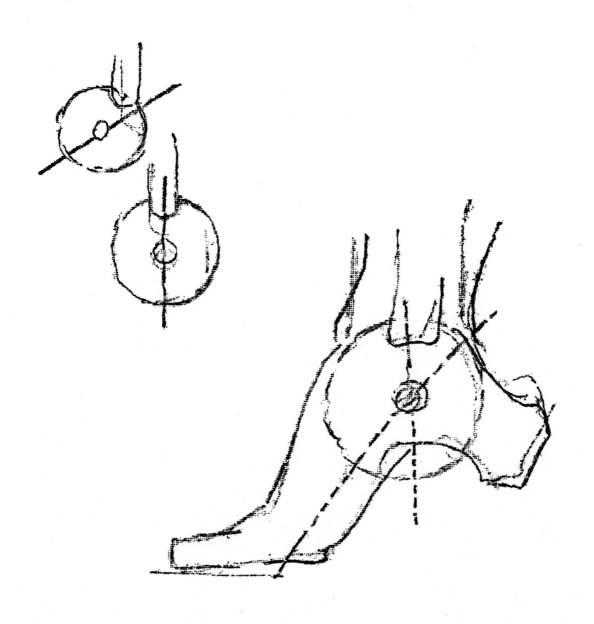

外展和内收

　　将足部向内转动朝向身体，称为内收。外展的意思就是向外转动。外展和内收由绕过内外踝骨的腱来控制，外踝骨上的腱向外牵动足部，内踝骨上的腱把脚向内转。

　　脚能够转动并提起其内侧边缘。产生这一运动的肌肉是从小腿外侧达到小腿内侧，至足弓到大脚趾的趾骨底部的腱，称为前胫骨肌。

1. 通过环状韧带的伸肌
2. 绕过外踝骨到脚外侧长短腓骨肌的腱
3. 从内踝骨前面插入大脚趾底部的前胫骨肌

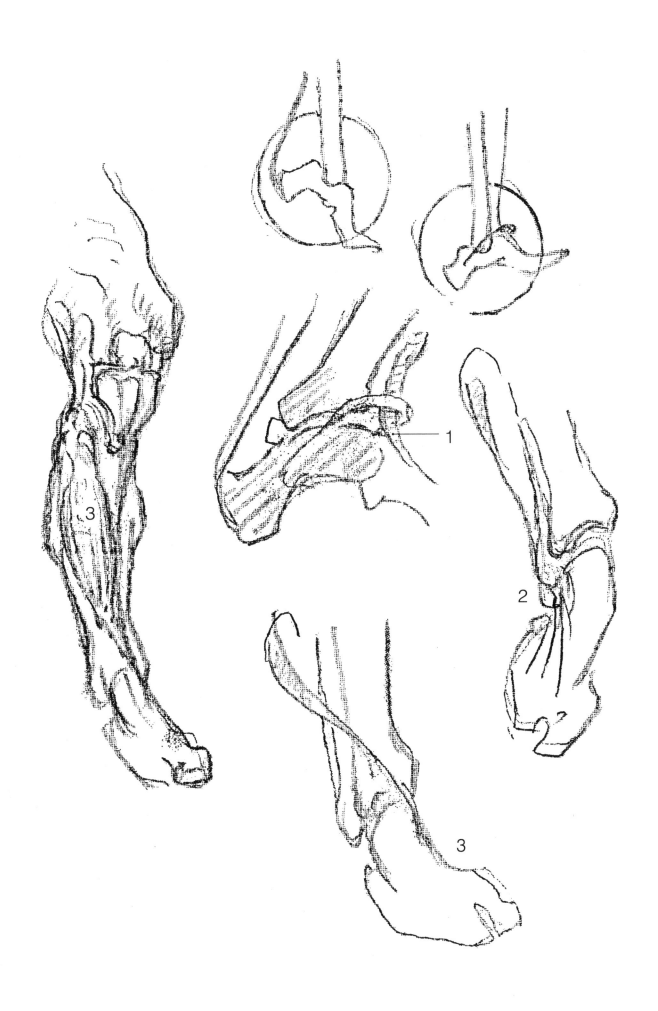

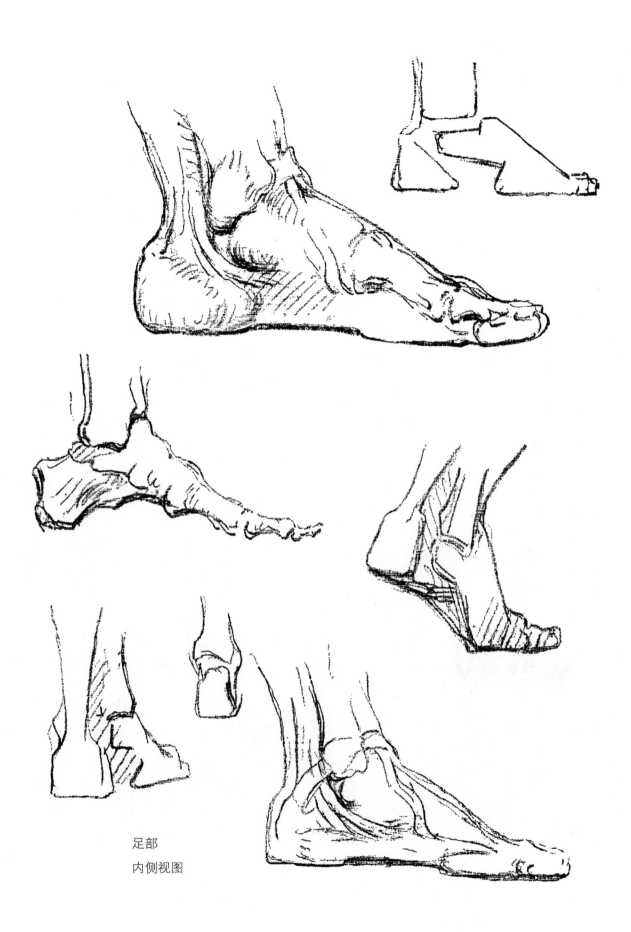

足部
内侧视图

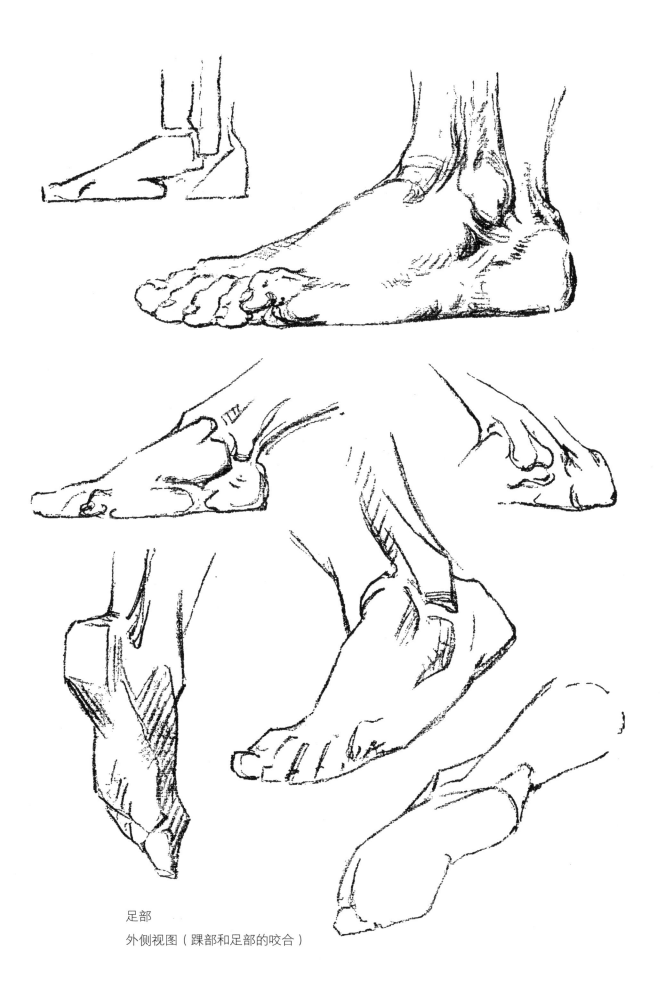

足部
外侧视图（踝部和足部的咬合）

足部的骨骼和肌肉

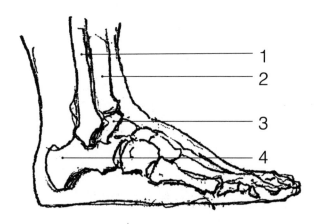

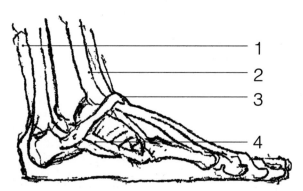

骨骼（外侧）

1. 腓骨
2. 胫骨
3. 距骨
4. 跟骨

肌肉（外侧）

1. 跟腱
2. 趾伸肌
3. 环状韧带
4. 腓骨肌

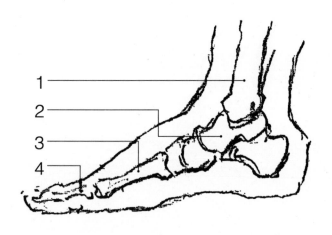

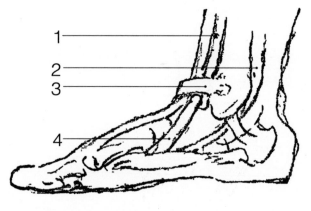

骨骼（内侧）

1. 胫骨
2. 距骨
3. 跖骨
4. 趾骨

肌肉（内侧）

1. 胫骨前肌
2. 大脚趾屈肌
3. 环状韧带
4. 大脚趾外展肌

脚　趾（脚趾垫和楔形块面）

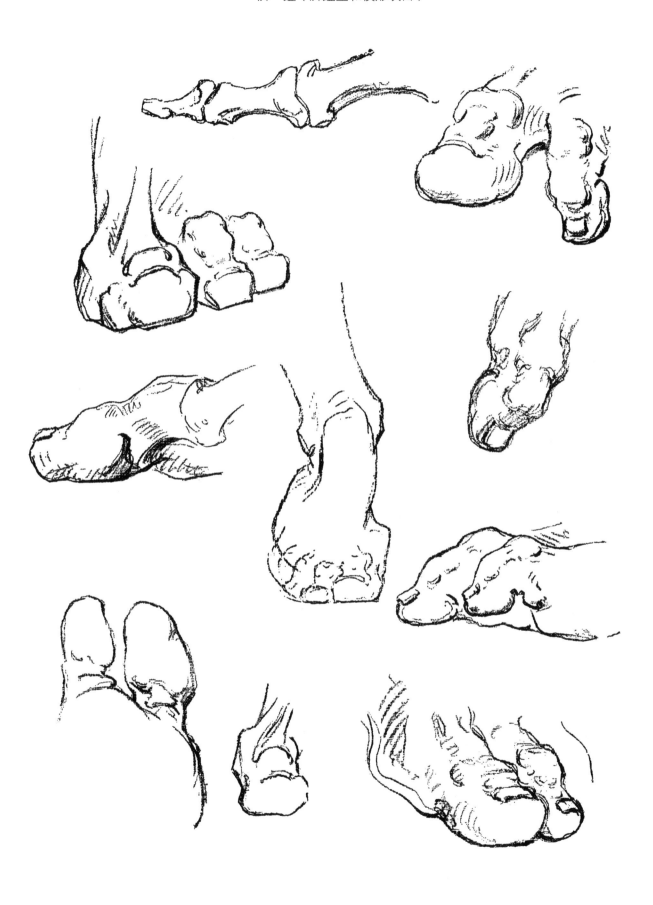

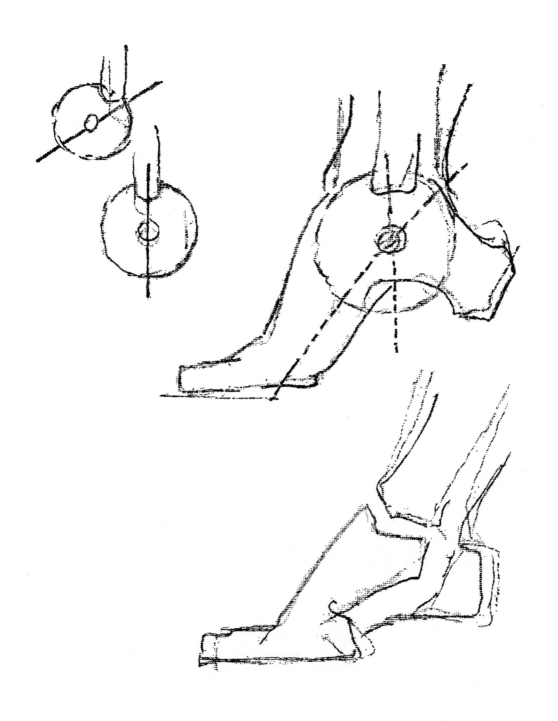

脚 趾

　　脚趾位于脚的前部，着地时与地面保持平面接触（小脚趾例外）。大脚趾以及小脚趾向下先着地，其他脚趾后到达地面。

　　用于移动脚趾的"机械设计"是一根腱上的槽口，并可以使另一根腱由此穿过。足部的一根长腱弯曲脚趾的第一个关节，而且穿过了弯曲第二关节的短腱。

　　足部具有支撑整个身体重量的作用，具有弹性和柔韧优美的外形。腱和韧带的布局，以及它们缠绕、绕过和穿过狭缝的方式，与机械中的履带非常类似，其构造让桥梁建筑师羡慕不已。

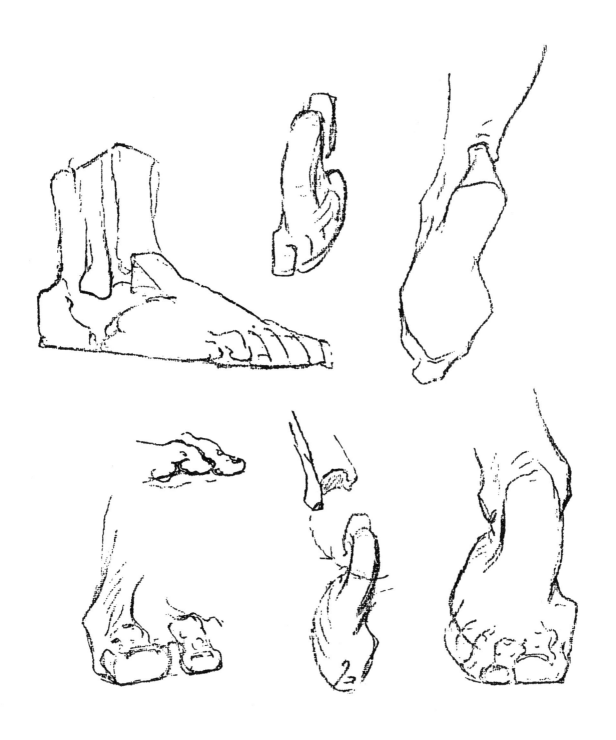

　　足弓从足跟到脚趾形成曲线。在内踝骨和外踝骨两块骨头中间，足弓自由自在地起着作用。从足弓底部的两端，伸展着一条强壮的韧带，它随着承受身体的重量而下降或者上升。足部从侧面到前面的横向也呈弓形。足部的骨骼被韧带绑着挤在一起。小腿骨坐落在足弓上，在那里，它与距骨、腱骨或者足弓的拱顶石相接。这块拱顶石不像砖石结构中那样固定，而是可以在内外踝之间自由移动。足跟位于脚的外侧，大脚趾上的球状骨结位于内侧，具有如前所述的扭转和反向运动。

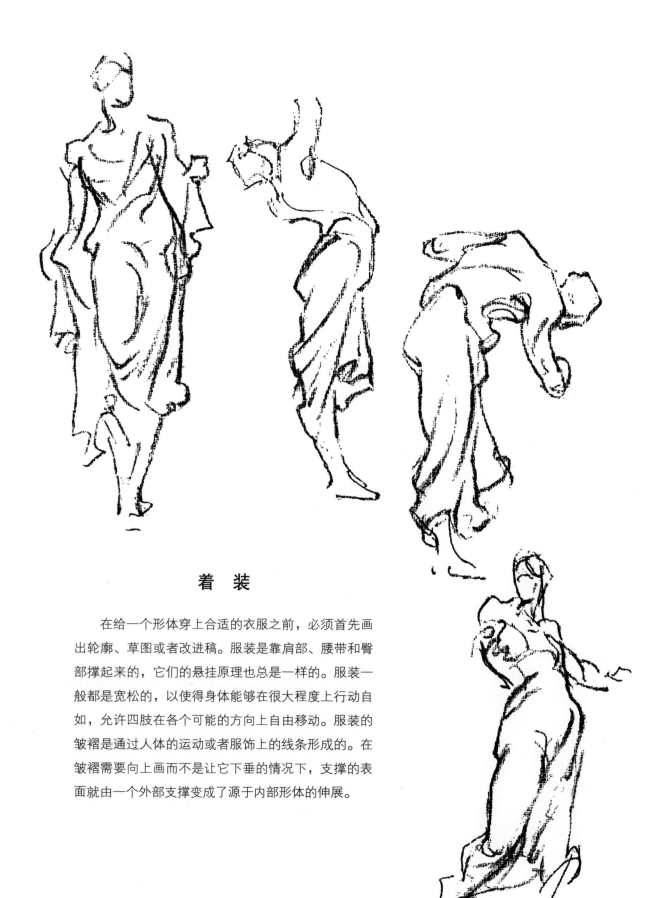

着 装

在给一个形体穿上合适的衣服之前，必须首先画
出轮廓、草图或者改进稿。服装是靠肩部、腰带和臀
部撑起来的，它们的悬挂原理也总是一样的。服装一
般都是宽松的，以使得身体能够在很大程度上行动自
如，允许四肢在各个可能的方向上自由移动。服装的
皱褶是通过人体的运动或者服饰上的线条形成的。在
皱褶需要向上画而不是让它下垂的情况下，支撑的表
面就由一个外部支撑变成了源于内部形体的伸展。

时　尚

　　在古代的时候，服装就简单地源于衣肩或者腰带的悬挂原理。时尚会改变，但是基本的原理一直保持不变。一块衣料悬挂在空中，由于重力而下垂，是完全决定于对它的支撑。当失去支撑后，它就会下落，摊平并且变得没有活力。

　　服饰一直追随着艺术，由此可以区分某些特定大师不同阶段的作品。因此，必须明白形体不可能是对皱褶的低级模仿。从一个时代的V形扭结变成了别一个时代的长圆形的彩饰。古典时代的制服比当代的制服更适合于研究皱褶的规律。在陶器上的希腊绘画秉承长而平滑或者掠过的线条，线条以钩一样的形状而终止；而哥特绘画则变成由圆到角；文艺复兴时期表现出线条沿形体的放射，让平坦的表面附着或者贴靠在形体上，以此来强调里面的形体。

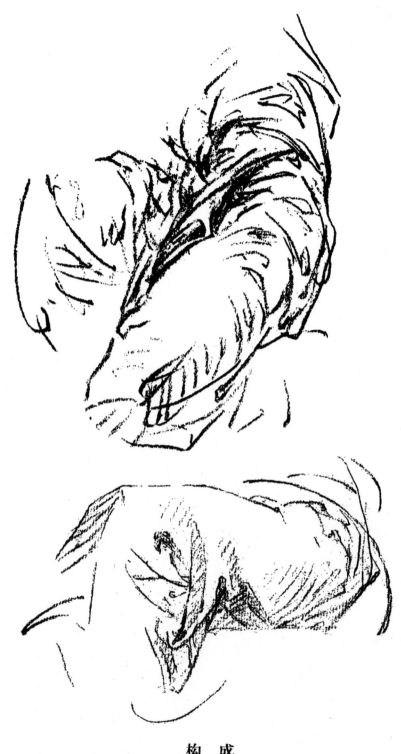

构　成

　　尽管一个人可以通过注意观察来模仿每一块衣料的每一个皱褶，然而可以看到，模特每动一下，皱褶就显示出不同的变化。因此，必须找到一些潜在的规律，否则就没有整体的协调性。

　　布料制成了服装，但是必须去思考的是一个被衣料计划遮住的形体。这个事实总是处于最高位的。然后，艺术就是对线条、韵律、疏密和主次的分布、聚合和平衡的安排，以及将所有这些元素结合成一个和谐的整体。

　　画一个着装形体必须首先设计好比例关系，并且每一部分都与整体有关。不能用没有意义的，对身体的真实形状没有价值的线条和皱褶来涂抹，身体的真实形状不能被微小的细节所破坏。一切细节的安排都应该以总的构图为前提。在构成中，必须有韵律、美感。虽然对美这个词还没有人作出令人满意的定义，然而，着装形体本身必须是完整的。

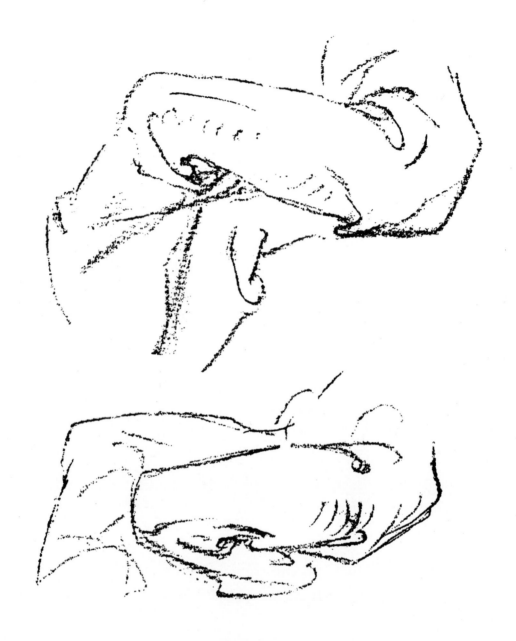

着装形体

当绘制四肢弯曲部位的皱褶时，必须明白，衣料不是附着就是被支撑在某个固定点上。如果衣料被限制，例如膝部的弯曲，皱褶在尺寸和数量上从附着点和支撑点辐射出来，那么下肢从形态上变化将很大。臀部以下的大腿是圆柱形的；膝部的形状是方的，而其侧面向前倾斜。

当小腿在膝部搭在大腿上面的时候，位于膝部上下的两块相对的块面几乎不需要细节，但是当小腿在膝关节处弯曲的时候，皱褶向上聚成束，并且带有螺旋和尖角。记住一两个皱褶的方向和意图，使后面的衣褶有纲可寻，同时还需要理论和仔细观察来发现一些重复出现的皱褶。

画皱褶的时候，需要观察那些经常呈现的形状。以此作为一个背景，人们可以加入那些对描述至关重要的东西，而非仅仅是一系列的静物习作，画一些不值得画的东西。在研究这些不同皱褶的特性的时候，应该试一试衣料的质地，以研究相对关系，例如，重量和张力的不同；沉重的衣料与轻薄或者柔软的衣料相比较。尽力记住反复出现的皱褶，然后你就会发现在所有衣料中，不管它的重量和质地如何，都有共同的规律性。

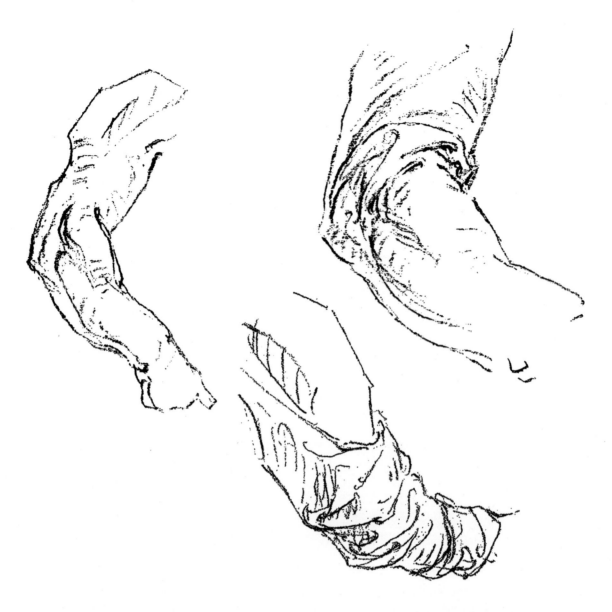

　　描绘一只袖子或着衣的胳臂，必须考虑到衣服下面的手臂。胳臂和前臂的块面是以各种不同的角度重叠的楔形和楔块运动相连接的。肩部逐渐向下倾斜并且向外展，它宽大的一侧向外，上臂在侧面变平。前臂的组块重叠在胳臂顶端的外侧，呈现一个楔形，在胳臂的三分之一的地方高起来，并且沿向手腕的方向渐细。不管胳臂是直的还是弯的，这个楔形下面的形体必须记在脑子里。皱褶环绕在上面，褶痕在圆形线条、曲折线条或者封闭线条之间变换，但是它们很少互相平行。

　　当拇指由身体向外转的时候，前臂上半部的块面是椭圆形的；当拇指侧处于相反方向的时候，它会变得更圆。前臂在接近手腕的地方渐渐变得扁平，其宽度大约是厚度的两倍。因为衣料本身没有固定形状，这些圆形和楔形的形状必须通过覆盖在手臂上的衣料被显示或者感觉出来。在某些情况下，在肘部的皱褶可以被看成一件静物，并且被作为静物来描绘，如果，对位于其下的形体转换理解了，附着和支撑点以及由它们辐射出的线条就能更好地被表现出来。

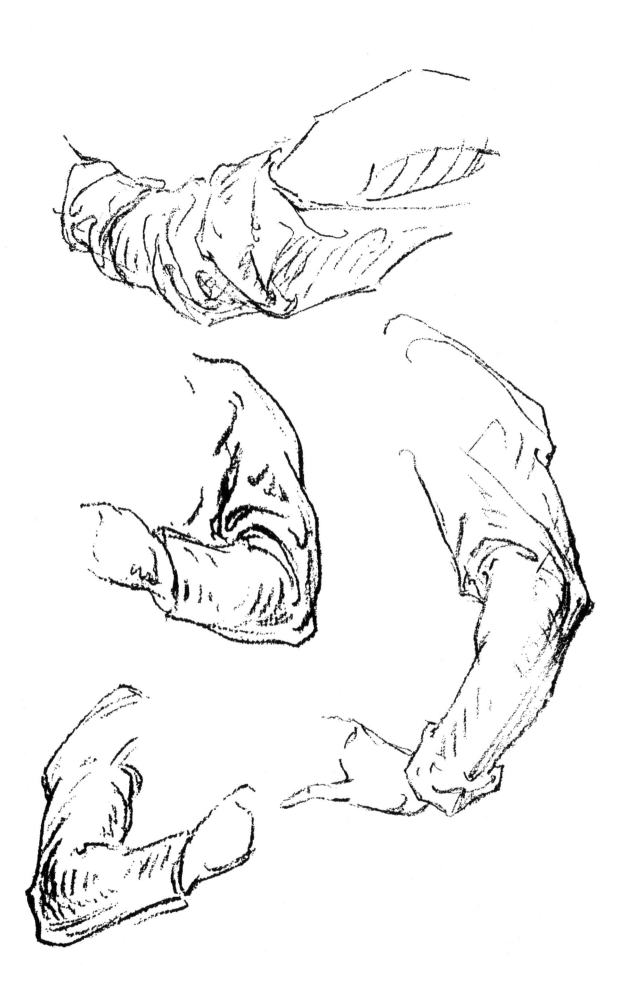

皱 褶

衣服不是别的东西，它就是缠绕在身体上的衣料，为了表述它具有的种种形态，人们应该学习以直接的方式表达皱褶的不同特性，因为，每一个皱褶有着其独特而明确的作用，就如同演员在舞台上扮演的不同角色一样。

没有相同的皱褶。皱褶有支撑点，并由此向四周呈辐射状，它们紧贴在形体上，因而其表面的凹进程度降到最低限度，或可能是曲曲弯弯地以一种不规则的方式从一侧到另一侧。有直的、环状的和V形的皱褶，以及下垂、交叉或者缠绕形体的皱褶。有一些衣料，具有凹凸的形状以及类似绳索的边缘。所有的皱褶都有其自身的规律。有些皱褶融入与其相对的皱褶并且渐渐消失了，而另外一些皱褶的消失则显得很突兀。每一个独特的皱褶有它自己的方式、魅力甚至是规律。它们各有其功能，因此每一个皱褶都必须作为完全分离的没有联系的东西来分别研究，然而，自始至终仍然必须坚持韵律的不可预见的定律。

正如你可能会研究胳臂和前臂，或者大腿和小腿的表面，以及它们在肘部或者膝部关节的联系，这些皱褶经由或者进入别一部分的时候，必须同时出现，连在一起。为此，必须对每一个皱褶给出名字以表明其功能。

皱褶的种类

衣料本没有形状，把它铺在地板上，它就依着地板的形状；扔在椅子上，它们就呈现出椅子轮廓的形状；挂在衣架或衣钩上，衣料就从其支撑点上垂落下来。衣褶可能会呈环状，下垂着或者向上扯着。明白这一点是对皱褶的理解的第一步。没有雷同的，没有一成不变的，每一个皱褶有其自身的显著特征。

说明皱褶中的广泛区别，以右图为例。首先，从其肩部的支撑点垂落的兜布型皱褶是皱褶中最容易理解的。其实在逐渐回收的臀部有一个螺旋型的皱褶；与这个螺旋相对的是一个完全不同的皱褶，那是横向的、不规则的折线。在这下面出现了另外一个不同类型的皱褶，称为管型或带型皱褶。在这之下是另一种称为半搭扣型的皱褶。这种皱褶与那种被扔在地板上的皱褶常常具有相同的形状，可称为呆滞型。也有因为运动或者因为风吹而产生的皱褶，被称为垂落型皱褶或者飞舞型皱褶。

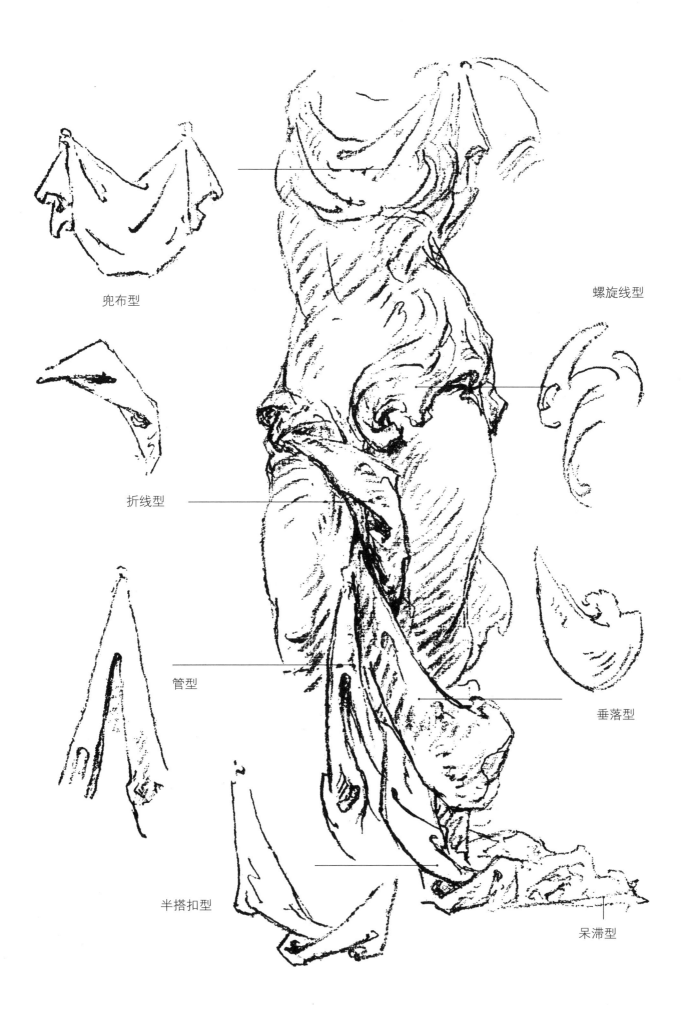

兜布型

折线型

管型

半搭扣型

螺旋线型

垂落型

呆滞型

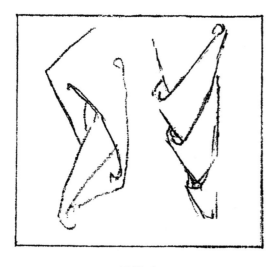

折线型

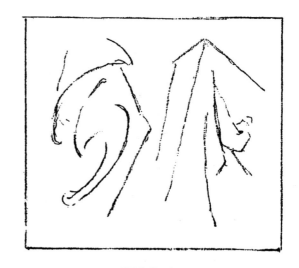

螺旋线型

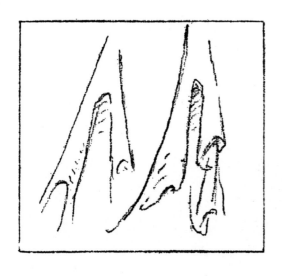

管型

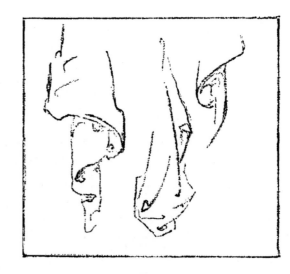

垂落型

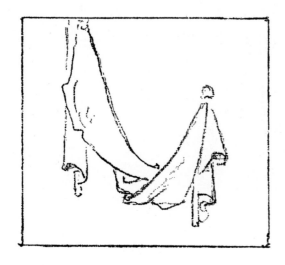

半搭扣型

呆滞型

　　这几张图，代表了皱褶不同的特征，在对着装人体的描述中，每一个都起着自身的作用。

　　人们可以总结出一套可以遵循的规律，虽然其中每一条规律都是可以被改变或取消的，但人们仍然需要知道这些规律，以便能够尽量多地运用或者有意识地去打破这些规律。

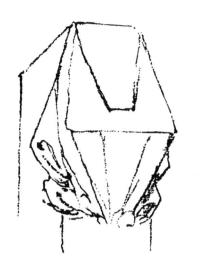

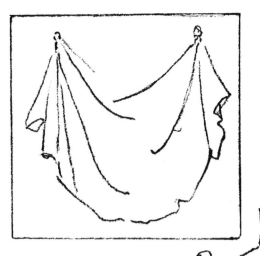

兜布型皱褶

　　每一个皱褶都必须有其支点。它或牵拉或被牵拉着，它或贴着或折叠着，它或围绕着或悬挂着，无论是在哪种情况中，它都必须被支撑着。

　　双手拿一块简单的衣料，抓住上边的两个角，让中间的部分垂下来，皱褶就会显示出是如何悬挂以及如何从两边向中间相搭的。同时试一试轻的和重的衣料，直到你记住了辐射线条间的关系。从皱褶或者褶痕的支撑点一直到两个下垂皱褶的交会处，仔细研究它们是如何交会的。伸直手臂，拿住两个角，使得两端更接近，记住所发生的变化，并且记住它们重现的方式。在你已经有了皱褶的形状之后，把衣料用图钉钉在板子或者墙上，或者放在人体模型上。

折线型皱褶

  管型的皱褶可能会弯曲，这时，外面的部分显得僵硬，下面则变得松垂。内侧的衣褶形成的皱褶图纹或多或少是明确的，必须理解并记住这些图纹形状。当弯曲的时候，这一皱褶的形状则完全改变，可能形成一种称之为折线型的皱褶。

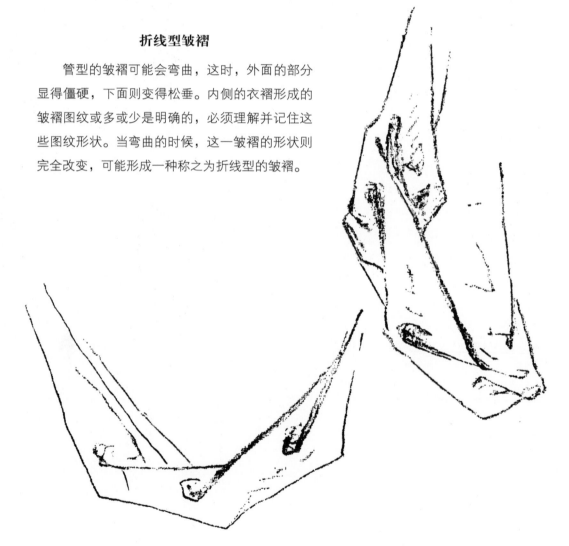

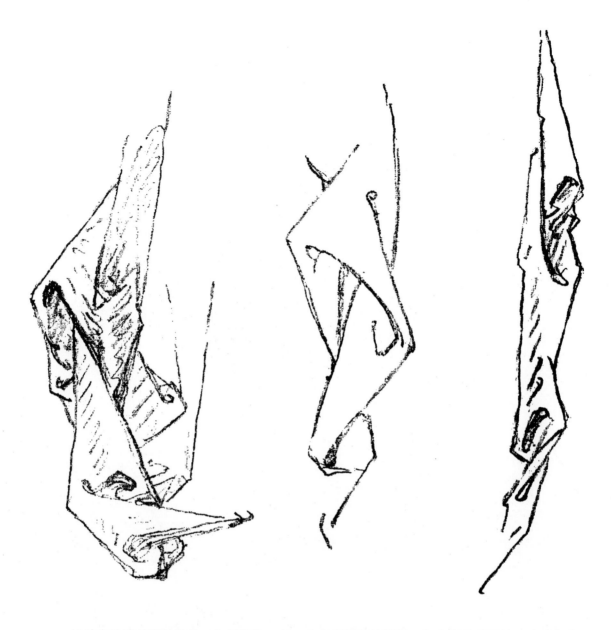

　　拉动有快速的和抽动的。为示范这一点，拿六张相叠的报纸，把它们卷成圆柱，在中部弯曲纸卷，从折弯的两边拿住纸卷并且快速地扭转，记下形成的样式。

　　你可以推测出为什么这些折弯和扭转如此始终如一地重复着自己。在一块硬币上试一试，你就会发现一个熟悉的相似性。这种重复应该贮存在大脑中，使你积累的知识与你在模特上所看到的相符合。随时记住每一个皱褶所独具的特征。记住，关于皱褶你会有一个倾向，也就是说，某些皱褶对你更有吸引力，使得你的画有别于其他的画。记住，你清楚省略的东西能为你的画面带来力量和简洁性。

　　通过画大量的画来描述互相交会搭扣的折线型皱褶。从直的或者弯曲的线条开始，试着将线端用另外的线条连接起来，这些线条正是把两种相对的力量结合在一起的因素，而不是模仿别人的画。

模仿卡巴乔的衣褶

351

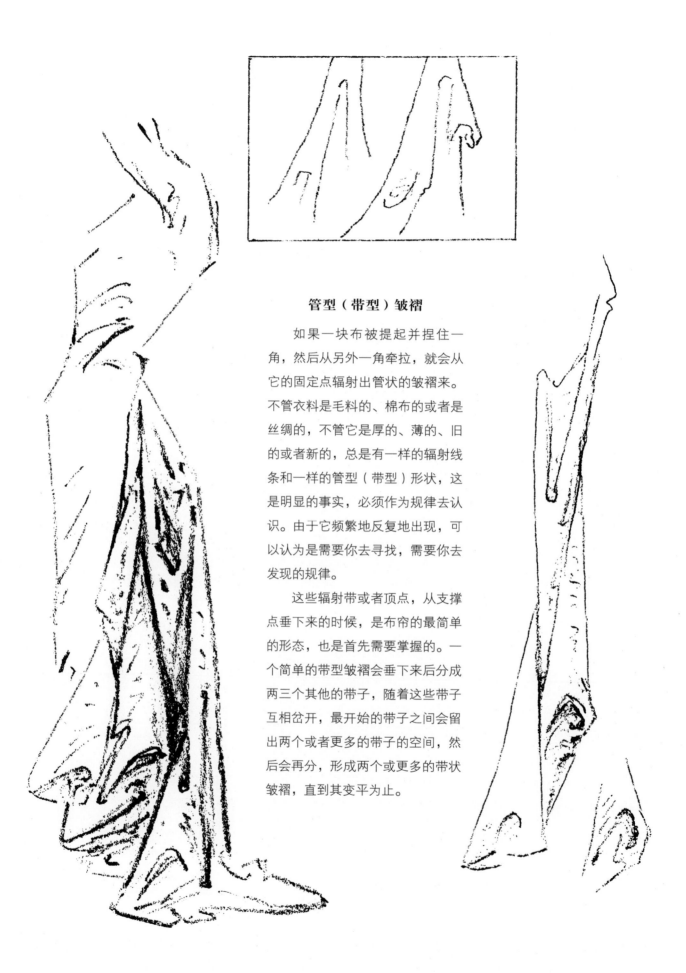

管型（带型）皱褶

如果一块布被提起并捏住一角，然后从另外一角牵拉，就会从它的固定点辐射出管状的皱褶来。不管衣料是毛料的、棉布的或者是丝绸的，不管它是厚的、薄的、旧的或者新的，总是有一样的辐射线条和一样的管型（带型）形状，这是明显的事实，必须作为规律去认识。由于它频繁地反复地出现，可以认为是需要你去寻找，需要你去发现的规律。

这些辐射带或者顶点，从支撑点垂下来的时候，是布帘的最简单的形态，也是首先需要掌握的。一个简单的带型皱褶会垂下来后分成两三个其他的带子，随着这些带子互相岔开，最开始的带子之间会留出两个或者更多的带子的空间，然后会再分，形成两个或更多的带状皱褶，直到其变平为止。

半搭扣型皱褶

　　每当一块管状的或者扁平的衣料突然改变方向，就会产生半搭扣型的皱褶。如果折转等于或者接近直角，搭扣就会更加明显，有棱有角；当它以掠过的曲线下落的时候，搭扣会更加圆滑并且更易于使得其中一个融入另一个。皱褶必须被画得能够毫无困难地表现它自己，因此，必须是直接的和简单的。

　　每一个皱褶看上去必须在性质上尽可能地独立，就像字母表中的字符一样，而且能够像字符那样可以拿到一起组成一个单词。就像每一个字符似乎是融化在那个单词中，而单词又融化在了句子中一样，皱褶也是这个硬道理，每一个具有其独特性质，而当把它们凑到一起的时候，管型、折线型、螺旋型、半搭扣型、兜布型、悬挂和下垂型的皱褶必须能够将一种融入另一种之中，形成着装的和谐画面，每一种都有它自己的功能，每一种都是被形体支撑着。半搭扣型皱褶在处于坐姿的形体上是较常见的，因此更多的角致使平面在方向上具有更大的变化。

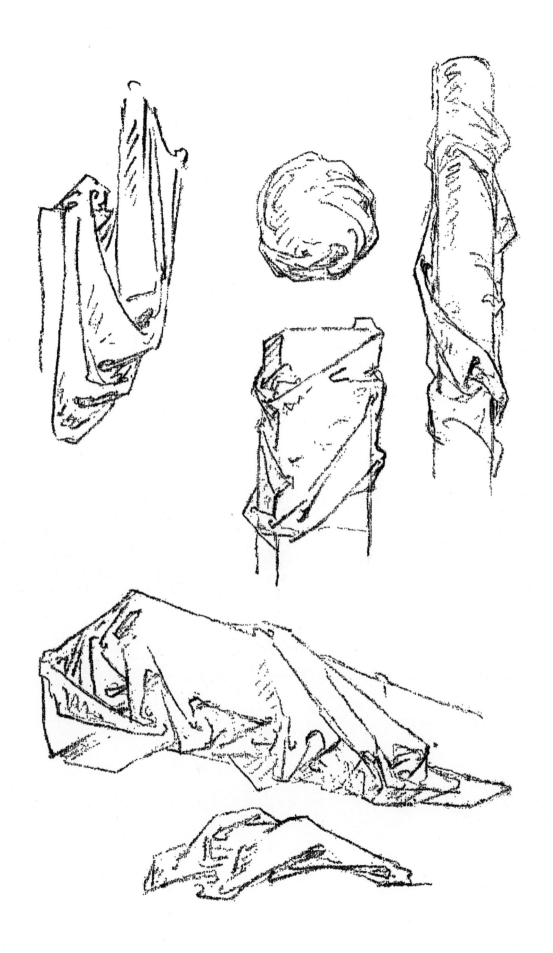

354

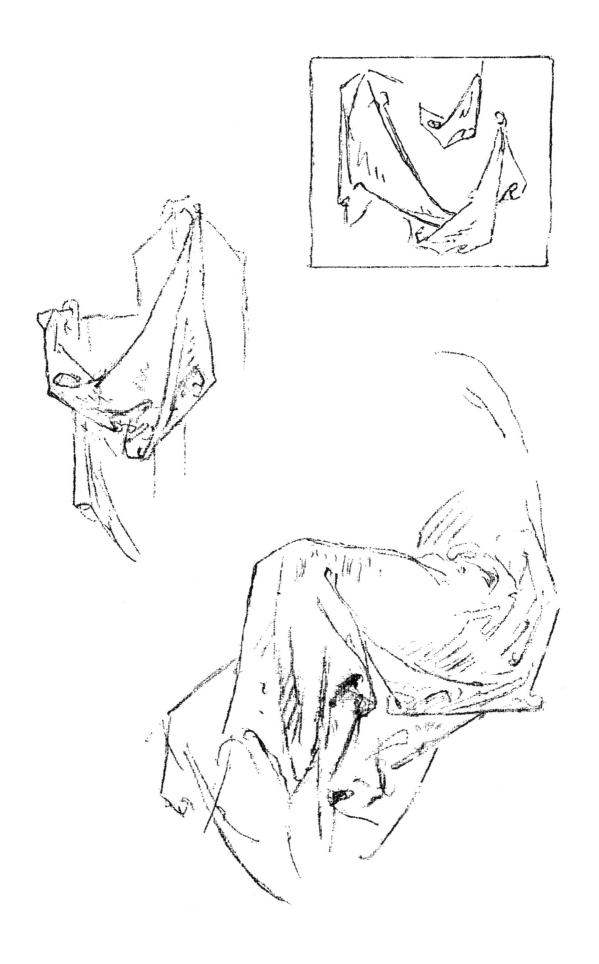

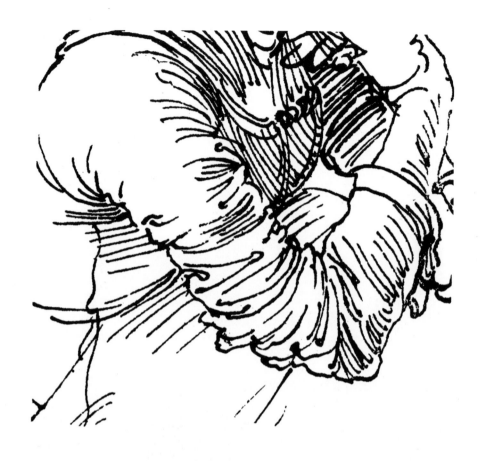

螺旋型皱褶

不管皱褶看上去是多么地复杂，它都可以归纳成几种基本的规律，这几种规律应该被加以整理并且尽可能地分别记在心里。画家能够随时在没有笔记或者模特的情况下，画出这七种独特的皱型中的任何一个。想一想皱褶所起的作用，当碰到着装模特的时候，你就不会在描述这些随时变化的皱褶时感到迷茫了。

曲线和斜线的安排要适合身体的圆形，因为衣料缠绕在形体上。当皱褶离开其支撑点时会以同样的褶痕变宽。可以有把握地说，因为它们从支撑点辐射出来，它们很少相互平行。在很大程度上，应在安排这些辐射的皱褶的时候考虑其装饰性。（也就是知道应该省略什么。）

当袖子进入肩部时，画面需要既有弯曲的也有直的线条。在肘部弯曲的地方，衣料向外、向上辐射，环绕住前臂外侧的楔形。皱褶的数量取决于织物的材质或重量，以及服装穿过的次数。皱褶不能看上去似乎是平行的，也不能在方向或体积上出现重复。你的画应该展示一种构成完美的感觉。

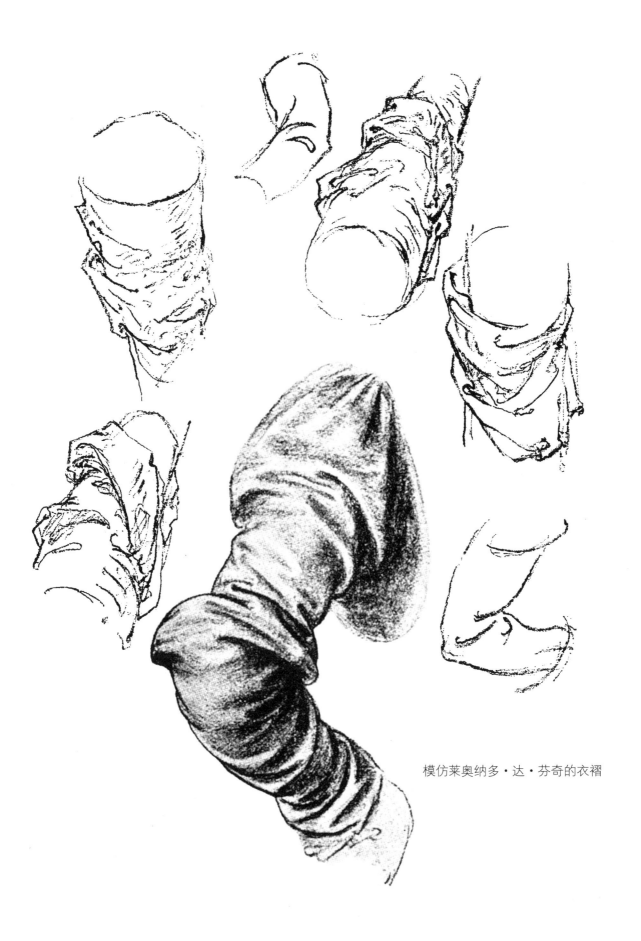

模仿莱奥纳多·达·芬奇的衣褶

垂落型或飞舞型皱褶

　　这种特殊类型的皱褶脱离支撑点后，变得自由自在，沿着衣料有韵律地扭转向下，直到其边缘。这些皱褶直直地挂着，为形体增加了一分高贵。但是，当轮廓卷曲，例如在运动中，其下边缘悬在空中，内边缘或者外边缘常常扭曲、转动或者具有螺旋形态。相对任何其他皱褶的性质来说，垂落型皱褶是一种截然不同的皱褶，没有其他一种皱褶会侵犯到这一领域。它主要用于跑步、跳舞和完成其他装饰性的运动形体中。当形体处于运动中，它的轮廓在交织的曲线中摇摆，在静止的时候摆动得高贵优雅。不管是处于运动还是静止状态，所有的皱褶远离固定点的时候，都遵从重力的规律。只是这些规律的细节有些变化，当它们在横向或者弯曲的方向被剪裁得笔直的时候，大部分决定于所使用的织物，产生细节上的不同表现。

　　皱褶必须按照形体的线条来安排，并受其控制，那些与支撑点有一段距离的皱褶，当它们离开形体的时候，会不规则地摇动或者飘动，按照与服饰相接的方式，可以被看成是凹或凸。上面的部分可能会有相同的宽度或者体积，但是，如果仅有较少的空间，会在上面形成一个类似管子的外观。当它向下的时候，它会变得越来越宽并且在下边缘变得更加自由。

　　这些下垂的皱褶必须具有从支撑点（例如肩部、袖子或者腰带）落下来的外观，在画垂落或飞舞皱褶的时候，必须感觉得到并强迫它下落。没有一架照相机能够提供这些特征，它们是个性的、独特的。在研究局部细节的时候，一张照片可能是有用的，但是，它很少能够在对两个或更多的形体安排时派上用场。一架照相机可能会像人的眼睛那么精确，但它不能描绘那些使线条和布局产生美感和表现力的诸多因素，而这诸多因素正是一部作品所需要的。一张照片不能消除那些皱褶的琐碎细节而令人信服。

　　这里讲述不同性质的皱褶，绝对不能被看成是一件新鲜事。从形体上落下的衣料，肯定给人以下落或者飞舞的印象，重点是将这个印象传递给别人，也就是说，这块衣料正在做着某件事情，是你对这些简单规律的理解，使得着装的画面有令人信服的可能。

　　为了获得运动中的皱褶概念，把一段薄或厚的织物做向后、向前或者有韵律的摇动。之后，用一只手拿一张卫生纸，另一只手扭转或者旋转它，直到它表现出有些类似于你所希望的皱褶，然后用图钉把卫生纸固定在板上。对于沉重的织物，应使用厚一些的纸。

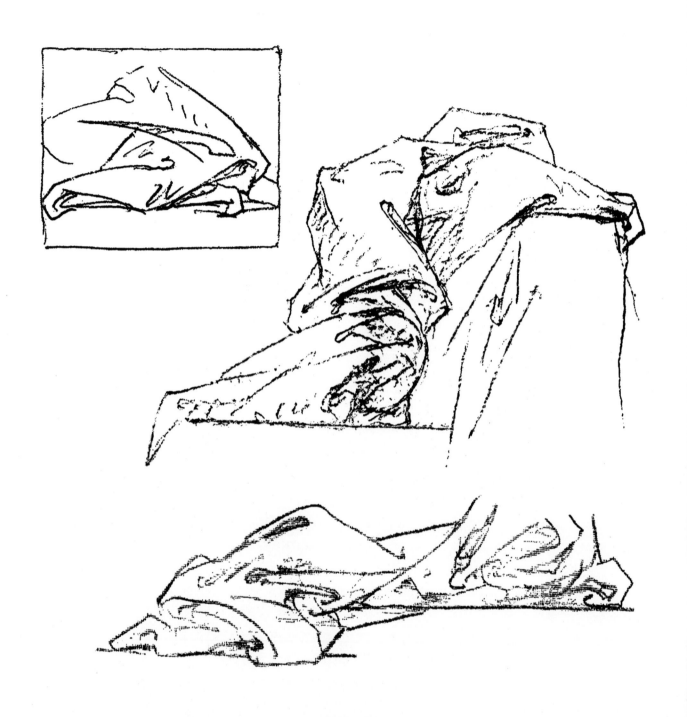

呆滞型皱褶

　　人们都知道，不管衣料有多厚或多薄，它本身没有固有的皱褶。一块布被扔在或者落在地板上，不管是平铺着，还是起了皱褶，都具有于其他任何形态不同的特性。下面这块起了皱褶的衣料不是静止的，在落地的过程中，它是变化的；在一定的时间内，它生机勃勃的角度就会变得更加消沉和平坦。但它却保持着衣料垂落在地的特点，与其他的皱褶不同，并且这种确定的特征是绘画背后的抽象概念，对旁观者来说，显而易见这块落下的衣料是呆滞和死气沉沉的。

体　积

　　由于很难保留人体在沉重的织物正面的真实形状并使得它看上去代表人体而不仅仅是一堆衣服或者皱褶，因而，对沉重的织物的处理是个问题。假设处于坐姿的形体的主要支撑点全部源于膝部，这支撑点处于一个水平面内，而且不是靠得太近，那么下垂的皱褶会悬挂在织物的重心，使得下边缘向外飘，变得更加下垂，比侧边还要低。如果一只脚踏在凳子或者垫子上，那么支撑点会比其他的更高一些，致使上面有很大而正面有稍小的悬挂，它们交接在接近下膝中的地方，而不是在中心。在这种情况下，皱褶不会从一个支撑点延续到另外一个支撑点，其相交之处呈现更加曲折的角度。

　　当衣料以松松的皱褶被悬挂时，垂下的圆形隆突的各衣褶相交时没有曲折的角度，而是互相混合并消失在其中。必须认为皱褶正在做一件明确的事情，是你的理解以及模仿使得着衣人体的画面美观成为可能。

韵　律

　　画面中若没有一种若隐若现、细微精妙的对称性线条川流其间，线条的安排和皱褶的面积便不是完整的和谐调的。

　　在绘画的轮廓、色彩、光线和阴影中都存在着韵律。所以，为描绘形体的韵律，我们可以把运动中有活力的一面与没有活力的一面进行协调。总之，自始至终牢记：画面应该富于含蓄的、微妙的对称性。